# RAÍZES
## DO BRASIL

SÉRGIO BUARQUE DE HOLANDA
(11.7.1902 — 24.4.1982)

# COLEÇÃO
# DOCUMENTOS BRASILEIROS

DIRIGIDA POR AFONSO ARINOS DE MELO FRANCO

VOLUME N.º 1

## SÉRGIO BUARQUE DE HOLANDA

# RAÍZES
# DO BRASIL

19.ª edição

*Introdução de*
ANTÔNIO CÂNDIDO
*Conferência de*
ALEXANDRE EULÁLIO
*Artigo de*
LEO GILSON RIBEIRO

**J.O.**
JOSÉ OLYMPIO EDITORA

RIO DE JANEIRO/1987

Todos os direitos desta edição reservados à
LIVRARIA JOSÉ OLYMPIO EDITORA S.A.
Rua Marquês de Olinda, 12
Rio de Janeiro — República Federativa do Brasil
Printed in Brazil / Impresso no Brasil

ISBN 85-03-00177-2

A foto da p. II foi tirada nos anos 50
na redação do *Diário Carioca*.

CIP-Brasil. Catalogação-na-fonte
Sindicato Nacional dos Editores de Livros, RJ

H669r    Holanda, Sérgio Buarque de, 1902-1982
         Raízes do Brasil; prefácio de Antônio Cândido. 19. ed. Rio de Ja-
    neiro: José Olympio, 1987.

    (Documentos brasileiros, v. n. 1).

    "História bibliográfica de 'Raízes do Brasil'."
    "Introdução de Antônio Cândido."
    "Conferência de Alexandre Eulálio."
    "Artigo de Leo Gilson Ribeiro."

    1. Brasil — Condições sociais. 2. Brasil — História. 3. Brasil —
    Vida intelectual. 4. Classes sociais — Brasil. I. Título. II. Série.

                                    CDD — 309.181
                                         301.440981
                                         301.340981
                                         981
                                    CDU — 308(81)
                                         301.18(81)
75-0614                                  981

# SUMÁRIO

# RAÍZES DO BRASIL

*Mundo novo e velha civilização. — Personalismo exagerado e suas conseqüências: tibieza do espírito de organização da solidariedade, dos privilégios hereditários. Falta de coesão na vida social. — A volta à tradição, um artifício. — Sentimento de irracionalidade específica dos privilégios e das hierarquias. — Em que sentido anteciparam os povos ibéricos a mentalidade moderna. — O trabalho manual e mecânico, inimigo da personalidade. — A obediência como fundamento de disciplina.*

*Portugal e a colonização das terras tropicais. — Dois princípios que regulam diversamente as atividades dos homens. — Plasticidade social dos portugueses. — Civilização agrícola? — Carência de orgulho racial. — O labéu associado aos trabalhos vis. — Organização do artesanato; sua relativa debilidade na América portuguesa. — Incapacidade de livre e duradoura associação. — A "moral das senzalas" e sua influência. — Malogro da experiência holandesa.*
    *Nota ao Capítulo II:*

## NOTA DA EDITORA
### DADOS BIOBIBLIOGRÁFICOS DO AUTOR

SÉRGIO BUARQUE DE HOLANDA *nasceu na cidade de São Paulo a 11 de julho de 1902, filho de Cristóvam Buarque de Holanda e Heloísa G. Buarque de Holanda. Fez o curso primário na Escola Caetano de Campos e o secundário no Ginásio de São Bento. Formou-se na Faculdade de Direito do Rio de Janeiro, em 1925.*

*Ainda estudante, inicia-se na vida literária, assinando artigos, ensaios, estudos sociológicos e de crítica. Revolucionária a sua ação, como escritor, ao tempo da revista* Klaxon, *salienta-se no Movimento Modernista que começara em São Paulo em 1922. Com Prudente de Moraes Neto funda a revista* Estética, *(1924), que teve grande influência na renovação dos estilos literários e artísticos do Brasil. Colabora com regularidade, nessa época, no* Jornal do Brasil *e na* Revista do Brasil *(2.ª fase), dirigida por Rodrigo M. F. de Andrade.*

*Certo espírito de aventura e de ânsia de conhecimento objetivo leva-o à Europa, fazendo-o percorrer em missão jornalística vários países, especialmente a Alemanha nos anos de 1929 e 1930.*

*Em 1936, publica o primeiro livro,* Raízes do Brasil, *inaugurando a Coleção Documentos Brasileiros, então dirigida por seu planejador Gilberto Freyre. Trajetória brilhante teve o livro até o cinqüentenário: 18 edições brasileiras e traduções para as línguas italiana, espanhola e japonesa.*

*Fundada a Universidade Federal do Distrito Federal, nela ingressa como professor da Faculdade de Filosofia de 1936 a 1939, lecionando as cadeiras de Cultura Luso-Brasileira e de História da América.*

*Em 1939, assumiu o cargo de chefe da seção de publicações do Instituto Nacional do Livro, transferindo-se em 1944 para a Biblioteca Nacional, de cuja Divisão de Consulta foi diretor até 1946.*

*Em 1941, viaja para os Estados Unidos da América, onde esteve alguns meses a convite da Divisão de Cultura dò Departamento de Estado.*

*Tendo exercido durante algum tempo as funções de crítico* no Diário de Notícias, *em 1944, reuniu em livro parte de suas apreciações, publicando-o sob o título de* Cobra de vidro. *No ano seguinte, 1945, escreveu* Monções, *obra sobre a História Paulista. Voltaria à crítica literária nos anos de 1950 a 1952, no* Diário Carioca (Rio de Janeiro) e Folha de São Paulo, *que estampavam simultaneamente os seus artigos, ainda não reunidos em livro.*

*Eleito em 1945 presidente da Associação Brasileira de Escritores, seção do Rio de Janeiro, nela prosseguiu a obra iniciada por seus antecessores, que tinham sido, sucessivamente, Manuel Bandeira, Otávio Tarqüínio de Sousa e Aníbal Machado, em fase particularmente delicada da vida do país. Sua escolha seguiu-se ao Congresso Brasileiro de Escritores, reunido um mês antes em São Paulo, cuja declaração de princípios, aprovada em pleno Estado Novo, reclamava "liberdade democrática como garantia da completa liberdade de expressão do pensamento, da liberdade de culto, da segurança contra o temor da violência e do direito a uma existência digna". Ainda em 1945, torna-se membro fundador da Esquerda Democrática (mais tarde Partido Socialista Brasileiro).*

*Muda para São Paulo, em 1946, a fim de dirigir o Museu Pàulista, que deixa em 1956. A partir de 1948, encarrega-se, na Escola de Sociologia e Política de São Paulo, da cadeira de História Econômica do Brasil (lecionada anteriormente por Roberto Simonsen), e posteriormente, também de História Social e Política.*

*Exerceu, por duas vezes, em 1947 e em 1950, a presidência da seção paulista da Associação Brasileira de Escritores.*

*Em 1948 publica o opúsculo* Primórdios da expansao paulista no fim do século XVI e começo do século XVII, *e em 1949, o estudo* Índios e mamelucos na expansão paulista, *nos* Anais do Museu Paulista.

*Em 1949, participou sucessivamente de três Comitês da UNESCO, em Paris, relacionados com matérias de sua especialidade, e pronunciou uma série de conferências na Sorbonne. Participou, também em 1950, do Primeiro Seminário Internacional de Estudos Luso-Brasileiros, reunido em Washington. Participou ainda do 2.º e 3.º Colóquios Luso-Brasileiros, reuni-*

*dos em Salvador (1959) e nas universidades de Harvard e Columbia (1966), nos Estados Unidos da América. Em 1953 e 1954, residiu na Itália onde deu na Universidade de Roma um curso de Estudos Brasileiros. Ainda em 1954 participou do IX Rencontres Internationales de Genève, onde fez uma conferência seguida de debates, sobre o tema "L'Europe et le Nouveau Monde", publicada no mesmo ano pelas edições de La Baconnière, em Lausanne, Suíça.*

*Ao regressar para São Paulo, em 1955, foi eleito vice-presidente do Museu de Arte Moderna, mandato que foi ratificado durante seis anos.*

*Em 1956, é chamado a reger a cátedra de História da Civilização Brasileira na Faculdade de Filosofia da Universidade de São Paulo, onde se efetiva por concurso com a tese* Visão do paraíso *(Os motivos edênicos no descobrimento e colonização do Brasil), impressa em setembro de 1958, com tiragem de 100 exemplares, fora do comércio, para concorrer ao concurso. Com nova distribuição da matéria, correções e ampliações do texto, foi editada na Coleção Documentos Brasileiros a 1.ª edição do notável livro, em 1959.*

*Por mais de uma vez, e sempre por eleição, exerceu a chefia do Departamento de História da USP.*

*De 1962 a 1964, foi diretor do Instituto de Estudos Brasileiros da Universidade de São Paulo, criado durante a gestão do Magnífico Reitor Antônio de Barros Ulhoa Cintra, a cuja biblioteca se destinou a valiosa coleção de obras raras sobre o Brasil, pertencente a F. de J. Almeida Prado, adquirida pela USP. Foi presidente das comissões organizadoras, tanto do IEB como do Instituto de Pré-História e do Museu de Arte e Arqueologia da USP, criados igualmente durante a gestão Ulhoa Cintra.*

*Em 1963, a convite da Universidade do Chile e de seu Centro de Investigações de História Americana, deu um curso e organizou seminários de História do Brasil, juntamente com os Professores Ruggiero Romano (História da América Espanhola) e Max Savelle (História dos Estados Unidos). Editou-se um volume pela mesma universidade, sob o título:* Tres lecciones inaugurales — Buarque, Romano, Savelle. *(Santiago do Chile, 1963). No ano de 1974, participou da reunião de escritores latino-americanos em Caracas (Venezuela).*

*A convite do governo norte-americano viajou, em 1965, para os Estados Unidos da América, onde percorreu várias universidades, fazendo conferências e participando de seminários nas de Columbia, Harvard e Califórnia (Los Angeles). Em*

*1966-67, esteve novamente nos Estados Unidos como Professor Visitante na Universidade de Indiana e na New York State University, tendo, além disso, organizado seminários e participado de outras atividades didáticas na Universidade de Yale.*

*Convidado pela UNESCO para integrar o Comitê de Estudo das Culturas Latino-Americanas, participou das reuniões do referido comitê, efetuadas em Lima (novembro-dezembro de 1967), em San José de Costa Rica (agosto de 1968) e na Ciudad Mexico (1974).*

*Em 1969, pede aposentadoria da Universidade de São Paulo, em solidariedade com os professores aposentados compulsoriamente pelo AI-5, do que fez questão constasse de ata. E Sérgio Buarque não interrompeu suas atividades como escritor, continuando à frente de publicações como a* História geral da civilização brasileira, *da* História do Brasil *e da* História da civilização (Coleção Sérgio Buarque de Holanda), *participando de bancas examinadoras, publicando novos livros, preparando as reedições dos antigos, colaborando em revistas e jornais, dando cursos e conferências em universidades brasileiras (Minas Gerais, Paraná, Goiás e Bahia), além de escrever, sempre que lhe solicitaram, prefácios a obras de companheiros e discípulos do Departamento de História do Brasil da Universidade de São Paulo, onde formou uma verdadeira escola de historiadores.*

*Em 1980, registrou-se no Partido dos Trabalhadores, do qual foi membro-fundador. No mesmo ano recebe dois prêmios: O Juca Pato, da U.B.E. e o Jabuti, da Câmara Brasileira do Livro.*

*Pertenceu à Academia Paulista de Letras, elegendo-se, em 1958, na vaga de Afonso de E. Taunay.*

*Foi casado com a Sra. Maria Amélia Alvim Buarque de Holanda e teve sete filhos, Heloísa Maria, Sérgio, Álvaro Augusto, Francisco (Chico Buarque), Maria do Carmo, Ana Maria e Maria Cristina. Faleceu na cidade de São Paulo, onde residia, em 24 de abril de 1982, às 9h 30min da manhã, sendo cremado no Cemitério da Vila Alpina.*

\*

*Em 12 de agosto deste ano, foi inaugurada na Universidade de Campinas a Biblioteca Sérgio Buarque de Holanda, pelo secretário de Estado de Cultura de São Paulo, Dr. Jorge Cunha Lima e pelo Magnífico Reitor da Unicamp, Prof. Paulo Renato da Costa Silva, com a reconstituição do gabinete de traba-*

lho do escritor. Proferiu admirável conferência de abertura, reproduzida nesta edição, o ensaísta Prof. Alexandre Eulálio [Pimenta da Cunha]. Almeida Prado deu uma audição com músicas de Chico Buarque e a Orquestra Sinfônica da Unicamp, regida pelo maestro Benito Juarez, realizou um concerto que terminou também, com uma das músicas de Chico Buarque. O Arquivo do Estado de São Paulo, dirigido por José Sebastião Witter, e o Centro de Memória — Unicamp, dirigido pelo Prof. J. R. Amaral Lapa, promoveram uma Semana Sérgio Buarque de Holanda, da qual participaram entre outros, Florestan Fernandes, José Sebastião Witter, J. R. do Amaral Lapa, Alexandre Eulálio, Adélia Bezerra de Menezes, Sueli Robles de Queiroz e Laima Mesgravis.

Realizou-se, ainda, a exposição As raízes de Sérgio.

Rio, setembro de 1986.

SÉRGIO BUARQUE,
*em retrato feito a nanquim
por Flávio de Carvalho,
em 1970.*

# BIBLIOGRAFIA
## DE SÉRGIO BUARQUE DE HOLANDA

### I. LIVROS — AUTORIA

*Raízes do Brasil.* Rio de Janeiro, José Olympio, 1936.

*Cobra de vidro.* São Paulo, Martins, 1944; 2.ª ed., Perspectiva, 1978.

*Monções.* Rio de Janeiro, Casa do Estudante do Brasil, 1945; 2.ª ed., São Paulo. Alfa Ômega, 1976.

*Caminhos e fronteiras,* 1957; 2.ª ed., 1975. Ambas: José Olympio, Rio de Janeiro.

*Visão do paraíso* (Os motivos edênicos no descobrimento do Brasil). Na Coleção Documentos Brasileiros. Rio de Janeiro, José Olympio, 1959. (Em 1958, fez-se uma tiragem fora do comércio, de 100 exs., como tese de concurso à cadeira de História da Civilização na USP) 2.ª, revista e ampliada. São Paulo, Companhia Editora Nacional, 1969; 3.ª 1977, e 4.ª, 1985, também da Editora Nacional.

*Do Império à República.* (Vol. 7 da *História geral da civilização brasileira,* obra por ele dirigida). São Paulo, Difel, 1972.

*Velhas fazendas.* São Paulo. Companhia Editora Nacional, 1975. Ils. de Tom Maia.

*Tentativas de mitologia.* São Paulo, Perspectiva, 1979.

*O Extremo Oeste.* (obra póstuma). Apresentação de Jorge Cunha Lima. Introdução de José Sebastião Witter. São Paulo, Editora Brasiliense/Secretaria de Estado da Cultura de São Paulo, 1986.

### II. LIVROS — CO-AUTORIA

*História do Brasil* [até a Independência]. (Didático). Com Otávio Tarqüínio de Sousa. Rio de Janeiro, José Olympio, 1944.

*Tres lecciones inaugurales.* Com Ruggiero Romano e Max Savelle. Centro de Investigaciones de Historia Americana, Santiago do Chile, 1964.

## III. LIVROS — DIREÇÃO E ORGANIZAÇÃO

*História geral da civilização brasileira* (assistido por Pedro Moacir de Campos). São Paulo, Difel, 1960-1972.

## IV. LIVROS — ANTOLOGIAS

*Antologia dos poetas brasileiros na fase colonial.* (Revisão crítica de Aurélio Buarque de Holanda Ferreira). 2 vols. Ministério da Educação, 1952; 2.ª ed. (1 vol). São Paulo, Perspectiva, 1979.

L. von Ranke, *História* (Seleção de textos e prefácio). Trad. de Trude von Laschan Solstein. São Paulo, Atica, 1979.

Vinícius de Morais, *O operário em construção.* (Antologia organizada e prefaciada por ele). Rio de Janeiro, Nova Fronteira, 1979.

## V. LIVROS — ORIENTAÇÃO E SUPERVISÃO

*História do Brasil.* (Didático), de Carla de Queiroz, Sílvia Barbosa Ferraz e Virgílio Noya Pinto. Assessoria de Laima Mesgravis, São Paulo, Companhia Editora Nacional, 1972-1974, 2 vols.

## VI. LIVROS — TRADUÇÕES

Thomas Davatz. *Memórias de um colono no Brasil.* São Paulo. Livraria Martins, 1941.

Wilhelm Schmidt. *Etnologia sul-americana* (Círculos culturais e extratos culturais na América do Sul), São Paulo, Companhia Editora Nacional, 1952.

*Frontispícios da 1.ª edição e da 5.ª, revista, quando o Autor estabeleceu o texto definitivo de Raízes, não mais fazendo emendas. E só na 17.ª edição é que saiu Nota de D. Maria Amélia Alvim Buarque de Holanda, viúva do saudoso escritor, retificando alguns senões que vinham da 5.ª edição.*

Raízes do Brasil *teve três capas: da 1.ª edição, de Santa Rosa (reproduzida acima); da 5.ª (de Gian Calvi); e da 7.ª à 17.ª (de Eugenio Hirsch), voltando, na 18.ª, à capa-padrão da Coleção Documentos Brasileiros.*

SÉRGIO BUARQUE DE HOLANDA COM AMIGOS.

*À nossa esquerda, o casal Sérgio-Maria Amélia Alvim Buarque de Holanda, Maria Elizabeth Lins do Rego e José Olympio, abraçado ao neto José Olympio da Veiga Pereira.*

*Sérgio com o filho Chico Buarque, em foto batida durante um almoço na Editora (1972). Muito brincalhão, o grande Sérgio, ao ser apresentado a determinadas pessoas, fugia da praxe de se dizer o nome, e dizia, sorridente: — "Eu sou o pai do Chico Buarque."*
*Embaixo, com os escritores José Cândido de Carvalho (à nossa esquerda), Prudente de Morais, neto e Lígia Fagundes Teles, em foto também batida na Editora, em noite de autógrafos (1971).*

それとは逆に、ブアルケ・デ・オランダ教授の言葉を借りれば、イベリア系、ラテン系の人々は、労働を神聖化するような考え方に反撥する。いわば、「怠惰こそ美徳である」ということになるが、それも堂々たる形で、ラテン・アメリカ人は自らの日常生活の内で強調するのである。

本著を読むと労働観のみならず、社会・生活、規律、正義、親しみ易さなど日本人とラテン・アメリ人の互いに比較し得る点は極めて多いことが分かる。この比較論は、別な機会でとり上げることにし、日本の読者が本書を読まれて、対象的に、自分自身をみつめることになると期待している。とりわけ、最近、日本人の間で労働観およびその他の伝統的な価値観についても大幅な変化が現われているので、本書を読了される甲斐があると思われる。

著者ブアルケ・デ・オランダ教授は、サン・パウロ大学歴史学科で植民史に関する講義を受け持っていた。一九六五年、米政府の招聘によって、アメリカ各地の大学で講演した他、インディアナ大学、ニューヨーク州立大学でも教鞭をとった。本書は著者の処女作で、ブラジルでは多くのポレミックの対象となった問題の書であり、スペイン語、イタリア語等にも訳されて、海外でも高い評価を受けている。

昭和五十一年十月三十日

訳者

272

Raízes do Brasil *também no Japão.*
*Fac-símile da página final da edição publicada em Tóquio.*
*Versão de M. Crespo (1976).*

xviii

# CARTA DO PROF. BRAUDEL A PROPÓSITO DA REALIZAÇÃO DE UM CONGRESSO INTERNACIONAL DE HISTÓRIA DA COLONIZAÇÃO*

*Paris, 25 de julho de 1948*

MEU CARO AMIGO:

Recebi, antes de minha saída de Paris, suas *Raízes do Brasil* em triunfante segunda edição e venho agradecer-lhe em verdade um pouco atrasado, pois o fim de nosso ano letivo foi terrivelmente sobrecarregado. Aliás, há muito tempo que eu tinha vontade de lhe escrever, pelo menos desde a simpática visita de seu cunhado, para dizer que boa lembrança minha mulher e eu guardamos de sua acolhida e das horas encantadoras passadas em sua companhia e de Mme. Buarque de Holanda e de suas preocupações de historiador tão próximas das nossas. Seguindo suas indicações, procurei e encontrei os arquivos dos Schetz, mas não ainda os papéis referentes ao engenho dos Erasmos, os quais, se não estiverem em certas malas de documentos ainda não inventariados, correm o risco de ficar perdidos para a História. Em todo caso, eu lhe darei notícias do prosseguimento de minhas pesquisas.

Aqui, na Alta-Savóia, no vento, no sol e, às vezes, infelizmente, na chuva, repousamos admiravelmente, filhos e pais. São minhas primeiras férias verdadeiras nos últimos três anos — férias quase sem leitura e sem escrita. Deixei tudo provisoriamente em recesso, mesmo as folhas prontas do meu livro que sairá, sem dúvida, em novembro-dezembro.

Está de novo em cogitação um congresso, para 1949, *Congresso Internacional de História da Colonização*, que conta, segundo dizem, com grandes verbas. Espero um convite para v., bem como para Gilberto Freyre e Yan de Almeida.

---

* Transcrevem-se nesta edição do Jubileu de ouro de *Raízes* cartas dos eminentes professores franceses F. Braudel e Lucien Febvre a S.B.H. a propósito de futuro Congresso Internacional de História da Colonização e de honroso convite para Sérgio ministrar, na Sorbonne, um curso sobre História e Etnografia brasileira.

Tive ocasião de encontrar Gilberto, em Paris. O homem está à altura dos livros. Confesso que fiquei inteiramente conquistado.

Apresente nossos cumprimentos a Mme. Buarque de Holanda, com a amizade de minha mulher.

Muito cordialmente seu

F. BRAUDEL

P.S. Gostaria muito que v. se encontrasse com meu sucessor e amigo, o professor Léonard, com quem v. certamente se dará bem. Ele fica em São Paulo até novembro.

\*

# CARTA DO PROF. LUCIEN FEBVRE
## A PROPÓSITO DE UM CURSO NA SORBONNE

*Paris, 15 de Dezembro de 1948*

SENHOR DIRETOR:

Tenho a honra de confirmar oficialmente o convite que lhe transmitiu, em meu nome, o Prof. Braudel, Secretário da 6.ª Seção.

Ficaríamos gratos se puder dedicar a nossa Escola um trimestre de ensino.

Solicitamos que nos envie sua resposta o mais rapidamente possível com a indicação de quando poderia iniciar-se esse período de ensino, bem como dos títulos das conferências que ministrará a nossas alunas sobre as pesquisas históricas e etnográficas referentes ao Brasil — das quais V. S.ª foi e permanece um dos grandes artesãos.

Gostaríamos de saber, no menor prazo possível, se V. S.ª se dignou a aceitar nosso convite.

Na espera de sua resposta, apresentamos, Sr. Diretor, os nossos protestos de elevada estima, expressando o prazer que teremos em acolhê-lo entre nós.

LUCIEN FEBVRE
*Presidente*

# I.

## FRONTIERE DELL'EUROPA

Qualsiasi studio inteso alla comprensione della società brasiliana, deve sottolineare il fatto veramente fondamentale che noi costituiamo l'unico sforzo ben riuscito, e su vasta scala, di trapianto della cultura europea in una zona di clima tropicale e subtropicale.

Su di un territorio che, ove fosse popolato con la stessa densità del Belgio, ospiterebbe un numero di abitanti uguale a quello della popolazione attuale del globo, stiamo vivendo una esperienza senza eguale. Poiché traiamo da paesi lontani le nostre forme di vita, le nostre istituzioni e la nostra visione del mondo, mantenendo tutto ciò in un ambiente spesso sfavorevole e ostile, siamo ancora degli esiliati nella nostra stessa terra. Potremo costruire opere eccellenti, arricchire la nostra umanità di aspetti nuovi ed imprevisti, elevare fino alla perfezione il tipo di cultura che rappresentiamo; ma sta di fatto che ogni frutto del nostro lavoro o della nostra pigrizia porta fatalmente l'impronta di uno stile e di un sistema di evoluzioni naturali ad altro clima ed altro paesaggio.

Pertanto, prima di indagare fino a qual punto potremo alimentare nel nostro ambiente un tipo proprio di cultura, converrebbe accertare fin dove rappresentiamo in esso le forme di vita, le istituzioni e

1  *Alle radici del Brasile*

---

# SÉRGIO BUARQUE DE HOLANDA
## O MESTRE, O CRÍTICO, O PENSADOR*

LEO GILSON RIBEIRO

AQUELE QUE TEVE todos os títulos para ser um *scholar* de renome internacional, o historiador paulista Sérgio Buarque de Holanda, era de uma falta de pompa e uma informalidade encantadora, que o fazia apresentar-se brincalhão como "o pai do Chico Buarque, compositor" às pessoas mais desavisadas.

Nenhum de seus títulos imponentes — Professor de História das Américas e Civilização Luso-Brasileira na Universidade do então Distrito Federal (hoje Rio de Janeiro); Professor de Estudos Brasileiros na Università di Roma; Professor de História da Civilização Brasileira da Universidade de São Paulo — tirava-lhe o tom cordial, brincalhão, amável com que acolhia todos os interlocutores em conversas restritas a poucas pessoas. Sua morte prematura encontra-o em meio à elaboração acelerada de uma vasta História do Brasil que se detém, por ora, no período monárquico brasileiro.

Mestre de profunda erudição de várias disciplinas que formavam o mosaico da sua História, nela se incluíam a sociologia, as vicissitudes econômicas, as leis, as tradições e a psicologia das raças que de outros continentes vieram formar o Brasil. Crítico literário improvisado, dedicou noites e noites de afinco para atualizar-se e ler a literatura que lhe era dada para resenha, reservando, ao lado da sua lucidez cristalina, uma saudável recusa em aceitar *in toto* os dados da "nova crítica" que Afrânio Coutinho garimpava um tanto afoitamente nos Estados Unidos e quisera transplantar, pesadamente, para o terreno da análise da nossa literatura. Essa sadia tendência fica claramente enunciada,

---

* *Transcrevemos, nesta edição de* Raízes, *trechos do artigo de Leo Gilson Ribeiro, publicado no* Jornal da Tarde *(SP, 26.4.1982), três dias depois do falecimento de Sérgio.* (N. da E.)

por exemplo, em *Tentativas de mitologia* quando, entre outros temas, ele alude ao erro freqüente dos que esperam tanto da História como da Literatura um desdobramento regular, previsível, planejado. Seu horror a toda esquematização rígida, dogmática, o leva a temer os "Excessos de análise, os excessos de simplificação e de aplicação... (que) constituem a patologia de todas as técnicas convertidas em métodos, de todos os métodos convertidos em metodologias". É o "pecado", parte fraca do "new criticism" importado dos EUA para combater o impressionismo das conclusões "gostei, não gostei de tal obra". O resultado é que o excesso de métodos rigorosos não impede uma abordagem tão impressionista quanto o subjetivismo do mero "impressionismo" anterior, da "impressão" individual que um crítico porventura tenha tido de uma obra.

Além disso, Sérgio Buarque de Holanda, co-partícipe da Semana do Modernismo de 1922, é um finíssimo selecionador, comentarista exímio e organizador da *Antologia dos poetas brasileiros da fase colonial*.

Duas obras ressaltam pela pujança e importância de sua colocação ou, diríamos melhor, ordenação da sociedade brasileira que as inspira, na visão sumariamente aguda de Sérgio Buarque de Holanda. Felizmente e com argumentação irrefutável, sem ser esse o seu propósito, ajudou a enterrar a visão niilista que tinha da formação do Brasil um historiador como Paulo Prado e seu terrível *Retrato do Brasil*. Com *Raízes do Brasil*, de 1936, o autor dá mais importância a fatores como os propostos pela Semana de 22 e que, em suma, visavam todos a *voltar a atenção do brasileiro para os problemas vitais do presente brasileiro*. Ao denunciar os brasileiros saudosistas de "tradições" rígidas européias e de um "passado glorioso europeu" que nós, brasileiros de origem européia, perdemos, ao sermos transplantados para o Novo Mundo, S. B. de H. não crê, com razão, na racionalidade fria, calculista, matemática, da colonização portuguesa do Brasil — ela foi-se fazendo um pouco ao acaso e redundou não num choque das raças que compõem o Brasil moderno: ao contrário abrandou-lhe as arestas, envolveu-nos todos em um "você" igualitário, íntimo, familiar; ao mesmo tempo que, em relação a outras sociedades mais modernas, o Brasil pagava o preço de ter uma urbanização atrasada, com o predomínio das relações entre pessoas e não entre abstrações como a firma e o Estado. Mais tarde, recentemente, ele renegaria sua famosa teoria de que o brasileiro é o "homem cordial", expressão que tomara emprestada ao poeta Ribeiro Couto. A fase atual da sociedade exige uma hierarquização de postos na máquina produtora que eclipsa as relações pessoais, incute nas relações antes orientadas pelo difuso emocionalismo brasileiro o padrão da produtividade, da impessoalidade das relações entre empregados e patrões e facilita as lutas sindicais de grupos contra grupos, como na Europa e nos EUA. Essa modificação vem pôr abaixo também a visão fidalga que os brasileiros tinham do trabalho manual e que até hoje faz algumas camadas da sociedade brasileira usarem a unha do dedo mínimo da mão esquerda exageradamente longa, como que a denotar que seu proprietário não trabalha na gleba, não faz trabalho vil de "gentio".

Seria, de passagem, importante citar também *Visão do paraíso*, em que, em meio a uma diversidade de temas, S. B. de H. documenta solidamente a procura dos descobridores portugueses e depois espanhóis e italianos de um reino mítico, o Eldorado, o Paraíso, nas terras da América e o contraste entre a intenção, no Norte da América, de lá se criar uma nova sociedade mais justa, mais livre, e, no Brasil, ao contrário, lançar-se mão apenas dos recursos materiais e humanos da terra recém-descoberta para explorá-la sem jamais sonhar com a sua autonomia e futura individualidade nacional.

De ambos os livros ressalta um mesmo retrato do Brasil: se somos os "desterrados" de nosso legado cultural e intelectual da Europa, não há via mais saudável do que a de nos despojarmos voluntariamente do peso excessivo, do peso morto que parte desse passado europeu representa para nós. A mais duradoura lição do historiador permanece inalterável: para sermos independentes em todos os sentidos é indispensável que nos voltemos para o presente. Que apresentemos soluções brasileiras e pioneiras para a nossa problemática. Será inútil e simiesco macaquearmos sempre o que vem de fora — seja, ontem, da Europa, hoje dos EUA —: única maneira de forjarmos uma nacionalidade, um *ethos*, uma identidade é sermos nós mesmos, tomando o passado como mera base, mas com os olhos voltados para aquilo que em filosofia se chama *devenire* mas em ciências sociais, política, economia, psicologia, história e cultura quer dizer simplesmente: ousar sermos originais, independentes de fontes externas; em substância: ousarmos inaugurar, de forma inédita, o que nunca se fez nestas latitudes. Aí, sim, as raízes darão frutos que não serão meras e grotescas imitações do Velho Mundo ou do avassalador e remoto irmão do Norte.

# SÉRGIO BUARQUE DE HOLANDA
# ESCRITOR*

ALEXANDRE EULÁLIO

> *A memória do Sylvio Felício dos Santos (1908-1986) que me abriu todos os caminhos, e de quem ouvi falar em 1946, pela primeira vez, de* Raízes do Brasil.

SÉRGIO BUARQUE DE HOLANDA — antes de tudo escritor. O escritor denso e sugestivo de *Monções*, de *Caminhos e fronteiras*, de *Raízes do Brasil*, de *Tentativas de mitologia*, de *Do Império à República*, de *Viagem a Nápoles*, de *Visão do paraíso*, de *Cobra de vidro*, desse *O Extremo Oeste*, fragmentado mas não menos iluminante, desses tantos outros textos expressivos ainda disseminados pela imprensa. Uma obra que se espraia pela Literatura, pela História, pelas Ciências Sociais com uma segurança que bem indica a dimensão do intelectual que de todo dominava o seu meio expressivo e que nele podia realizar o que quer que fosse. Mas esse escritor maior fez-se aos poucos, vencendo primeiro a própria facilidade, impaciente de brilhar, que se afirma ainda na infância, bem servida por um espírito curioso e alerta, que tudo esmiuçava. Esta primeira atitude é posta à prova com o amadurecimento crítico do estudante de Direito boêmio, cujo visceral anticonformismo logo sente uma necessidade efetiva de coerência.

A insatisfação de Sérgio durante o período polêmico do Modernismo, do qual ele participa com destaque durante todo o decênio de '20, vai ser seduzida pela vontade de absoluto do Surrealismo bretoniano, que enriquece de modo decisivo a sua exigência de escritor. Finalmente, uma temporada no estrangeiro, vivida nas circunstâncias muito especiais da Alemanha dos últimos anos da República de Weimar, obriga-o a considerar o Brasil além das fronteiras do país, convidando-o a analisá-lo e a

---

* Conferência inaugural da Biblioteca Sérgio Buarque de Holanda na Universidade de Campinas, Unicamp, em 12.8.1986. Agradecemos ao ensaísta a permissão de incluir seu trabalho nesta edição comemorativa do Jubileu de Ouro de *Raízes do Brasil*, enriquecendo-a sobremaneira. (N. da E.)

interpretá-lo na forma abrangente da sua totalidade histórica. De agora em diante, sem abdicar dos interesses anteriores, que, nesse tecido intelectual todo plasticidade, encontrarão lugar, o ensaísta maduro vai estabelecer o seu caminho definitivo, realizando-se como um dos grandes autores do século XX brasileiro. Essa vocação de ensaísta afirma-se ainda na adolescência, pode-se dizer mesmo, ainda no tempo de colégio. E logo esboça os primeiros vôos na grande imprensa, em abril de 1920, quando Afonso Taunay — professor dele no Ginásio de São Bento da capital do Estado e amigo do pai, Christóvão Buarque de Holanda, docente de Botânica na Escola de Odontologia e Farmácia de São Paulo — leva o primeiro artigo desse moço para o *Correio Paulistano*, onde então passa a colaborar. Aí, e em seguida na sisuda *Revista do Brasil*, de Monteiro Lobato, a mais importante do país, mas também em *A Cigarra*, semanário ilustrado, nos moldes do *Fon-fon* carioca, publica os escritos inaugurais. Escritos todos de reflexão e comentário, desde os primeiros deles. Artigos onde já aponta, ao lado de um espírito abrangente, de marcada tendência interpretativa, certa erudição de todo inesperada em rapaz que ainda não completou dezoito anos e que manipula com surpreendente a-propósito tais conhecimentos.

É este bem o caso do artigo "Ariel", que aparece em maio de '20, na letra miúda da secção "Resenha do Mez", praticamente abrindo a parte final do n.º 53 da *Revista do Brasil*. No estilo sóbrio, contido, que não parece de adolescente, relampeja achados irônicos, às vezes de veemência mordaz: "No Brasil o hábito de macaquear tudo quanto é estrangeiro é, pode-se dizer, o único que não tomamos de nenhuma outra nação. É, pois, o único traço característico que já se pode perceber nessa sociedade em formação que se chama o povo brasileiro". A argumentação concatena-se com fluência cheia de naturalidade, exprimindo-se sem nenhum esforço. O estilo evita a pompa retórica mesmo durante o fecho idealista que cita Rodó ("recentemente falecido") e trata da nociva imitação dos Estados Unidos pelos nossos conterrâneos.

Outros artigos aparecem até setembro do ano seguinte em *A Cigarra*, num total de dezesseis, segundo o levantamento feito pela pesquisadora Rosemarie Horsch. Parecendo mais ingênuos, não o são menos ambiciosos aqueles que constituem o tríptico "Os Poetas e a Felicidade", esboço de análise temática dessa questão, assim como a mesma aparece proposta nos versos do Oitocentismo brasileiro: na última das três notas, divulgada em fevereiro de '21, o comentador trata da sintonia expressiva de Francisco Octaviano e Hebbel, exemplo sintomático de ambição comparatista que se está levando a sério. O tema será retomado de modo ainda mais vigoroso num ensaio bem mais longo, "Plágio e Plagiários", *Revista do Brasil,* setembro de 1921. De corte erudito, com inúmeras notas de pé-de-página, faz citações de textos poéticos em cinco línguas diferentes; passeia, com volubilidade muito consciente, pela doutrina filológica contemporânea, citando Carolina Michaëlis, Farinelli, João Ribeiro, Beyeschdorff, Brandes, De Latour, Feis, Alberto Faria...

Tudo isto porém mobilizado de modo funcional, avesso a qualquer exibicionismo simplório, que procurasse valer por si mesmo. Assumindo um ponto de vista extremamente liberal na consideração do problema, encaminha a discussão do plágio antes para a área de uma imitação legítima, consagrada através do tempo cultural do Ocidente, e que só deveria ser coibida como fato doloso quando houvesse dissimulado estrita e inequívoca identidade formal. Vale a pena notar que a argumentação é enriquecida com exemplos nacionais recolhidos pelo articulista, alguns de fontes esparsas, de difícil localização, como certo artigo de Luís Murat de julho de 1886, aparecido em *A Vida Moderna,* da Corte, no qual 'o ilustre poeta das *Ondas'* identifica Jean Richepin como fonte de certa poesia de Raymundo Correa endereçada 'A Aretino', até então tida como original".

A forte impressão que o artigo deve ter causado aos redatores da *Revista do Brasil* está evidenciada no destaque com que o ensaio aparece no corpo do número 69: em terceiro lugar e ornado com duas das agora habituais vinhetas de J. Prado. Por uma coincidência irônica, foi encartado no artigo de Sérgio uma tricomia impressa em papel acetinado por Klabin, Irmão & Cia. do Biotônico Fontoura. Numa sala que se abre para a rua ensolarada um menino de blusa marinheira escreve, na ponta dos pés, num quadro de aviso afixado à parede: "Si sou um menino gordo e corado devo tudo ao Biotônico Font...". O menino parou no *t,* cuja haste está cortando a respiração presa pelo esforço despendido. Impossível que esse acaso na colagem da propaganda não tenha provocado o bom humor dos amigos do precoce Sérgio, que no mesmo mês divulgou também em *A Cigarra* um outro artigo, "O Gênio do Século".

Mais ocasional, pelas dimensões, pelo assunto e pelo lugar onde aparecia, é no entanto expressivo por documentar a adesão do jovem escritor aos ideais de inquietação e reforma literárias que estavam, mais do que no ar, aparecendo com insistência na imprensa da época. O escrito versa sobre o espírito do novo século, a propósito da novela de Aldo Palazzeschi, *Il Codice di Perelà*, publicado em 1911, mas decerto só agora lido pelo articulista. Oportunidade que permite ao jovem autor exarar considerações muito pertinentes sobre a modernidade, os desafios das vanguardas e, em especial, o posicionamento do Futurismo italiano.

A escrita já se revela tensa e inquieta, começando a abandonar o decoro convencional dos primeiros textos; em breve, ela aderirá a maneirismos e modos expressivos bem distantes do repertório bem comportado daqueles outros artigos, como "O Homem-Máquina" e "A Decadência do Romance", de março último. Atitude que já se percebe em "Os Futuristas Paulistas", do *Fon-fon* de dezembro, notícia dos novos da Paulicéia para os leitores cariocas, e que foi precedida, na mesma revista, por duas outras sobre Manuel Bandeira e Ribeiro Couto.

Naturalmente a transferência de Sérgio para o Rio de Janeiro, acompanhando a família, e a entrada do jovem para a Faculdade de Direito, ali, sem comprometerem a curiosidade erudita e o pendor dele para a pesquisa minuciosa e continuada, fará com que o comentarista se volte mais para os acontecimentos contemporâneos e para o espírito moderno. Antes da mudança ele já entrara em contacto com os novos escritores paulistanos — Guilherme e Tácito de Almeida, Rubens Borba de Moraes, Couto de Barros, Menotti (este na redação do *Correio Paulistano*), Sérgio Milliet, que está começando a voltar definitivamente ao Brasil, Mário e Oswald de Andrade.

Assim trata de acompanhar a repercussão, relativamente limitada, que a Semana de Arte Moderna alcança na imprensa do Rio, em fevereiro seguinte. Reforçando contactos com os revolucionários estéticos paulistanos, torna-se representante da revista *Klaxon,* cujos oito números, de março de '22 a janeiro de '23, divulga entre os jovens intelectuais do Rio com os quais se relacionou. Não se concretizando a edição de uma segunda revista paulistana do Movimento (que deveria ter-se denominado, provocadoramente, "Knock-out") Sérgio e o seu amigo mais próximo, Prudente de Moraes, neto, projetam uma outra, agora com sede no Rio de Janeiro. Esta acabaria por receber o nome de batismo do polêmico e contestado prócer dos novos, Graça Aranha, que, invadindo a cerimônia meio intimidada dos jovens redatores diante da sua patriarcal celebridade, tornar-se-á o padrinho meio incômodo de *Estética*.

No pensamento de Graça Aranha o título — que ele sugere quase impondo — devia aludir ao espírito triunfante e instaurador da luminosidade meridiana da juventude, motor da alegria cósmica, que, no sistema filosófico por ele defendido, expulsava de uma vez por todas o terror que ainda vem da nossa antiga memória animal de ex-primatas.

Para Sérgio e Prudente o título interessava antes pela concisa conotação filosófica e englobante, que, sem afastar o espírito contestatário, irreverente e sardônico, da proposta modernista/modernizante, dispensava o apelo pitoresco, incomodamente vistoso, de tantos títulos de publicações e mesmo de obras do Movimento. Por isto o nome vinha grafado pela ortografia simplificada, sem *th* e com o segundo *e* acentuado. O difícil — embora fascinante — relacionamento Graça Aranha-Estética foi registrado pelo próprio Sérgio num texto notável que hoje integra *Tentativas de mitologia*; texto notável tanto pelo caráter da ressurreição memorialística quanto pela aguda análise ideológica que ali é efetuada.

Se se juntar a este o escrito de Prudente, neto: "A vida de 'Estética' e não 'A Estética da Vida'" (título mordaz de um texto afinal amável), recuperaremos com grande eficácia a crônica interna desse momento literário decisivo. Um mergulho extremamente esclarecedor em nossa história cultural dos Anos '20 que — com exceção do agudo ensaio de Maria Célia de Moraes Leonel *Estética, revista trimensal e Modernismo,* publicado apenas em 1984 —, até agora vinha merecendo mais juízos peremptórios do que estudos pormenorizados e questionadores da sua intrincada trama cultural.

Em *Estética,* ao lado de Prudente, ou sozinho, Sérgio persegue uma seriedade de reflexão muito dele. Isto sem abandonar as componentes de humorismo ou de sarcasmo, manejados de modo sutil, dentro do espírito de valorização escrita da fala brasileira, que adere, sem maior estridência, aos modismos postos em circulação por Mario de Andrade. São dois os fragmentos de reflexão estética sergianos que aparecem na revista: "Um Homem Essencial", editado no primeiro número, trata do pensamento do autor de *O espírito moderno;* "Perspectivas", que consta do último, discute as limitações da escrita convencional, propondo a abolição das fronteiras do imaginário. Ambos documentam a qualificação intelectual do ensaísta de 22 anos e o domínio que este possui sobre a prosa de ensaio, extremamente dúctil e instigante mesmo quando algumas ambiguidades conceituais obscureçam o discurso.

Em *Estética* Sérgio publicará ainda resenhas breves, mas sempre penetrantes, sobre obras recém-aparecidas de Ribeiro

Couto, Rubens Borba, Blaise Cendrars, Panaît Istrati e Alfred Droin. Divide a autoria de outras, de maior extensão e responsabilidade, com Prudente. Uma delas, sobre a primeira série dos *Estudos brasileiros*, de Ronald de Carvalho, vai causar grande desagrado ao autor do livro, além de certa comoção nos arraiais modernistas, devido à franqueza das restrições levantadas. Duas novas avaliações, estas a respeito das oswaldianas *Memórias sentimentais de João Miramar* e das *Poesias* de Manuel Bandeira, são redigidas com a maior acuidade e trazem diversas perspectivas de análise originais. Embora *Estética* não chegasse ao quarto número, a seriedade e a ambição intelectual com que foi realizada fazem dela um dos momentos fortes do nosso Modernismo.

A pregação do Movimento continuaria a ser feita nos periódicos da sua ala mais radical, que tentaram suceder a malograda revista carioca. Se em *terra roxa e outras terras*, quinzenário que começa a aparecer em São Paulo em janeiro de '26 e, já sem regularidade, alcança o sétimo número em setembro, Sérgio divulga apenas uma crítica sobre *Pathé Baby*, de Antônio de Alcântara Machado, já na segunda fase da *Revista do Brasil*, que é contemporânea a *terra roxa*, ele colabora com maior constância. Assis Chateaubriand comprou o título de Monteiro Lobato e transferiu a redação para o Rio de Janeiro; pretende, nesta fase bimensal, em que adota o formato de tablóide, continuar animado convívio de velhos e novíssimos no mesmo espaço jornalístico. Um pouco como havia conseguido fazer Paulo Prado, ao injetar novas forças, em 1923, ao mensário de Lobato, cuja existência então perigava — situação que, graças ao autor de *Paulística*, fora possível evitar até o primeiro semestre de 1925.

Garantindo a liberdade e o tom desabusado, caro aos modernistas, em resenhas, artigos e matérias avulsas firmadas por iniciais, Assis Chateaubriand confia a redação a Rodrigo M. F. de Andrade, o qual, com o seu malicioso bom senso, recruta, ao lado dos decorosos nomes consagrados, a tropa de choque do Movimento. Sérgio, além de resenhas, aí estampa "O lado oposto e os outros lados", artigo de análise polêmica onde são discutidas diversas questões candentes do ideário vanguardista — a intensificação do debate intelectual em virtude da "guerrilha dos semanários", o academicismo indisfarçável de certos modernistas, as questões propostas por uma arte de expressão nacional; isto com a franqueza de sempre, que não deixa de criar novas mossas na sensibilidade dos visados. Depois de um rápido eclipse pessoal, em que tenta uma aventura interiorana, aceitando dirigir a folha *O Progresso*, em Cachoeiro do Itapemirim (Espírito Santo). Sérgio regressava ao Rio, e aí se integra na redação de *O Jornal*, que outra vez Rodrigo M. F. de Andrade secretaria. Nesse 1927, entrevista com muita garra, para a folha de Chatô, escritores de prestígio internacional de passagem pelo Rio de Janeiro, como Luigi Pirandello e Blaise Cendrars. Este último havia-o incluído não apenas na dedicatória grupal do seu livro de poemas viajantes, *Le Formose*, lançado em '24 pela editora vanguardista parisiense Au Sans Pareil e longamente resenhado em *Estética* por Mário de Andrade, mas ainda o fizera comparecer no interior de um dos poemas daquela *plaquete* como um "jeune poète sympathique" que não bebia bem conhaque.

O interesse de Sérgio pelo Movimento Surrealista na França era intensamente compartilhado por Prudente, e não será esquecido na entrevista obtida de Cendrars para *O Jornal;* tal simpatia enriquecera de modo decisivo a experiência criadora dos dois amigos, facultando, a um e outro, Prudente e Sérgio, alguns experimentos de escrita automática, praticada por eles nos moldes levados avante pelo grupo de Breton. Tais investidas pioneiras no Brasil, permanecem singulares pelo interesse estético e psicológico que encerram; aparentemente são as únicas de que se tem notícia em nosso meio até o final da Segunda Grande Guerra, se se exceptuam certas sondagens do inconsciente de Jorge de Lima, que não possuem exatamente o mesmo teor e foram ensaiadas nos últimos anos '30.

Nesse contexto é possível entender o vivo interesse que Sérgio e Prudente demonstram pela figura dramática de Febronio Indio do Brazil, que então irrompe pelos jornais, e a atenção que lhes mereceu as *Revelações do príncipe do fogo,* o folheto iniciático redigido pelo criminoso iluminado e então recolhido e destruído pela Polícia carioca. Até o momento Maria Célia Leonel parece ter sido a única estudiosa que dedicou atenção às relações intelectuais dos nossos dois escritores com o Surrealismo, empreendendo, no seu já citado *Estética, revista trimestral e Modernismo,* uma primeira abordagem sistemática da questão.

Pouco importa que, em 1940, Sérgio considerasse esgotada a função do Movimento Surrealista e insistisse, mais tarde, no seu repúdio aos elementos irracionalistas (além dos místicos) de certa sociologia alemã, cuja influência não o tocou. A experiência de processos de motivação e pesquisa do Inconsciente contribuíram de modo decisivo para o amadurecimento da sua personalidade criadora, mesmo quando esta atuava em campos aparentemente alheios àquele domínio.

Em 1929, Assis Chateaubriand oferece a Sérgio o posto de correspondente de *O Jornal* com sede em Berlim e raio de ação pela Alemanha, Polônia e União Soviética. Percebendo a oportunidade de uma proveitosa experiência formadora no estrangeiro, ele aceita cumprir essa prática no animadíssimo hospital das letras alemão, então em plena efervescência política e intelectual; o momento mesmo em que o movimento expressionista inflete para a nova objetividade e a radicalização política atinge o ápice, com o resultado que viria modificar radicalmente a história do século XX.

Ainda recentemente, por ocasião do desaparecimento do escritor de *Monções*, Francisco de Assis Barbosa e Antonio Candido, além de outros estudiosos, alguns ex-alunos, dele, evocaram o significado profundo desta experiência que, nas palavras de Antonio Candido, abriram de par em par, mais do que as portas do "domínio alemão", as mesmas virtualidades intelectuais do jovem escritor que chegava aos trinta anos. Uma experiência que lhe proporcionaria um mergulho definitivo, definidor, no campo da Antropologia, da Teoria e da Filosofia da História, da Sociologia e dos Estudos Sociais, e amadureceram nele o Sérgio Buarque de Holanda "homem essencial" da cultura brasileira.

Além de lhe proporcionar uma visão direta da cultura germânica — vivida no seu mesmo contexto, e desnudada por uma crise decisiva que expunha ao vivo as lancinantes contradições daquele mundo todo complexidade —, a experiência berlinense de Sérgio, por isso mesmo de ser aberta e assistemática, permitiu-lhe livremente o acesso a formas abrangentes de erudição e de conhecimento que completaram a sua visão do mundo e do homem.

A consciência ingênua do adolescente precoce, em que o espírito de contradição ao *statu quo* conciliava-se de modo inevitável com atitudes bem-pensantes que lhe eram simétricas, depois de substancialmente transformadas pela experimentação intelectual radicalizante, ética e estética, da agitação modernista, atingia agora uma nova fase, em que o escritor maduro iria tratar de conseguir a maneira de orquestrar uma nova compreensão do todo. O tecido elástico da História, que, no depoimento de Maria Odila da Silva Dias, Sérgio gostava de afirmar ser "o elo primordial das ciências humanas", e, "como tudo que apresenta movimento, não se deixa amarrar por conceitos rígidos", então se revela a matéria-prima, o denso barro humano, em que ele progressivamente vai enfiar as mãos, aí aplicando inteira a sua inventividade de criador autêntico. Assim a História, tecido vivo e musical, "estrutura movediça que se desmancha e refaz a cada instante... na medida das forças de quem pretende captá-las", tornar-se-á a realidade que há de o ocupar e há de dar vida à obra da maturidade dele.

Ao regressar em 1931 ao Brasil, Sérgio retoma o jornalismo paralelamente ao trabalho literário regular. Divulga então, na *Revista Nova*, de Paulo Prado, a narrativa "Viagem a Nápoles", fascinante conto de atmosfera onírica onde certa ambiência pressaga de pesadelo, vazada embora em tons humorísticos, possui excepcional qualidade literária e absoluta verossimilhança ficcional.

A minuciosa elaboração do discurso, o imprevisível da ação alucinante, o ritmo absorvente do narrado permitem que os episódios grotescos da escrita se encadeiem de modo vertiginoso, revelando a alta qualidade poética dessa ficção, tão pouco rotineira em nossas letras, e que Graciliano Ramos, com o gosto certeiro dele, faria integrar no panorama da história curta brasileira que organizou em 1944.

Mais do que um acaso feliz ou um pasticho caprichoso, percebe-se neste texto a presença de certo oficial aplicado ao ofício, que se deve ter experimentado pacientemente no gênero (a partir de 1921, sabemos agora) ainda que sem se decidir a publicar as suas experimentações senão de modo saltuário e esporádico. Dos ensaios de ficção no gênero, sobre os quais ele falava de tanto em tanto aos amigos, ficaram diversos títulos como "O automóvel adormecido no bosque" e outros no gênero.

Era vezo da época enumerar essas obras *à paraître;* Blaise Cendrars, por exemplo, o Blaise-Brésil nesses anos '20, sempre se volta *à la Fazenda* no primeiro transatlântico em que houvesse lugar, tinha uma verdadeira lista, sempre renovada, destas obras que apenas esboçou ou mesmo jamais escreveria. Agrípino Grieco ironizava tal seqüência improvável de inéditos, sugerindo que a coletânea hipotética de Sérgio viesse a se chamar *Títulos ao portador.*

Mas é o campo da reflexão crítica, histórica e literária, que o interessa agora; sem esquecer a possibilidade de alguma polêmica intelectual que sempre seduz o seu temperamento. Nos anos que sucedem a volta da Europa Sérgio procura elaborar a maciça "Teoria da América" que, a partir de antigas conversas com Prudente, foi rascunhado num grosso caderno de Deve-Haver e desenvolveria em parte na Alemanha; dele vai desentranhar aos poucos a obra esbelta e provocante que viria a se chamar *Raízes do Brasil*. Sem muita pressa, mas com paixão crescente, adianta o projeto em meio às atividades jornalísticas que retomou, podendo, em 1935, divulgar na revista *Espelho*, um escorço geral do trabalho, que intitula "Corpo e Alma do Brasil".

Com a criação da Universidade do Distrito Federal, em 1936, é convidado para ser ao mesmo tempo — duplicidade expressiva — assistente (de História Econômica e de Literatura Comparada) dos Professores Hauser e Tronchon, respectivamente. *Raízes* aparece neste ano como o volume inaugural da Coleção Documentos Brasileiros, dirigida por Gilberto Freyre e que a Livraria José Olympio Editora lança; pela sua originalidade e audácia provoca as mais diversas reações críticas. Sem prejuízo de intensa colaboração ensaística e crítica na imprensa, a atividade docente agora vai absorvê-lo sempre mais. No entanto a existência da Universidade do Distrito Federal é breve, e vai se encerrar melancolicamente, em 1939, ao colidir de uma vez por todas com o encaminhamento fascistóide, sempre mais autoritário, do Estado Novo.

Convocado para integrar a equipe do Instituto Nacional do Livro, criado faz pouco e dirigido por Augusto Meyer, amigo e confrade das lides modernistas, Sérgio aceita tornar-se diretor da Secção de Publicações. No INL permanece até 1943, quando se transfere para a Biblioteca Nacional, onde assessora primeiro Rodolpho Garcia e depois Rubens Borba de Moraes.

Publica no ano seguinte *Cobra de vidro*, primeira breve coletânea dos inúmeros ensaios aparecidos na imprensa desde o seu regresso ao país. Em '46 (ano em que aparece *Monções*) regressa a São Paulo, após 25 anos de ausência, a fim de assumir a direção do Museu Paulista, à frente do qual permanecerá um decênio, até '57; este período inclui o interregno 1953-1955, quando ocupa a então criada cadeira de Estudos Brasileiros na Universidade de Roma. 1957, data da publicação de *Caminhos e fronteiras*, é também o ano em que assume a cátedra de História da Civilização Brasileira na Universidade de São Paulo, onde, no seguinte, prestará concurso para a cátedra. Apresenta, aí como tese, *Visão do paraíso*, trabalho de erudição, pensamento e de escrita elaborada ao qual se podem aplicar as palavras certeiras de Maria Odila da Silva Dias: "Nele são discerníveis as tensões e virtualidades que definem as obras-primas. Nele configura-se um jogo de alternância, de qualidades necessárias, aliadas a um estilo peculiar, próprio de grande escritor, e que de raro em raro convergem na obra de um mesmo indivíduo.''

Era de certa forma o coroamento do ensaio intelectual do seu autor, que, no entanto, considerava o estudo posterior, *Do Império à República*, de 1972, o seu trabalho mais completo. Por seu lado, Antonio Candido assim sintetizaria o itinerário excepcional do historiador. ''De todos os livros de Sérgio, *Raízes do Brasil* é o único do qual se pode dizer meio 'alemão', contrastando com os estudos históricos seguintes, *Monções* e *Caminhos e fronteiras*. Estes foram concebidos e executados em fase posterior ao seu magistério na Universidade do Distrito Federal, onde se iniciaria sob a orientação de Henri Hauser nas técnicas da pesquisa sistemática, transpondo para a investigação documentária o gosto que sempre teve pela erudição. Associada aos seus conhecimentos antropológicos, esta atividade o levou ao interesse pela cultura material, de que brotaram aqueles livros notáveis. Nunca se tinha visto no Brasil uma corrente hermenêutica de tanta intensidade ligar o esclarecimento das relações sociais à aparente insignificância do gesto, do instrumento, do artefacto. Depois viria uma outra fase: a de *Visão do paraíso* e *Do Império à República*, onde a análise e a síntese se combinaram para gerar as suas obras mais poderosas. Disso tudo *Raízes do Brasil* é o prelúdio, apesar do seu tom de ensaio interpretativo e a sua técnica de generalização por meio de tipos, ao gosto de alguns alemães que ele estudou a partir da estada berlinense.''

À margem dos estudos especificamente históricos de Sergio, mas complementares a eles, e banhados pelo mesmo espírito abrangente, os ensaios literários breves que ele continuará a compor pelos decênios de '40, '50 e '60, não podem ser esquecidos. Publicados na grande imprensa do Rio de Janeiro e de São Paulo, na sua maioria ainda dispersos, podem ser divididos em três grupos. O primeiro consta de textos de pesquisa erudita ao nível da história intelectual luso-brasileira dos nossos primeiros quatro séculos, em que aprofunda, revê e atualiza, a relação dialética entre as matrizes européias e a cultura das terras conquistadas. O segundo é formado de estudos diversos seja sobre a teoria do Barroco ou do Neoclássico, seja sobre obras e autores desses períodos, mas que se estendem sobre as ideologias dominantes no primeiro século e considerações que adentram pelo Oitocentos. O terceiro abrange as considerações sobre o ofício da crítica e atualização dos critérios de análise especificamente literária que têm lugar nos decênios 1940-60; abordagens de autores e problemas de literatura internacional contemporânea ou moderna, e o exame crítico, específico, de obras e autores brasileiros do momento, avaliados na circunstância do seu aparecimento.

Sem esquecer os artigos avulsos publicados com alguma freqüência nos anos '30, nem ainda um primeiro momento de colaboração regular no *Diário de Notícias* carioca, que vai de '40 a '41, o seu período de colaboração mais constante em rodapés e suplementos abrange aquele em que freqüenta a *Folha da Manhã* paulistana, entre '47 e '53, outra vez o *Diário de Notícias*, entre '48 e '50, no *Diário Carioca* entre '50 e '55, período que não se interrompe com a estada romana, pois continua a remeter colaborações da Itália. Depois da criação do Suplemento Literário de *O Estado de S. Paulo* ele aí passou a colaborar com freqüência até o final da fase Décio de Almeida Prado. E ainda em '79 escreveu com regularidade no efêmero *Jornal da República* paulistano, de Mino Carta, onde podem ser encontradas novas contribuições, como, por exemplo, a breve série sobre a instauração titubeante da novel República entre os dias 15 e 17 de novembro daquele 1889.

Limitado, embora, pelas dimensões e finalidades da resenha jornalística, Sérgio aborda com o mesmo interesse, nesses artigos, obras de poesia, narrativa e ensaio. Com empatia e curiosidade de erudito, que por tudo se interessa, procura situar o livro posto em causa dentro do sistema de cultura a que este pertence, para, em seguida, definir o caráter próprio do autor e a posição que a obra realizada viria a ocupar num balanço geral de valores daquela determinada tradição. Conforme declarava num artigo de setembro de 1948, ao retomar a atividade crítica regular no *Diário de Notícias,* assumia tal posição "não como um profeta, não como um monitor ou exortador, nem mesmo como um juiz sempre atento a leis rígidas e inflexíveis, mas antes como uma testemunha de boa fé, empenhada em bem compreender e bem interpretar"; ("Missão e Profissão"). A formação filosófica e o intenso interesse pessoal pela matéria, permitir-lhe-iam, melhor que ninguém, acompanhar e desenvolver o tipo de discussão hermenêutica que tinha lugar naquele momento.

Quando estiver reunido em volume esse material, vai-nos ser revelado, em situação, um ensaísta atento, que maneja como poucos a arte de escrever e a arte de argumentar, e se mostra em todas as circunstâncias atento e receptivo seja à complexidade psicológica seja à pesquisa formal inovadora. Pensando com abrangência filosófica, dono de expressão precisa e densa, senhor de invejável coragem intelectual, Sérgio era servido por um espírito dialético que buscava na ironia a base de um distanciamento que devia desaguar antes de mais nada na objetividade do juízo crítico.

Em suas variadíssimas colaborações abordou com equanimidade a obra de já então veteranos modernistas, como Jorge de Lima e Augusto Frederico Schmidt, ou de poetas novos como João Cabral de Melo Neto e os seus companheiros de geração, formalmente tão afastados dele; interessou-se pelo talhe tradicional do romance cíclico de Érico Veríssimo como pelas pesquisas narrativas inovadoras de Clarice Lispector, tratando, com o mesmo conhecimento interior, a poesia de Henriqueta Lisboa e a ficção de Lima Barreto; da mesma forma, abordava, com intimidade e segurança a problemática de autores diversos como Melville, Rilke, Eliot, Drummond ou Kafka. Tudo isto sem cair em generalidades, fazer concessões às modas do dia ou assumir maciçamente os próprios preconceitos, que se voltavam de modo particular contra a afetação e a superficialidade.

Havia decidido, levado pelas circunstâncias do meio e da hora, tornar-se um crítico que ocupasse a posição de intermediário fidedigno entre a obra e o público; para isso se preparara uma segunda vez, nos anos '40, pondo-se em dia, não sem pequeno esforço, com as teorias mais recentes no campo literário, área que ele iluminava de modo personalíssimo com aquele ideal de abrangência cultural que era seu. Pois, como havia indicado Antonio Candido, existia em Sérgio "uma combinação bastante rara de investigador sistemático, pensador criativo e analista de mais penetrante sensibilidade". No estilo terso do ensaio sergiano, tanto naquele totalizante como naquele fragmentário, flexibilidade inventiva e a erudição permeada de sensibilidade do artista autêntico faziam um só o historiador preciso e o ensaísta de vôo livre. E isso se tornava possível por ser ele um autêntico escritor, dono de cada um dos segredos do ofício e tocado pelo dom secreto da poesia — um escritor maior. Um dos sete ou oito nomes cimeiros do nosso tempo, o Novecentos brasileiro.

# FRONTERAS DE EUROPA

Cualquier estudio completo de la sociedad brasileña debe hacer resaltar un hecho verdaderamente fundamental, o sea, que constituímos el único esfuerzo eficaz, y en gran escala, de trasplante de la cultura europea a una zona de clima tropical y subtropical. Vivimos una experiencia única en un territorio que, poblado con la misma densidad que Bélgica, llegaría a tener un número de habitantes igual a la población actual del globo. Trayendo de países distantes nuestras formas de vida, nuestras instituciones y nuestra visión del mundo y jactándonos de mantener todo esto en un ambiente, con frecuencia desfavorable y hostil, somos aún unos desterrados en nuestra tierra. Podemos construir obras excelentes, enriquecer nuestra humanidad con aspectos nuevos e imprevistos, elevar a la perfección el tipo cultural que representamos: lo cierto es que todo el fruto de nuestro trabajo o de nuestra indolencia parece participar fatalmente de un sistema de evolución natural a otro clima y a otro paisaje.

Así, antes de investigar hasta qué punto podremos nutrir en nuestro ambiente un tipo de cultura propio, deberíamos averiguar hasta qué grado están representadas en él las formas de vida, las instituciones y la visión del mundo que hemos heredado y de las que nos enorgullecemos.

Es significativa, en primer lugar, la circunstancia de haber recibido esa herencia por medio de una nación ibérica. España y Portugal son, como Rusia y los países balcánicos (y en cierto sentido, aunque muy especial, también Inglaterra), unos de los territorios-puentes por los cuales Europa se comunica con los otros mundos. Así, ellos constituyen una zona fronteriza, de transición, menos cargada por lo tanto de ese europeísmo que, no obstante, conservan como un patrimonio.

A partir de la época del descubrimiento de América, ambos países entraron resueltamente en el coro europeo. Dicho

*Fac-símile da página inicial do livro na versão espanhola editada pelo Fondo de Cultura Económica, em maio de 1955.*

# O SIGNIFICADO DE
# RAÍZES DO BRASIL

ANTÔNIO CÂNDIDO

A CERTA *altura da vida, vai ficando possível dar balanço no passado sem cair em autocomplacência, pois o nosso testemunho se torna registro da experiência de muitos, de todos que, pertencendo ao que se denomina uma geração, julgam-se a princípio diferentes uns dos outros e vão, aos poucos, ficando tão iguais, que acabam desaparecendo como indivíduos para se dissolverem nas características gerais da sua época. Então, registrar o passado não é falar de si; é falar dos que participaram de uma certa ordem de interesses e de visão do mundo, no momento particular do tempo que se deseja evocar.*

*Os homens que estão hoje um pouco para cá ou um pouco para lá dos cinqüenta anos aprenderam a refletir e a se interessar pelo Brasil sobretudo em termos de passado e em função de três li-*vros: Casa-Grande & Senzala, *de Gilberto Freyre, publicado quando estávamos no ginásio;* Raízes do Brasil, *de Sérgio Buarque de Holanda, publicado quando estávamos no curso complementar;* Formação do Brasil Contemporâneo, *de Caio Prado Júnior, publicado quando estávamos na escola superior. São estes os livros que podemos considerar chaves, os que parecem exprimir a mentalidade ligada ao sopro de radicalismo intelectual e análise social que eclodiu depois da Revolução de 1930 e não foi, apesar de tudo, abafado pelo Estado Novo. Ao lado de tais livros, a obra por tantos aspectos penetrante e antecipadora de Oliveira Viana já parecia superada, cheia de preconceitos ideológicos e uma vontade excessiva de adaptar o real a desígnios convencionais.*

*Era justamente um intuito anticonvencional que nos parecia animar a composição libérrima de Casa-Grande & Senzala, com a sua franqueza no tratamento da vida sexual do patriarcalismo e a importância decisiva atribuída ao escravo na formação do nosso modo de ser mais íntimo. O jovem leitor de hoje não poderá talvez compreender, sobretudo em face dos rumos tomados posteriormente pelo seu autor, a força revolucionária, o impacto libertador que teve este grande livro. Inclusive pelo volume de informação, resultante da técnica expositiva, a cujo bombardeio as noções iam brotando como numa improvisação de talento, que coordenava os dados conforme pontos de vista totalmente novos no Brasil de então. Sob este aspecto, Casa-Grande & Senzala é uma ponte entre o naturalismo dos velhos intérpretes da nossa sociedade, como Sílvio Romero, Euclides da Cunha e mesmo Oliveira Viana, e os pontos de vista mais especificamente sociológicos que se imporiam a partir de 1940. Digo isso em virtude da preocupação do autor com os problemas de fundo biológico (raça, aspectos sexuais da vida familiar, equilíbrio ecológico, alimentação), que serviam de esteio a um tratamento inspirado pela antropologia cultural dos norte-americanos, por ele divulgada em nosso país.*

*Três anos depois aparecia Raízes do Brasil, concebido e escrito de modo completamente diverso. Livro curto, discreto, de poucas citações, atuaria menos sobre a imaginação dos moços. No entanto, o seu êxito de qualidade foi imediato e ele se tornou um clássico de nascença. Daqui a pouco, veremos as características a que isso foi devido. Por enquanto, registremos que a sua inspiração vinha de outras fontes e que as suas perspectivas eram diferentes. Aos jovens forneceu indicações importantes para compreenderem o sentido de certas posições políticas daquele momento, dominado pela descrença no liberalismo tradicional e a busca de soluções novas; seja, à direita, no integralismo, seja, à esquerda, no socialismo e no comunismo. A atitude do autor, aparentemente desprendida e quase remota, era na verdade condicionada por essas tensões contemporâneas, para cujo entendimento oferecia uma análise do passado. O seu respaldo teórico prendia-se à nova história social dos franceses, à sociologia da cultura dos alemães, a certos elementos de teoria sociológica e etnológica também inéditos entre nós. No tom geral, uma parcimoniosa elegância, um rigor de composição escondido pelo ritmo despreocupado e às vezes sutilmente digressivo, que faz lembrar Simmel e nos parecia um corretivo à abundância nacional.*

*Diferente dos anteriores, Formação do Brasil Contemporâneo surgiu nove anos depois do primeiro, seis depois do segundo, em pleno Estado Novo repressivo e renovador. Nele se manifestava um autor que não disfarçava o labor da composição nem se preocupava com a beleza ou expressividade do estilo. Trazendo para a linha de frente os informantes coloniais de mentalidade econômica mais sólida e prática, dava o primeiro grande exemplo de interpretação do passado em função das realidades básicas da produção, da distribuição e do consumo. Nenhum romantismo, nenhuma disposição de aceitar categorias banhadas em certa aura qualitativa —como "feudalismo" ou "família patriarcal",—mas o desnudamento operoso dos substratos materiais. Em conseqüência, uma exposição de tipo factual, inteiramente afastada do ensaísmo (marcante nos dois anteriores) e visando a convencer pela massa do dado e do argumento. Como linha interpretativa, o materialismo histórico, que vinha sendo em nosso meio uma extraordinária alavanca de renovação intelectual e política; e que, nessa obra, aparecia pela primeira vez como forma de captação e ordenação do real, desligado de compromisso partidário ou desígnio prático imediatista. Ao seu autor, já devíamos um pequeno livro de 1934, que atuara como choque revelador, por ter sido a primeira tentativa de síntese da nossa história baseada no marxismo:* Evolução Política do Brasil.

*Ao evocar esses impactos intelectuais sobre os moços de entre 1933 e 1942, talvez eu esteja focalizando de modo algo restritivo os que adotavam posições de esquerda, como eu próprio: comunistas e socialistas coerentemente militantes, ou participando apenas pelas idéias. Para nós, os três autores citados foram trazendo elementos de uma visão do Brasil que parecia adequar-se ao nosso ponto de vista. Traziam a denúncia do preconceito de raça, a valorização do elemento de cor, a crítica dos fundamentos "patriarcais" e agrários, o discernimento das condições econômicas, a desmistificação da retórica liberal. Mas talvez significassem outra coisa para os jovens da direita, que em geral, se bem me lembro, tendiam a rejeitá-los, olhá-los com desconfiança ou, na medida do possível, ajustar ao menos o primeiro aos seus desígnios. Esses nossos antagonistas preferiam certos autores mais antigos, com orientação metodológica de tipo naturalista ou (no sentido amplo) positivista, como Oliveira Viana e Alberto Torres, dos quais tiravam argumentos para uma visão hierárquica e autoritária da sociedade, justamente a que Sérgio Buarque de Holanda criticava em* Raízes do Brasil.

*Caberia aqui, aliás, uma reflexão desapaixonada sobre esses adversários da mesma geração, em geral integralistas. Apesar da estima pessoal que tínhamos eventualmente por alguns deles, nós os reputávamos representantes de uma filosofia política e social perniciosa, sendo, como era, manifestação local do fascismo. No entanto, a distância mostra que o integralismo foi, para vários jovens, mais do que um fanatismo e uma forma de resistência reacionária. Foi um tipo de interesse fecundo pelas coisas brasileiras, uma tentativa de substituir a platibanda liberalóide por algo mais vivo. Isso explica o número de integralistas que foram transitando para posições de esquerda —da cisão precoce de Jeová Mota às abjurações do decênio de 1940, durante a guerra e depois dela. Todos sabem que nas tentativas de reforma social cerceadas pelo golpe de 1964 participaram antigos integralistas identificados às melhores posições do momento. Ex-integralistas* que chegaram aos vários matizes da esquerda, desde a *"positiva"*, batizada assim por um dos mais brilhantes dentre eles, até às atitudes abertamente revolucionárias —enquanto, de outro lado, alguns dentre os que antes formavam à esquerda acabaram por virar espoletas ativíssimos da reação. Sirvam estas notas para ilustrar o balancez que é o destino das gerações e sugerir a atmosfera intelectual em que apareceu e atuou Raízes do Brasil.

\* \*

No pensamento latino-americano, a reflexão sobre a realidade social foi marcada, desde Sarmiento, pelo senso dos contrastes e mesmo dos contrários —apresentados como condições antagônicas em função das quais se ordena a história dos homens e das instituições. *"Civilização e barbárie"* formam o arcabouço do Facundo e, decênios mais tarde, também de Os Sertões. Os pensadores descrevem as duas ordens para depois mostrar o conflito decorrente; e nós vemos os indivíduos se disporem segundo o papel que nele desempenham. Na literatura romântica, a oposição era interpretada freqüentemente às avessas; o homem da natureza e do instinto parecia mais autêntico e representativo, sobretudo sob a forma extrema do índio; mas na literatura regional de tipo realista, o escritor acompanha o esquema dos pensadores, como Rómulo Gallegos no medíocre e expressivo Doña Bárbara, que desfecha no triunfo ritual da civilização.

Raízes do Brasil é construído sobre uma admirável metodologia dos contrários, que alarga e aprofunda a velha dicotomia da reflexão latino-americana. Em vários níveis e tipos do real, nós vemos o pensamento do autor se constituir pela exploração de conceitos polares. O esclarecimento não decorre da opção prática ou teórica por um deles, como em Sarmiento ou Euclides da Cunha; mas pelo jogo dialético entre ambos. A visão de um determinado aspecto da realidade histórica é obtida, no sentido forte do termo, pelo enfoque simultâneo dos dois; um suscita o outro, ambos se interpenetram e o resultado possui uma grande força de esclarecimento. Neste processo, Sérgio Buarque de Holanda aproveita o critério tipológico de Max Weber; mas modificando-o, na medida em que focaliza pares, não pluralidades de tipos, o que lhe permite deixar de lado o modo descritivo, para tratá-los de maneira dinâmica, ressaltando principalmente a sua interação no processo histórico. O que haveria de esquemático na proposição de pares mutuamente exclusivos se tempera, desta forma, por uma visão mais compreensiva, tomada em parte a posições de tipo hegeliano: "(...) a história jamais nos deu o exemplo de um movimento social que não contivesse os germes de sua negação—negação essa que se faz, necessariamente, dentro do mesmo âmbito" (pág. 134).

Com este instrumento, Sérgio Buarque de Holanda analisa os fundamentos do nosso destino histórico, as "raízes", aludidas pela metáfora do título, mostrando a sua manifestação nos aspectos mais diversos, a que somos levados pela maneira ambulante da composição, que não recusa as deixas para uma digressão ou um parêntese, apesar da concatenação geral ser tão rigorosa. Trabalho e aventura; método e capricho; rural e urbano; burocracia e caudilhismo; norma impessoal e impulso afetivo—são pares que o autor destaca no modo-de-ser ou na estrutura social e política, para analisar e compreender o Brasil e os brasileiros.

O capítulo I, "Fronteiras da Europa" —que já evidencia o gosto pelo enfoque dinâmico e o senso da complexidade —fala da Ibéria para englobar Espanha e Portugal numa unidade que se desmanchará depois em parte. Ao analisar, por exemplo, a colonização da América, mostra as diferenças resultantes dos dois países, completando uma visão do múltiplo no seio do uno. Nesse prelúdio estão as origens mais remotas dos traços que estudará em seguida; é o caso do tradicional personalismo, de que provêm a frouxidão das instituições e a falta de coesão social. E aí faz uma reflexão de interesse atual, quando lembra que se estes traços, considerados defeitos do nosso tempo, existiram desde sempre, não tem sentido a nostalgia de um passado hipoteticamente mais bem ordenado; e observa que "as épocas realmente vivas nunca foram tradicionalistas por deliberação" (pág. 5).

A isto se ligaria ainda, na Península Ibérica, a ausência do princípio de hierarquia e a exaltação do prestígio pessoal com relação ao privilégio. Em conseqüência, a nobreza permaneceu aberta ao mérito ou ao êxito, não se enquistando, como noutros países; e ao se tornar acessível com certa facilidade, favoreceu a mania geral de fidalguia. ("Em Portugal somos todos fidalgos", diz Fradique Mendes numa das cartas.) Com esta referência a um velho sestro, o autor alude pela primeira vez a um dos temas fundamentais do livro: a repulsa pelo trabalho regular e as atividades utilitárias, de que decorre por sua vez a falta de organização, porque o ibérico não renuncia às veleidades em benefício do grupo ou dos princípios. Fiel ao seu método, mostra-nos uma conseqüência paradoxal: a renúncia à personalidade por meio da cega obediência, única alternativa para os que não concebem disciplina baseada nos vínculos consentidos, nascida em geral da tarefa executada com senso do dever. "A vontade de mandar e a disposição para cumprir ordens são-lhes igualmente peculiares [aos ibéricos]. As ditaduras e o Santo Ofício parecem constituir formas tão típicas de seu caráter como a inclinação à anarquia e à desordem" (pág. 11).

No capítulo seguinte, "Trabalho e Aventura", surge a tipologia básica do livro, que distingue o trabalhador e o aventureiro, representando duas éticas opostas: uma, busca novas experiências, acomoda-se no provisório e prefere descobrir a consolidar; outra, estima a segurança e o esforço, aceitando as compensações a longo prazo. "Entre esses dois tipos não há, em verdade, tanto uma oposição absoluta como uma incompreensão radical. Ambos participam, em maior ou menor grau, de múltiplas combinações e é claro que, em estado puro, nem o aventureiro, nem o trabalhador, possuem existência real fora do mundo das idéias" (págs. 13--14). Para a interpretação da nossa história, interessa notar que o continente americano foi colonizado por homens do primeiro tipo, cabendo ao'"'trabalhador', no sentido aqui compreendido, papel muito limitado, quase nulo" (pág. 14). Aventureiros, sem apreço pelas virtudes da pertinácia e do esforço apagado, foram os espanhóis, os portugueses e os próprios ingleses, que só no século XIX ganhariam o perfil convencional por que os conhecemos. Quanto ao Brasil, diz o autor que essas características foram positivas, dadas as circunstâncias, negando que os holandeses pudessem ter feito aqui o que alguns sonhadores imaginam possível. O português manifestou uma adaptabilidade excepcional, mesmo funcionando "com desleixo e certo abandono" (pág. 12); em face da diversidade reinante, o espírito de aventura foi "o elemento orquestrador por excelência" (pág. 16). A lavoura de cana seria, nesse sentido, uma forma de ocupação aventureira do espaço, não correspondendo a "uma civilização tipicamente agrícola" (pág. 18), mas a uma adaptação antes primitiva ao meio, revelando baixa capacidade técnica e docilidade às condições naturais. A escravidão, requisito necessário deste estado de coisas, agravou a ação dos fatores que se opunham ao espírito de trabalho, ao matar no homem livre a necessidade de cooperar e organizar-se, submetendo-o, ao mesmo tempo, à influência amolecedora de um povo primitivo.

"Herança Rural", o terceiro capítulo, parte da deixa relativa à agricultura, analisa a marca da vida rural na formação da sociedade brasileira. Repousando na escravidão, ela entra em crise quando esta declina; baseando-se em valores e práticas ligadas aos estabelecimentos agrícolas, suscita conflitos com a mentalidade urbana. A essa altura, define-se no livro uma segunda dicotomia básica, a relação rural-urbano, que marca em vários níveis a fisionomia do Brasil.

Tudo dependia, no passado, da civilização rústica, sendo os próprios intelectuais e políticos um prolongamento dos pais fazendeiros e acabando por "dar-se ao luxo" de se oporem à tradição. Da sua atividade provém muito do progresso social que acabaria por liquidar a sua classe ao destruir-lhe a base, isto é, o trabalho escravo. É o caso da febre de realizações materiais do decênio de 1850, quando, em virtude da lei Eusébio, que proibia o tráfico de escravos, os capitais ociosos foram canalizados para os melhoramentos técnicos próprios da civilização das cidades, constituindo uma primeira etapa para o "triunfo decisivo dos mercadores e especuladores urbanos". O malogro desse primeiro ímpeto, como do de Mauá, deveu-se à "radical incompatibilidade entre as formas de vida copiadas de nações socialmente mais avançadas, de um lado, e o patriarcalismo e personalismo fixados entre nós por uma tradição de origens seculares" (pág. 47).

A grande importância dos grupos rurais dominantes, encastelados na autarquia econômica e na autarquia familiar, manifesta-se no plano mental pela supervalorização do "talento", das atividades intelectuais que não se ligam ao trabalho material e parecem brotar de uma qualidade inata, como seria a fidalguia. A esse respeito, Sérgio Buarque de Holanda desmascara a posição extremamente reacionária de José da Silva Lisboa, que um singular engano tem feito considerar como pensador progressista.

A paisagem natural e social fica marcada pelo predomínio da fazenda sobre a cidade, mero apêndice daquela. A fazenda se vinculava a uma idéia de nobreza e constituía o lugar das atividades permanentes, ao lado de cidades vazias —ruralismo extremo, devido a um intuito do colonizador e não a uma imposição do meio.

A alusão à cidade estabelece a conexão com o capítulo IV, "O Semeador e o Ladrilhador", que começa pelo estudo da importância da cidade como instrumento de dominação e da circunstância de ter sido fundada neste sentido. Aqui chegamos a um dos momentos em que se nota a diferença entre espanhol e português, depois da caracterização comum do princípio.

"Ladrilhador", o espanhol acentua o caráter da cidade como empresa da razão, contrária à ordem natural, prevendo rigorosamente o plano das que fundou na América, ao modo de um triunfo da linha reta, e que na maioria buscavam as regiões internas. A isso correspondia o intuito de estabelecer um prolongamento estável da Metrópole, enquanto os portugueses, norteados por uma política de feitoria, agarrados ao litoral, de que só se desprenderiam no século XVIII, foram "semeadores" de cidades irregulares, nascidas e crescidas ao deus-dará, rebeldes à norma abstrata. Esse tipo de aglomerado urbano "não chega a contradizer o quadro da natureza, e sua silhueta se enlaça na linha da paisagem" (pág. 76).

Isso parece ao autor o resultado de um realismo chão, que foge das imaginações e das regras, salvo quando elas viram rotina e podem ser aceitas sem esforço. Daí o caráter prudente, desprovido de arroubos da expansão portuguesa —instalando (pensamos nós) um novo elemento de contradição no espírito de aventura antes definido e dando um aspecto peculiar de "desleixo" *ao capricho do semeador. O interesse do português pelas suas conquistas foi sobretudo apego a um meio de fazer fortuna rápida, dispensando o trabalho regular, que nunca foi virtude própria dele. A facilidade de ascensão social deu à burguesia lusitana aspirações e atitudes da nobreza, à qual desejava equiparar--se, desfazendo os ensejos de formar uma mentalidade específica, a exemplo de outros países.*

*O capítulo sobre "O Homem Cordial" aborda características que nos são próprias, como conseqüência dos traços apontados antes. Formado nos quadros da estrutura familiar, o brasileiro recebeu o peso das "relações de simpatia", que dificultam a incorporação normal a outros agrupamentos. Por isso, não acha agradáveis as relações impessoais, características do Estado, procurando reduzi-las ao padrão pessoal e afetivo. Onde pesa a família, sobretudo em seu molde tradicional, dificilmente se forma a sociedade urbana de tipo moderno. Em nosso país, o desenvolvimento da urbanização criou um "desequilíbrio social, cujos efeitos permanecem vivos ainda hoje" (pág. 105). E a essa altura, Sérgio Buarque de Holanda emprega, penso que pela primeira vez no Brasil, os conceitos de "patrimonialismo" e "burocracia", devidos a Max Weber, a fim de elucidar o problema e dar um fundamento sociológico à caracterização do "homem cordial", expressão tomada a Ribeiro Couto.*

*O "homem cordial" não pressupõe bondade, mas somente o predomínio dos comportamentos de aparência afetiva, inclusive suas manifestações externas, não necessariamente sinceras nem profundas, que se opõem aos ritualismos da polidez. O "homem cordial" é visceralmente inadequado às relações impessoais que decorrem da posição e da função do indivíduo, e não da sua marca pessoal e familiar, das afinidades nascidas na intimidade dos grupos primários.*

*O capítulo IV, "Novos Tempos", estuda certas conseqüências dos anteriores na configuração da sociedade brasileira, a partir da vinda da Família Real, que causou o primeiro choque nos velhos padrões coloniais.*

*Ao que se poderia chamar "mentalidade cordial" estão ligados vários traços importantes, como a sociabilidade apenas aparente, que na verdade não se impõe ao indivíduo e não exerce efeito positivo na estruturação de uma ordem coletiva. Decorre deste fato o individualismo, que aparece aqui focalizado de outro ângulo e se manifesta como relutância em face da lei que o contrarie. Ligada a ele, a falta de capacidade para aplicar-se a um objetivo exterior.*

*Retomando o problema dos intelectuais, o autor assinala agora a satisfação com o saber aparente, cujo fim está em si mesmo e por isso deixa de aplicar-se a um alvo concreto, sendo procurado* sobretudo como fator de prestígio para quem sabe. Já que a natureza dos objetivos é secundária, os indivíduos mudam de atividade com uma freqüência que desvenda essa busca de satisfação meramente pessoal. Daí valorizarem-se as profissões liberais que, além de permitirem as manifestações de independência individual, prestam-se ao saber de fachada. Devido à crise das velhas instituições agrárias, os membros das classes dominántes transitam facilmente para tais profissões, desligadas da necessidade de trabalho direto sobre as coisas, que lembra a condição servil.

Relacionando a tais circunstâncias o nosso culto tradicional pelas formas impressionantes, o exibicionismo, a improvisação e a falta de aplicação seguida, o autor interpreta a voga do positivismo no Brasil como decorrência desta última característica, —pois o espírito repousava satisfeito nos seus dogmas indiscutíveis, levando ao máximo a confiança nas idéias, mesmo quando inaplicáveis.

Na vida política, a isso correspondem o liberalismo ornamental (que em realidade provém do desejo de negar uma autoridade incômoda) e a ausência de verdadeiro espírito democrático. "A democracia no Brasil foi sempre um lamentável mal-entendido. Uma aristocracia rural e semifeudal importou-a e tratou de acomodá-la, onde fosse possível, aos seus direitos ou privilégios, os mesmos privilégios que tinham sido, no Velho Mundo, o alvo da luta da burguesia contra os aristocratas" (pág. 119). Os nossos movimentos "aparentemente reformadores" teriam sido, de fato, impostos de cima para baixo pelos grupos dominantes.

O capítulo VII, "Nossa Revolução", é bastante compacto e precisa ser lido com senso dos subentendidos, pois a composição reduz ao mínimo os elementos expositivos. O seu movimento consiste em sugerir (mais do que mostrar) como a dissolução da ordem tradicional ocasiona contradições não resolvidas, que nascem no nível da estrutura social e se manifestam no das instituições e idéias políticas.

Um dos seus pressupostos, talvez o fundamental, é a passagem do rural ao urbano, isto é, ao predomínio da cultura das cidades, que tem como conseqüência a passagem da tradição ibérica ao novo tipo de vida, pois aquela dependia essencialmente das instituições agrárias. Tal processo consiste no "aniquilamento das raízes ibéricas de nossa cultura para a inauguração de um estilo novo, que crismamos talvez ilusoriamente de americano, porque seus traços se acentuam com maior rapidez em nosso hemisfério" (pág. 127). Esta transformação tem como episódio importante a passagem da cana-de-açúcar ao café, cuja exploração é mais ligada aos modos de vida modernos.

Os modelos políticos do passado continuam como sobrevivência, pois antes se adequavam à estrutura rural e agora não encontram apoio na base econômica. Daí o aspecto relativamente harmonioso do Império, ao contrário da República, que não possui um substrato íntegro, como era o de tipo colonial. Cria-se então um impasse, que é resolvido pela mera substituição dos governantes ou pela confecção de leis formalmente perfeitas. Oscilando entre um extremo e outro, tendemos de maneira contraditória para uma organização administrativa ideal, que deveria funcionar automaticamente pela virtude impessoal da lei, e para o mais extremo personalismo, que a desfaz a cada passo.

Chegado a este ponto, Sérgio Buarque de Holanda completa o seu pensamento a respeito das condições de uma vida democrática no Brasil, dando ao livro uma atualidade que, em 1936, o distinguia dos outros estudos sobre a sociedade tradicional e o aproximava de autores que respondiam em parte ao nosso desejo de ver claro na realidade presente, como Virgínio Santa Rosa.

Para ele, a "nossa revolução" é a fase mais dinâmica, iniciada no terceiro quartel do século XIX, do processo de dissolução da velha sociedade agrária, cuja base foi suprimida de uma vez por todas pela Abolição. Trata-se de liquidar o passado, adotar o ritmo urbano e propiciar a emergência das camadas oprimidas da população, únicas com capacidade para revitalizar a sociedade e dar um novo sentido à vida política. O seu texto de apoio, no caso, são as considerações lúcidas de um viajante estrangeiro, Herbert Smith, que ainda no tempo da monarquia falava da necessidade de uma "revolução vertical", diferente das reviravoltas meramente de cúpula, que "trouxesse à tona elementos mais vigorosos, destruindo para sempre os velhos e incapazes", pois embora fossem estimáveis os senhores dos grupos dominantes, os membros dos grupos dominados "fisicamente não há dúvida que são melhores do que a classe mais elevada, e mentalmente também o seriam se lhes fossem favoráveis as oportunidades". E Sérgio Buarque de Holanda pensa que os acontecimentos do nosso tempo na América Latina se orientam para esta ruptura do predomínio das oligarquias, com o advento de novas camadas, condição única para vermos "finalmente revogada a velha ordem colonial e patriarcal, com todas as conseqüências morais, sociais e políticas que ela acarretou e continua a acarretar" (pág. 135). E ajunta: "Contra sua cabal realização é provável que se erga, e cada vez mais obstinada, a resistência dos adeptos de um passado que a distância já vai tingindo de cores idílicas. Essa resistência poderá, segundo seu grau de intensidade, manifestar-se em certas expansões de fundo sentimental e místico limitada ao campo li-

*terário, ou pouco mais. Não é impossível, porém, que se traduza diretamente em formas de expressão social capazes de restringir ou comprometer as esperanças de qualquer transformação profunda" (pág. 136).*

*Estas tendências de tipo reacionário bem poderiam, para o autor, encarnar-se na propensão sul-americana para o caudilhismo, que intervém no processo democrático como forma suprema do personalismo e do arbítrio. No entanto, parece-lhe que há entre nós condições que permitem a convergência rumo à democracia —como a repulsa pela hierarquia, a relativa ausência dos preconceitos de raça e cor, o próprio advento das formas contemporâneas de vida.*

\* \*

*Para nós, há trinta anos atrás, Raízes do Brasil trouxe elementos como estes, fundamentando uma reflexão que nos foi da maior importância. Sobretudo porque o seu método repousa sobre um jogo de oposições e contrastes, que impede o dogmatismo e abre campo para a meditação de tipo dialético.*

*Num momento em que os intérpretes do nosso passado ainda se preocupavam sobretudo com os aspectos de natureza biológica, manifestando, mesmo sob aparência do contrário, a fascinação pela "raça", herdada dos evolucionistas, Sérgio Buarque de Holanda puxou a sua análise para o lado da psicologia e da história social, com um senso agudo das estruturas. Num tempo ainda banhado de indisfarçável saudosismo patriarcalista, sugeria que, do ponto de vista metodológico, o conhecimento do passado deve estar vinculado aos problemas do presente. E, do ponto de vista político, que, sendo o nosso passado um obstáculo, a liquidação das "raízes" era um imperativo do desenvolvimento histórico. Mais ainda: em plena voga das componentes lusas avaliadas sentimentalmente, percebeu o sentido moderno da evolução brasileira, mostrando que ela se processaria conforme uma perda crescente das características ibéricas, em benefício dos rumos abertos pela civilização urbana e cosmopolita, expressa pelo Brasil do imigrante, que há quase três quartos de século vem modificando as linhas tradicionais. Finalmente, deu-nos instrumentos para discutir os problemas da organização sem cair no louvor do autoritarismo e atualizou a interpretação dos caudilhismos, que então se misturavam às sugestões do fascismo, tanto entre os integralistas (contra os quais é visivelmente dirigida uma parte do livro) quanto entre outras tendências, que dali a pouco se concretizariam no Estado Novo. Com segurança, afirmou estarmos entrando naquele instante na fase aguda da crise de decomposição da* sociedade tradicional. O ano era 1936. Em 37, veio o golpe de Estado e o advento da fórmula ao mesmo tempo rígida e conciliatória, que encaminhou a transformação das estruturas econômicas pela industrialização. O Brasil de agora deitava os seus galhos, ajeitando a seiva que aquelas raízes tinham recolhido.

São Paulo, dezembro de 1967.

*Antonio Candido*

# POST-SCRIPTUM

CINQÜENTA ANOS DEPOIS *Raízes do Brasil* continua um grande livro cheio de sugestões e originalidade. Nesse prefácio, escrito há quase vinte anos, procurei definir o que ele foi para a minha geração, como um dos guias no conhecimento do país. Hoje continuo achando o mesmo e mais alguma coisa. Em artigo posterior desenvolvi um aspecto que me parece não ter sido ressaltado: a mensagem política.

Retomando conforme esta óptica o grande trio mencionado, eu diria que *Casa-grande e senzala* representa uma etapa avançada do liberalismo das nossas classes dominantes, com o seu movimento contraditório entre posições conservadoras e certos ímpetos avançados. *Formação do Brasil contemporâneo* representa a ideologia marxista, que tem como referência o trabalhador. No caso, fecundo marxismo à brasileira, que ficaria melhor esclarecido em obras posteriores do mesmo autor.

*Raízes do Brasil,* caso diferente e curioso, exprime um veio pouco conhecido, pouco localizado e pouco aproveitado do nosso pensamento político-social, em cuja massa predominantemente liberal e conservadora ele aparece de maneira recessiva, entremeada ou excepcional. Falo do que se poderia chamar o radicalismo potencial das classes médias, que no caso de Sérgio adquire timbre diferenciador, ao voltar-se decididamente para o povo. Talvez tenha sido ele o primeiro pensador brasileiro que abandonou a posição "ilustrada", segundo a qual cabe a esclarecidos intelectuais, políticos, governantes administrar os interesses e orientar a ação do povo. Há meio século, neste livro, Sérgio deixou claro que só o próprio povo, tomando a iniciativa, poderia cuidar do seu destino. Isto faz dele um coerente radical democrático, autor de contribuição que deve ser explorada e desenvolvida no sentido de uma política popular adequada às condições do Brasil, segundo princípios ideológicos definidos.

Por isso, repito com realce o que escrevi no prefácio de 1967: uma das forças de *Raízes do Brasil* foi ter mostrado como o estudo do passado, longe de ser operação saudosista, modo de legitimar as estruturas vigentes, ou simples verificação, pode ser uma arma para abrir caminho aos grandes movimentos democráticos integrais, isto é, os que contam com a iniciativa do povo trabalhador e não o confinam ao papel de massa de manobra, como é uso.

*São Paulo, agosto de 1986.*

# PREFÁCIO DA 2.ª EDIÇÃO

Publicado pela primeira vez em 1936, este livro sai consideravelmente modificado na presente versão. Reproduzi-lo em sua forma originária, sem qualquer retoque, seria reeditar opiniões e pensamentos que em muitos pontos deixaram de satisfazer-me. Se por vezes tive o receio de ousar uma revisão verdadeiramente radical do texto —mais valeria, nesse caso, escrever um livro novo—não hesitei, contudo, em alterá-lo abundantemente onde pareceu necessário retificar, precisar ou ampliar sua substância.

Entretanto, fugi deliberadamente à tentação de examinar, na parte final da obra, alguns problemas específicos sugeridos pelos sucessos deste último decênio. Em particular aqueles que se relacionam com a circunstância da implantação, entre nós, de um regime de ditadura pessoal de inspiração totalitária. Seria indispensável, para isso, desprezar de modo arbitrário a situação histórica que presidiu e de algum modo provocou a elaboração da obra, e isso não me pareceu possível, nem desejável. Por outro lado, tenho a pretensão de julgar que a análise aqui esboçada de nossa vida social e política do passado e do presente, não necessitaria ser reformada à luz dos aludidos sucessos.

Sobre as mudanças simplesmente exteriores ou formais agora introduzidas no livro, cabem ainda algumas palavras. Dois capítulos, o III e o IV, que na 1.ª edição traziam um título comum —O passado agrário —passaram a chamar-se, respectivamente, Herança Rural e O Semeador e o Ladrilhador, denominações estas que melhor se ajustam aos conteúdos, pelo menos aos conteúdos atuais, dos mesmos capítulos. As notas complementares, ou destinadas a esclarecimento de passagem do texto, foram dispostas, de preferência, no pé das respectivas páginas. Somente as mais extensas, e que, de algum modo, podem ser lidas independentemente, ficaram para o fim dos capítulos correspondentes. Para o fim do volume foram todas as simples referências bibliográficas.

S. B. H.

São Paulo, junho de 1947.

# NOTA DA 3.ª EDIÇÃO

*Com algumas alterações que não lhe afetam essencialmente o conteúdo, mantém-se, na presente, o texto da segunda edição de Raízes do Brasil. A esse texto acrescentaram-se, em apêndice, as duas peças\* principais do debate que a expressão "homem cordial" sugeriu ao Sr. Cassiano Ricardo. As objeções do ilustre escritor, tanto quanto as explicações que, em resposta, lhe foram dadas, servirão, talvez, para esclarecer um assunto diversamente interpretado pelos críticos que se ocuparam do livro. Enriqueceu-se, além disso, este volume, de índices onomástico e de assuntos.*

*Por outro lado pareceram plausíveis, e foram adotadas, as sugestões do editor no sentido de se restabelecerem em pé de página as simples referências bibliográficas. Abandonou-se, pois, nesse caso, o sistema introduzido na segunda edição, e que aparentemente se presta a equívocos. Conservaram-se, entretanto, onde já se achavam, isto é ao fim de cada um dos capítulos respectivos, as notas que, dada a sua natureza e extensão, podem ser lidas separadamente das passagens que lhes correspondem.*

S. B. H.

*São Paulo, outubro de 1955.*

---

\* *Retirada, a partir da 5.ª edição, a de Cassiano Ricardo, conservando o Autor apenas a sua carta.*

\*

Na página fronteira: fac-símile do recibo dos direitos autorais da 1.ª ed. de *Raízes*, passado por Sergio Buarque de Hollanda no dia do lançamento do livro em 19.10.1936 na Rua do Ouvidor n.º 110. Como habitualmente fazia, o editor pagava integralmente os direitos ao Autor ao lançar o livro.

Embaixo: o anúncio feito na excelente revista literária de Gastão Cruls *Boletim de Ariel*, de novembro de 1936, comunicando a publicação de *Raízes* em outubro.

Recebi de José Olympio
Pereira Filho a impor-
tancia de 3:000$000
(três contos de reis) correspondente aos direitos
autoraes da primeira
edição de meu livro
"Raizes do Brasil", edição
de 3.000 exemplares, tendo sido
tirados mais 100 exemplares para
publicidade e mais 20 exemplares
em papel especial, fora do mercado.

Rio, ... de ... de 1936

Sergio ...

# Livraria José Olympio Editora

OUVIDOR, 110          Telegrammas          1º MARÇO, 13
23-2389              JOLYMPIO                23-2931

RIO DE JANEIRO

NOVIDADES DE OUTUBRO

Sergio Buarque de Hollanda — RAIZES DO BRASIL — (Coleção
   Documentos Brasileiros n.º 1) .......................... 10$000
Peregrino Junior — HISTORIAS DA AMAZONIA (Contos) .... 7$000
José Lins do Rego — O MOLEQUE RICARDO — 2.ª edição — (ro-
   mance) . ............................................... 7$000

# RAÍZES DO BRASIL CORRENDO MUNDO:

Capa da edição
espanhola (1955)

Capa da edição
italiana (1954)

Capa da edição
publicada em Tóquio (1976)

# RAÍZES
## DO BRASIL

# I

# FRONTEIRAS DA EUROPA

*MUNDO NOVO E VELHA CIVILIZAÇÃO.—PERSONA-*
*LISMO EXAGERADO E SUAS CONSEQÜÊNCIAS: TI-*
*BIEZA DO ESPÍRITO DE ORGANIZAÇÃO, DA SOLI-*
*DARIEDADE, DOS PRIVILÉGIOS HEREDITÁRIOS.—*
*FALTA DE COESÃO NA VIDA SOCIAL.—A VOLTA*
*À TRADIÇÃO, UM ARTIFÍCIO.—SENTIMENTO DE*
*IRRACIONALIDADE ESPECÍFICA DOS PRIVILÉ-*
*GIOS E DAS HIERARQUIAS.—EM QUE SENTIDO*
*ANTECIPARAM OS POVOS IBÉRICOS A MENTALI-*
*DADE MODERNA.—O TRABALHO MANUAL E ME-*
*CÂNICO, INIMIGO DA PERSONALIDADE.—A OBE-*
*DIÊNCIA COMO FUNDAMENTO DE DISCIPLINA*

A TENTATIVA de implantação
da cultura européia em extenso território, dotado de condições
naturais, se não adversas, largamente estranhas à sua tradição
milenar, é, nas origens da sociedade brasileira, o fato dominante e mais rico em conseqüências. Trazendo de países distantes
nossas formas de convívio, nossas instituições, nossas idéias, e
timbrando em manter tudo isso em ambiente muitas vezes desfa-
vorável e hostil, somos ainda hoje uns desterrados em nossa terra. Podemos construir obras excelentes, enriquecer nossa humanidade de aspectos novos e imprevistos, elevar à perfeição o tipo
de civilização que representamos: o certo é que todo o fruto de
nosso trabalho ou de nossa preguiça parece participar de um sistema de evolução próprio de outro clima e de outra paisagem.

Assim, antes de perguntar até que ponto poderá alcançar bom
êxito a tentativa, caberia averiguar até onde temos podido representar aquelas formas de convívio, instituições e idéias de que
somos herdeiros.

É significativa, em primeiro lugar, a circunstância de termos
recebido a herança através de uma nação ibérica. A Espanha e
Portugal são, com a Rússia e os países balcânicos (e em certo
sentido também a Inglaterra), um dos territórios-ponte pelos
quais a Europa se comunica com os outros mundos. Assim, eles
constituem uma zona fronteiriça, de transição, menos carregada,
em alguns casos, desse europeísmo que, não obstante, mantêm
como um patrimônio necessário.

Foi a partir da época dos grandes descobrimentos marítimos

3

que os dois países entraram mais decididamente no coro europeu. Esse ingresso tardio deveria repercutir intensamente em seus destinos, determinando muitos aspectos peculiares de sua história e de sua formação espiritual. Surgiu, assim, um tipo de sociedade que se desenvolveria, em alguns sentidos, quase à margem das congêneres européias, e sem delas receber qualquer incitamento, que já não trouxesse em germe.

Quais os fundamentos em que assentam de preferência as formas de vida social nessa região indecisa entre a Europa e a África, que se estende dos Pireneus a Gibraltar? Como explicar muitas daquelas formas, sem recorrer a indicações mais ou menos vagas e que jamais nos conduziriam a uma estrita objetividade?

Precisamente a comparação entre elas e as da Europa de além--Pireneus, faz ressaltar uma característica bem peculiar à gente da Península Ibérica, uma característica que ela está longe de partilhar, pelo menos na mesma intensidade, com qualquer de seus vizinhos do continente. É que nenhum desses vizinhos soube desenvolver a tal extremo essa cultura da personalidade, que parece constituir o traço mais decisivo na evolução da gente hispânica, desde tempos imemoriais. Pode dizer-se, realmente, que pela importância particular que atribuem ao valor próprio da pessoa humana, à autonomia de cada um dos homens em relação aos semelhantes no tempo e no espaço, devem os espanhóis e portugueses muito de sua originalidade nacional. Para eles, o índice do valor de um homem infere-se, antes de tudo, da extensão em que não precise depender dos demais, em que não necessite de ninguém, em que se baste. Cada qual é filho de si mesmo, de seu esforço próprio, de suas virtudes... — e as virtudes soberanas para essa mentalidade são tão imperativas, que chegam por vezes a marcar o porte pessoal e até a fisionomia dos homens. Sua manifestação mais completa já tinha sido expressa no estoicismo que, com pouca corrupção, tem sido a filosofia nacional dos espanhóis desde o tempo de Sêneca.

Essa concepção espelha-se fielmente em uma palavra bem hispânica—"sobranceria"—palavra que indica inicialmente a idéia de superação. Mas a luta e emulação que ela implica eram tacitamente admitidas e admiradas, engrandecidas pelos poetas, recomendadas pelos moralistas e sancionadas pelos governos.

É dela que resulta largamente a singular tibieza das formas de organização, de todas as associações que impliquem solidariedade e ordenação entre esses povos. Em terra onde todos são barões não é possível acordo coletivo durável, a não ser por uma força exterior respeitável e temida.

Os privilégios hereditários, que, a bem dizer, jamais tiveram influência muito decisiva nos países de estirpe ibérica, pelo menos tão decisiva e intensa como nas terras onde criou fundas raízes o feudalismo, não precisaram ser abolidos neles para que se firmasse o princípio das competições individuais. À frouxidão da estrutura social, à falta de hierarquia organizada devem-se alguns dos episódios mais singulares da história das nações hispânicas, incluindo-se nelas Portugal e o Brasil. Os elementos anárquicos sempre frutificaram aqui facilmente, com a cumplicidade ou a indolência displicente das instituições e costumes. As iniciativas, mesmo quando se quiseram construtivas, foram continuamente no sentido de separar os homens, não de os unir. Os decretos dos governos nasceram em primeiro lugar da necessidade de se conterem e de se refrearem as paixões particulares momentâneas, só raras vezes da pretensão de se associarem permanentemente as forças ativas.

A falta de coesão em nossa vida social não representa, assim, um fenômeno moderno. E é por isso que erram profundamente aqueles que imaginam na volta à tradição, a certa tradição, a única defesa possível contra nossa desordem. Os mandamentos e as ordenações que elaboraram esses eruditos são, em verdade, criações engenhosas do espírito, destacadas do mundo e contrárias a ele. Nossa anarquia, nossa incapacidade de organização sólida, não representam, a seu ver, mais do que uma ausência da única ordem que lhes parece necessária e eficaz. Se a considerarmos bem, a hierarquia que exaltam é que precisa de tal anarquia para se justificar e ganhar prestígio.

E será legítimo, em todo caso, esse recurso ao passado em busca de um estímulo para melhor organização da sociedade? Não significaria, ao contrário, apenas um índice de nossa incapacidade de criar espontaneamente? As épocas realmente vivas nunca foram tradicionalistas por deliberação. A escolástica na Idade Média foi criadora porque foi atual. A hierarquia do pensamento subordinava-se a uma hierarquia cosmogônica. A coletividade dos homens na terra era uma simples parábola e espelhava palidamente a cidade de Deus. Assim, na filosofia tomista, os anjos que compõem as três ordens da primeira hierarquia, os Querubins, os Serafins e os Tronos, são equiparados aos homens que formam o *entourage* imediato de um monarca medieval: assistem o soberano no que ele realiza por si mesmo, são os seus ministros e conselheiros. Os da segunda hierarquia, as Dominações, as Potências e as Virtudes são, em relação a Deus, aquilo que para um rei são os governadores por ele incumbidos da administração das diferentes províncias do reino. Finalmente, os da terceira hierarquia correspondem, na cidade temporal, aos agentes do poder, os funcionários subalternos.[1]

Se a vida medieval aspirava a uma bela harmonia e repousava sobre um sistema hierárquico, nada mais natural, pois que até no Céu existem graus de beatitude, segundo informa Beatriz ao Dante. A ordem natural é tão-somente uma projeção imperfeita e longínqua da Ordem eterna e explica-se por ela:

*"Le cose tutte quante*
*hanno ordine tra loro e questo forma*
*che l'universo a Dio fa simigliante".*

Assim, a sociedade dos homens na terra não pode ser um fim em si. Sua disposição hierárquica, posto que rigorosa, não visa à permanência, nem quer o bem-estar no mundo. Não há, nessa sociedade, lugar para as criaturas que procuram a paz terrestre nos bens e vantagens deste mundo. A comunidade dos justos é estrangeira na terra, ela viaja e vive da fé no exílio e na mortalidade. "Assim—diz Santo Agostinho—a cidade terrestre que não vive da fé aspira à paz terrena e o fim que ela atribui à missão da autoridade e da sujeição, entre cidadãos, é que haja, quanto aos interesses desta vida mortal, um certo concerto das vontades humanas".

A Idade Média mal conheceu as aspirações conscientes para uma reforma da sociedade civil. O mundo era organizado segundo leis eternas indiscutíveis, impostas do outro mundo pelo supremo ordenador de todas as coisas. Por um paradoxo singular, o princípio formador da sociedade era, em sua expressão mais nítida, uma força inimiga, inimiga do mundo e da vida. Todo o trabalho dos pensadores, dos grandes construtores de sistemas, não significava outra coisa senão o empenho em disfarçar, quanto possível, esse antagonismo entre o Espírito e a Vida (*Gratia naturam non tollit sed perficit*). Trabalho de certa maneira fecundo e venerável, mas cujo sentido nossa época já não quer compreender em sua essência. O entusiasmo que pode inspirar hoje essa grandiosa concepção hierárquica, tal como a conheceu a Idade Média, é em realidade uma paixão de professores.

No fundo, o próprio princípio de hierarquia nunca chegou a importar de modo cabal entre nós. Toda hierarquia funda-se necessariamente em privilégios. E a verdade é que, bem antes de

---

[1] Sobre esse paralelismo das hierarquias veja-se o curso teológico de João de São Tomás, o filósofo português tido por muitos tomistas modernos como o mais perfeito intérprete do Doutor Angélico. *Jean de Saint Thomas.* Trad. de M. Benoit Lavaud, O. P. (Paris, 1928), pág. 91 e seg.

triunfarem no mundo as chamadas idéias revolucionárias, portugueses e espanhóis parecem ter sentido vivamente a irracionalidade específica, a injustiça social de certos privilégios, sobretudo dos privilégios hereditários. O prestígio pessoal, independente do nome herdado, manteve-se continuamente nas épocas mais gloriosas da história das nações ibéricas. Nesse ponto, ao menos, elas podem considerar-se legítimas pioneiras da mentalidade moderna. Toda gente sabe que nunca chegou a ser rigorosa e impermeável a nobreza lusitana. Na era dos grandes descobrimentos marítimos, Gil Vicente podia notar como a nítida separação das classes sociais que prevalecia em outros países, era quase inexistente entre seus conterrâneos:

> "...em Frandes e Alemanha,
> em toda França e Veneza,
> que vivem per siso e manha,
> por não viver em tristeza,
> não he como nesta terra;
> porque o filho do lavrador
> casa lá com lavradora,
> e nunca sobem mais nada;
> e o filho do broslador
> casa com a brosladora:
> isto per lei ordenada."[2]

Um dos pesquisadores mais notáveis da história antiga de Portugal salientou, com apoio em ampla documentação, que a nobreza, por maior que fosse a sua preponderância em certo tempo, jamais logrou constituir ali uma aristocracia fechada; a generalização dos mesmos nomes a pessoas das mais diversas condições—observa—não é um fato novo na sociedade portuguesa; explica-o assaz a troca constante de indivíduos, de uns que se ilustram, de outros que voltam à massa popular donde haviam saído.[3]

Acentua ainda Alberto Sampaio como a lei consignada nas Ordenações confessa que havia homens da linhagem dos Filhos d'algo em todas as profissões, desde os oficiais industriais, até os arrendatários de bens rústicos; unicamente lhes são negadas as honras *enquanto viverem de trabalhos mecânicos*. A comida do povo—declara ainda—não se distinguia muito da dos cavalheiros nobres, por isso que uns e outros estavam em contínuas relações de intimidade; não só os nobres comiam com os popu-

---

2 Gil Vicente, *Obras Completas de...* Reimpr. fac-similada da ed. de 1562 (Lisboa, 1928), fol. CCXXXI.
3 Alberto Sampaio, *Estudos Históricos e Econômicos*, I (Porto, 1923), pág. 248.

lares, mas ainda lhes entregavam a criação dos filhos. Prova está na instituição do *amádigo* pela qual os nobres davam a educar seus filhos aos vilãos, que desfrutavam, nesse caso, de alguns privilégios e isenções.

Se semelhantes característicos predominaram com notável constância entre os povos ibéricos, não vale isso dizer que provenham de alguma inelutável fatalidade biológica ou que, como as estrelas do céu, pudessem subsistir à margem e à distância das condições de vida terrena. Sabemos que, em determinadas fases de sua história, os povos da Península deram provas de singular vitalidade, de surpreendente capacidade de adaptação a novas formas de existência. Que especialmente em fins do século XV puderam mesmo adiantar-se aos demais Estados europeus, formando unidades políticas e econômicas de expressão moderna. Mas não terá sido o próprio bom êxito dessa transformação súbita, e talvez prematura, uma das razões da obstinada persistência, entre eles, de hábitos de vida tradicionais, que explicam em parte sua originalidade?

No caso particular de Portugal, a ascensão, já ao tempo do Mestre de Avis, do povo dos mesteres e dos mercadores citadinos pôde encontrar menores barreiras do que nas partes do mundo cristão onde o feudalismo imperava sem grande estorvo. Por isso, porque não teve excessivas dificuldades a vencer, por lhe faltar apoio econômico onde se assentasse de modo exclusivo, a burguesia mercantil não precisou adotar um modo de agir e pensar absolutamente novo, ou instituir uma nova escala de valores, sobre os quais firmasse permanentemente seu predomínio. Procurou antes de associar-se às antigas classes dirigentes, assimilar muitos dos seus princípios, guiar-se pela tradição, mais do que pela razão fria e calculista. Os elementos aristocráticos não foram completamente alijados e as formas de vida herdadas da Idade Média conservaram, em parte, seu prestígio antigo.

Não só a burguesia urbana mas os próprios labregos deixavam-se contagiar pelo resplendor da existência palaciana com seus títulos e honrarias.

> *Cedo não há de haver vilão:*
> *todos d'El Rei, todos d'El Rei,*

exclamava o pajem da *Farsa dos Almocreves*. Por estranho que pareça, a própria ânsia exibicionista dos brasões, a profusão de nobiliários e livros de linhagem constituem, em verdade, uma das faces da incoercível tendência para o nivelamento das classes, que ainda tomam por medida certos padrões de prestígio social longamente estabelecidos e estereotipados. A presunção de fidalguia é requerida por costumes ancestrais que, em substância, já não respondem a condições do tempo, embora persistam nas suas exterioridades. A verdadeira, a autêntica nobreza já não precisa transcender ao indivíduo; há de depender das suas forças e capacidades, pois mais vale a eminência própria do que a herdada. A abundância dos bens da fortuna, os altos feitos e as altas virtudes, origem e manancial de todas as grandezas, suprem vantajosamente a prosápia de sangue. E o círculo de virtudes capitais para a gente ibérica relaciona-se de modo direto com o sentimento da própria dignidade de cada indivíduo. Comum a nobres e plebeus, esse sentimento corresponde, sem embargo, a uma ética de fidalgos, não de vilãos. Para espanhóis e portugueses, os valores que ele anima são universais e permanentes.

O mérito pessoal, quando fundado em tais virtudes, teve sempre importância ponderável. Semelhante concepção é que, prolongada na teologia, iria ressuscitar, em pleno século XVI, a velha querela do pelagianismo, encontrando sua manifestação mais completa na doutrinação molinista. E nessa polêmica iria ter o papel decisivo, contra os princípios predestinacianos, uma instituição de origem nitidamente ibérica, a Companhia de Jesus, que procurou impor seu espírito ao mundo católico, desde o Concílio de Trento.

Efetivamente, as teorias negadoras do livre arbítrio foram sempre encaradas com desconfiança e antipatia pelos espanhóis e portugueses. Nunca eles se sentiram muito à vontade em um mundo onde o mérito e a responsabilidade individuais não encontrassem pleno reconhecimento.

Foi essa mentalidade, justamente, que se tornou o maior óbice, entre eles, ao espírito de organização espontânea, tão característica de povos protestantes, e sobretudo de calvinistas. Porque, na verdade, as doutrinas que apregoam o livre arbítrio e a responsabilidade pessoal são tudo, menos favorecedoras da associação entre os homens. Nas nações ibéricas, à falta dessa racionalização da vida, que tão cedo experimentaram algumas terras protestantes, o princípio unificador foi sempre representado pelos governos. Nelas predominou, incessantemente, o tipo de organização política artificialmente mantida por uma força exterior, que, nos tempos modernos, encontrou uma das suas formas características nas ditaduras militares.

Um fato que não se pode deixar de tomar em consideração no exame da psicologia desses povos é a invencível repulsa que sempre lhes inspirou toda moral fundada no culto ao trabalho. Sua atitude normal é precisamente o inverso da que, em teoria, corresponde ao sistema do artesanato medieval, onde se encarece o trabalho físico, denegrindo o lucro, o "lucro torpe". Só muito recentemente, com o prestígio maior das instituições dos povos do Norte, é que essa ética do trabalho chegou a conquistar algum terreno entre eles. Mas as resistências que encontrou e ainda encontra têm sido tão vivas e perseverantes, que é lícito duvidar de seu êxito completo.

A "inteireza", o "ser", a "gravidade", o "termo honrado", o "proceder sisudo", esses atributos que ornam e engrandecem o nobre escudo, na expressão do poeta português Francisco Rodrigues Lobo, representam virtudes essencialmente inativas, pelas quais o indivíduo se reflete sobre si mesmo e renuncia a modificar a face do mundo. A ação sobre as coisas, sobre o universo material, implica submissão a um objeto exterior, aceitação de uma lei estranha ao indivíduo. Ela não é exigida por Deus, nada acrescenta à sua glória e não aumenta nossa própria dignidade. Pode dizer-se, ao contrário, que a prejudica e a avilta. O trabalho manual e mecânico visa a um fim exterior ao homem e pretende conseguir a perfeição de uma obra distinta dele.

É compreensível, assim, que jamais se tenha naturalizado entre gente hispânica a moderna religião do trabalho e o apreço à atividade utilitária. Uma digna ociosidade sempre pareceu mais excelente, e até mais nobilitante, a um bom português, ou a um espanhol, do que a luta insana pelo pão de cada dia. O que ambos admiram como ideal é uma vida de grande senhor, exclusiva de qualquer esforço, de qualquer preocupação. E assim, enquanto povos protestantes preconizam e exaltam o esforço manual, as nações ibéricas colocam-se ainda largamente no ponto de vista da antiguidade clássica. O que entre elas predomina é a concepção antiga de que o ócio importa mais que o negócio e de que a atividade produtora é, em si, menos valiosa que a contemplação e o amor.

Também se compreende que a carência dessa moral do trabalho se ajustasse bem a uma reduzida capacidade de organização social. Efetivamente o esforço humilde, anônimo e desinteressado é agente poderoso da solidariedade dos interesses e, como tal, estimula a organização racional dos homens e sustenta a coesão entre eles. Onde prevaleça uma forma qualquer de moral do trabalho dificilmente faltará a ordem e a tranquilidade entre os cidadãos, porque são necessárias, uma e outra, à harmonia dos interesses. O certo é que, entre espanhóis e portugueses, a moral do trabalho representou sempre fruto exótico. Não admira que fossem precárias, nessa gente, as idéias de solidariedade.

A bem dizer, essa solidariedade, entre eles, existe somente onde há vinculação de sentimentos mais do que relações de interesse —no recinto doméstico ou entre amigos. Círculos forçosamente restritos, particularistas e antes inimigos que favorecedores das associações estabelecidas sobre plano mais vasto gremial ou nacional.

A autarquia do indivíduo, à exaltação extrema da personalidade, paixão fundamental e que não tolera compromissos, só pode haver uma alternativa: a renúncia a essa mesma personalidade em vista de um bem maior. Por isso mesmo que rara e difícil, a obediência aparece algumas vezes, para os povos ibéricos, como virtude suprema entre todas. E não é estranhável que essa obediência—obediência cega, e que difere fundamente dos princípios medievais e feudais de lealdade—tenha sido até agora, para eles, o único princípio político verdadeiramente forte. A vontade de mandar e a disposição para cumprir ordens são-lhes igualmente peculiares. As ditaduras e o Santo Ofício parecem constituir formas tão típicas de seu caráter como a inclinação à anarquia e à desordem. Não existe, a seu ver, outra sorte de disciplina perfeitamente concebível, além da que se funde na excessiva centralização do poder e na obediência.

Foram ainda os jesuítas que representaram, melhor de que ninguém, esse princípio da disciplina pela obediência. Mesmo em nossa América do Sul, deixaram disso exemplo memorável com suas reduções e doutrinas. Nenhuma tirania moderna, nenhum teórico da ditadura do proletariado ou do Estado totalitário, chegou sequer a vislumbrar a possibilidade desse prodígio de racionalização que conseguiram os padres da Companhia de Jesus em suas missões.

Hoje, a simples obediência como princípio de disciplina parece uma fórmula caduca e impraticável e daí, sobretudo, a instabilidade constante de nossa vida social. Desaparecida a possibilidade desse freio, é em vão que temos procurado importar dos sistemas de outros povos modernos, ou criar por conta própria, um sucedâneo adequado, capaz de superar os efeitos de nosso natural inquieto e desordenado. A experiência e a tradição ensinam que toda cultura só absorve, assimila e elabora em geral os traços de outras culturas, quando estes encontram uma possibilidade de ajuste aos seus quadros de vida. Neste particular cumpre lembrar o que se deu com as culturas européias transportadas ao Novo Mundo. Nem o contato e a mistura com raças indígenas ou adventícias fizeram-nos tão diferentes dos nossos avós de além-mar como às vezes gostaríamos de sê-lo. No caso brasileiro, a verdade, por menos sedutora que possa parecer a alguns dos nossos patriotas, é que ainda nos associa à Península Ibérica, a Portugal especialmente, uma tradição longa e viva, bastante viva para nutrir, até hoje, uma alma comum, a despeito de tudo quanto nos separa. Podemos dizer que de lá nos veio a forma atual de nossa cultura; o resto foi matéria que se sujeitou mal ou bem a essa forma.

# II

# TRABALHO & AVENTURA

*PORTUGAL E A COLONIZAÇÃO DAS TERRAS TROPI-
CAIS.—DOIS PRINCÍPIOS QUE REGULAM DIVERSA-
MENTE AS ATIVIDADES DOS HOMENS.—PLASTICI-
DADE SOCIAL DOS PORTUGUESES.—CIVILIZAÇÃO
AGRÍCOLA?—CARÊNCIA DE ORGULHO RACIAL.—O
LABÉU ASSOCIADO AOS TRABALHOS VIS.—ORGA-
NIZAÇÃO DO ARTESANATO; SUA RELATIVA DE-
BILIDADE NA AMÉRICA PORTUGUESA.—INCAPA-
CIDADE DE LIVRE E DURADOURA ASSOCIAÇÃO.—
A "MORAL DAS SENZALAS" E SUA INFLUÊNCIA.
—MALOGRO DA EXPERIÊNCIA HOLANDESA.*
NOTA AO CAPÍTULO II:
    *PERSISTÊNCIA DA LAVOURA DE TIPO
    PREDATÓRIO.*

Pᴵᴼᴺᴱᴵᴿᴼˢ da conquista do tró-
pico para a civilização, tiveram os portugueses, nessa proeza, sua
maior missão histórica. E sem embargo de tudo quanto se possa
alegar contra sua obra, forçoso é reconhecer que foram não somente os portadores efetivos como os portadores naturais dessa
missão. Nenhum outro povo do Velho Mundo achou-se tão bem
armado para se aventurar à exploração regular e intensa das
terras próximas à linha equinocial, onde os homens depressa degeneram, segundo o conceito generalizado na era quinhentista,
e onde—dizia um viajante francês do tempo—*"la chaleur si
véhémente de l'air leur tire dehors la chaleur naturelle et la dis-
sipe; et par ainsi sont chaulds seulement par dehors et froids
en dedans"*, ao contrário do que sucede aos outros, os habitantes
das terras frias, os quais *"ont la chaleur naturelle serrée et cons-
trainte dedans par le froid extérieur qui les rend ainsi robustes
et vaillans, car la force et faculté de toutes les parties du corps
dépend de cette naturelle chaleur"*.[4]

Essa exploração dos trópicos não se processou, em verdade,
por um empreendimento metódico e racional, não emanou de
uma vontade construtora e enérgica: fez-se antes com desleixo
e certo abandono. Dir-se-ia mesmo que se fez apesar de seus autores. E o reconhecimento desse fato não constitui menoscabo à
grandeza do esforço português. Se o julgarmos conforme os cri-

---

[4] André Thevet, *Les Singularitez de la France Antarctique* (Paris, 1879),
pág. 408 e seg.

térios morais e políticos hoje dominantes, nele encontraremos muitas e sérias falhas. Nenhuma, porém, que leve com justiça à opinião extravagante defendida por um número não pequeno de detratores da ação dos portugueses no Brasil, muitos dos quais optariam, de bom grado, e confessadamente, pelo triunfo da experiência de colonização holandesa, convictos de que nos teria levado a melhores e mais gloriosos rumos. Mas antes de abordar esse tema, é preferível encarar certo aspecto, que parece singularmente instrutivo, das determinantes psicologias do movimento de expansão colonial portuguesa pelas terras de nossa América.

Nas formas de vida coletiva podem assinalar-se dois princípios que se combatem e regulam diversamente as atividades dos homens. Esses dois princípios encarnam-se nos tipos do aventureiro e do trabalhador. Já nas sociedades rudimentares manifestam-se eles, segundo sua predominância, na distinção fundamental entre os povos caçadores ou coletores e os povos lavradores. Para uns, o objeto final, a mira de todo esforço, o ponto de chegada, assume relevância tão capital, que chega a dispensar, por secundários, quase supérfluos, todos os processos intermediários. Seu ideal será colher o fruto sem plantar a árvore.

Esse tipo humano ignora as fronteiras. No mundo tudo se apresenta a ele em generosa amplitude e onde quer que se erija um obstáculo a seus propósitos ambiciosos, sabe transformar esse obstáculo em trampolim. Vive dos espaços ilimitados, dos projetos vastos, dos horizontes distantes.

O trabalhador, ao contrário, é aquele que enxerga primeiro a dificuldade a vencer, não o triunfo a alcançar. O esforço lento, pouco compensador e persistente, que, no entanto, mede todas as possibilidades de esperdício e sabe tirar o máximo proveito do insignificante, tem sentido bem nítido para ele. Seu campo visual é naturalmente restrito. A parte maior do que o todo.

Existe uma ética do trabalho, como existe uma ética da aventura. Assim, o indivíduo do tipo trabalhador só atribuirá valor moral positivo às ações que sente ânimo de praticar e, inversamente, terá por imorais e detestáveis as qualidades próprias do aventureiro—audácia, imprevidência, irresponsabilidade, instabilidade, vagabundagem—tudo, enfim, quanto se relacione com a concepção *espaçosa* do mundo, característica desse tipo.

Por outro lado, as energias e esforços que se dirigem a uma recompensa imediata são enaltecidos pelos aventureiros; as energias que visam à estabilidade, à paz, à segurança pessoal e os esforços sem perspectiva de rápido proveito material passam, ao contrário, por viciosos e desprezíveis para eles. Nada lhes parece mais estúpido e mesquinho do que o ideal do trabalhador.

Entre esses dois tipos não há, em verdade, tanto uma oposição absoluta como uma incompreensão radical.[5] Ambos participam, em maior ou menor grau, de múltiplas combinações e é claro que, em estado puro, nem o aventureiro, nem o trabalhador, possuem existência real fora do mundo das idéias. Mas também não há dúvida que os dois conceitos nos ajudam a situar e a melhor ordenar nosso conhecimento dos homens e dos conjuntos sociais. E é precisamente nessa extensão superindividual, que eles assumem importância inestimável para o estudo da formação e evolução das sociedades.

Na obra da conquista e colonização dos novos mundos coube ao "trabalhador", no sentido aqui compreendido, papel muito limitado, quase nulo. A época predispunha aos gestos e façanhas audaciosos, galardoando bem os homens de grandes vôos. E não foi fortuita a circunstância de se terem encontrado neste continente, empenhadas nessa obra, principalmente as nações onde o tipo do trabalhador, tal como acaba de ser discriminado, encontrou ambiente menos propício.

Se isso é verdade tanto de Portugal como da Espanha, não o é menos da Inglaterra. O surto industrial poderoso que atingiu a nação britânica no decurso do século passado, criou uma idéia que está longe de corresponder à realidade, com relação ao povo inglês, e uma idéia de que os antigos não partilhavam. A verdade é que o inglês típico não é industrioso, nem possui em grau extremo o senso da economia, característico de seus vizinhos continentais mais próximos. Tende, muito ao contrário, para a indolência e para a prodigalidade, e estima, acima de tudo, a "boa vida". Era essa a opinião corrente, quase unânime, dos estrangeiros que visitavam a Grã-Bretanha antes da era vitoriana. E, não menos, a dos moralistas e economistas que buscavam os remédios para a condição de inferioridade em que durante longo tempo se encontrou o país em face de seus competidores. Em 1664, no panfleto intitulado *England's Treasure by Forraigne*

---

5 Uma oposição só teria lugar se pertencessem à mesma família moral. Nesse sentido, o reverso do tipo do trabalhador seria, talvez, o do pequeno *rentier*. Da mesma forma, o pólo contrário do tipo do aventureiro pode ser representado principalmente pelo vagabundo anti-social, o *outlaw* ou o simples ocioso. A distinção aqui sugerida aparenta-se assim à que estabeleceu Vilfredo Pareto entre os *rentieri* e os *speculatori*. Analisada em confronto com a famosa teoria dos "quatro desejos fundamentais", formulada por W. I. Thomas, de tão fecundas aplicações em diversos ramos da ciência social, pode-se dizer que ao tipo do aventureiro correspondem de modo predominante o "desejo de novas sensações" e o de "consideração pública". O "desejo de segurança" e o de "correspondência" estariam representados sobretudo no tipo do trabalhador.—Robert E. Park e Ernest W. Burgess, *Introduction to the Science of Sociology* (Chicago, 1924), pág. 488 e segs.; William I. Thomas e Florian Znanieck, *The Polish Peasant in Europe and America,* I (Nova York, 1927), pág. 72 e seg.

*Trade,* Thomas Mun censurava nos seus compatriotas a imprevidência, o gosto da dissipação inútil, o amor desregrado aos prazeres e ao luxo, a ociosidade impudica—*lewd idleness*—"contrária à lei de Deus e aos usos das demais nações", e atribuía a tais vícios sua impossibilidade de medir-se seriamente com os holandeses.[6] Conceitos semelhantes a esses volta a exprimir, em nossos dias, esse bom conhecedor e historiador do caráter inglês que é William Ralph Inge. O deão da catedral de St. Paul observa em livro rico de interessantes sugestões, que o "inglês médio não tem presentemente nenhum gosto pela diligência infatigável, laboriosa, dos alemães, ou pela frugalidade parcimoniosa dos franceses". E acrescenta a essa observação mais esta, que a muitos deve parecer desconcertante e nova: "A indolência é vício que partilhamos com os naturais de algumas terras quentes, mas não com qualquer outro povo do Norte da Europa".[7]

Essa pouca disposição para o trabalho, ao menos para o trabalho sem compensação próxima, essa indolência, como diz o deão Inge, não sendo evidentemente um estímulo às ações aventurosas, não deixa de constituir, com notável freqüência, o aspecto negativo do ânimo que gera as grandes empresas. Como explicar, sem isso, que os povos ibéricos mostrassem tanta aptidão para a caça aos bens materiais em outros continentes? "Um português —comentava certo viajante em fins do século XVIII —pode fretar um navio para o Brasil com menos dificuldade do que lhe é preciso para ir a cavalo de Lisboa ao Porto".[8]

E essa ânsia de prosperidade sem custo, de títulos honoríficos, de posições e riquezas fáceis, tão notoriamente característica da gente de nossa terra, não é bem uma das manifestações mais cruas do espírito de aventura? Ainda hoje convivemos diariamente com a prole numerosa daquele militar do tempo de Eschwege, que não se envergonhava de solicitar colocação na música do palácio, do amanuense que não receava pedir um cargo de governador, do simples aplicador de ventosas que aspirava às funções de cirurgião-mor do reino... Não raro nossa capacidade de ação esgota-se nessa procura incessante, sem que a neutralize uma violência vinda de fora, uma reação mais poderosa; é um esforço que se desencaminha antes mesmo de encontrar resistência, que

---

6 "England's Treasure by Forraigne Trade, or the Ballance of our Forraigne Trade is the Rule of our Treasure. By Thomas Mun 1664", J. R. McCulloch (ed.), *Early English Tracts on Commerce* (Cambridge, 1954), págs. 191 e seg.
7 William R. Inge, *England* (Londres, 1933), pág. 160.
8 James Murphy, *Travels in Portugal, through the Provinces of Entre--Douro e Minho, Beira and Além-Tejo in the years 1789 and 1790* (Londres, 1795), pág. 208.

se aniquila no auge da força e que se compromete sem motivo patente.

E, no entanto, o gosto da aventura, responsável por todas essas fraquezas, teve influência decisiva (não a única decisiva, é preciso, porém, dizer-se) em nossa vida nacional. Num conjunto de fatores tão diversos, como as raças que aqui se chocaram, os costumes e padrões de existência que nos trouxeram, as condições mesológicas e climatéricas que exigiam longo processo de adaptação, foi o elemento orquestrador por excelência. Favorecendo a mobilidade social, estimulou os homens, além disso, a enfrentar com denodo as asperezas ou resistências da natureza e criou-lhes as condições adequadas a tal empresa.

Nesse ponto, precisamente, os portugueses e seus descendentes imediatos foram inexcedíveis. Procurando recriar aqui o meio de sua origem, fizeram-no com uma facilidade que ainda não encontrou, talvez, segundo exemplo na história. Onde lhes faltasse o pão de trigo, aprendiam a comer o da terra, e com tal requinte, que—afirmava Gabriel Soares—a gente de tratamento só consumia farinha de mandioca fresca, feita no dia. Habituaram-se também a dormir em redes, à maneira dos índios. Alguns, como Vasco Coutinho, o donatário do Espírito Santo, iam ao ponto de beber e mascar fumo, segundo nos referem testemunhos do tempo. Aos índios tomaram ainda instrumentos de caça e pesca, embarcações de casca ou tronco escavado, que singravam os rios e águas do litoral, o modo de cultivar a terra ateando primeiramente fogo aos matos. A casa peninsular, severa e sombria, voltada para dentro, ficou menos circunspecta sob o novo clima, perdeu um pouco de sua aspereza, ganhando a varanda externa: um acesso para o mundo de fora. Com essa nova disposição, importada por sua vez da Ásia oriental e que substituía com vantagem, em nosso meio, o tradicional pátio mourisco, formaram o padrão primitivo e ainda hoje válido para as habitações européias nos trópicos. Nas suas plantações de cana, bastou que desenvolvessem em grande escala o processo já instituído, segundo todas as probabilidades, na Madeira e em outras ilhas do Atlântico, onde o negro da Guiné era utilizado nas fainas rurais.

Não é certo que a forma particular assumida entre nós pelo latifúndio agrário fosse uma espécie de manipulação original, fruto da vontade criadora um pouco arbitrária dos colonos portugueses. Surgiu, em grande parte, de elementos adventícios e ao sabor das conveniências da produção e do mercado. Nem se pode afiançar que o sistema de lavoura, estabelecido, aliás, com estranha uniformidade de organização, em quase todos os territórios tropicais e subtropicais da América, tenha sido, aqui, o resultado de condições intrínsecas e específicas do meio. Foi a circunstância de não se achar a Europa industrializada ao tempo dos descobrimentos, de modo que produzia gêneros agrícolas em quantidade suficiente para seu próprio consumo, só carecendo efetivamente de produtos naturais dos climas quentes, que tornou possível e fomentou a expansão desse sistema agrário.

É instrutivo, a propósito, o fato de o mesmo sistema, nas colônias inglesas da América do Norte, ter podido florescer apenas em regiões apropriadas às lavouras do tabaco, do arroz e do algodão, produtos tipicamente "coloniais". Quanto às áreas do centro e às da Nova Inglaterra, tiveram de contentar-se com uma simples agricultura de subsistência, enquanto não se abria passo à expansão comercial e manufatureira, fundada quase exclusivamente no trabalho livre. O clima e outras condições físicas peculiares a regiões tropicais, só contribuíram, pois, de modo indireto para semelhante resultado.

Aos portugueses e, em menor grau, aos castelhanos, coube sem dúvida, a primazia no emprego do regime que iria servir de modelo à exploração latifundiária e monocultora adotada depois por outros povos. E a boa qualidade das terras do Nordeste brasileiro para a lavoura altamente lucrativa da cana-de-açúcar, fez com que essas terras se tornassem o cenário onde, por muito tempo, se elaboraria em seus traços mais nítidos o tipo de organização agrária mais tarde característico das colônias européias situadas na zona tórrida. A abundância de terras férteis e ainda mal desbravadas fez com que a grande propriedade rural se tornasse, aqui, a verdadeira unidade de produção. Cumpria apenas resolver o problema do trabalho. E verificou-se, frustradas as primeiras tentativas de emprego do braço indígena, que o recurso mais fácil estaria na introdução de escravos africanos.

Pode dizer-se que a presença do negro representou sempre fator obrigatório no desenvolvimento dos latifúndios coloniais. Os antigos moradores da terra foram, eventualmente, prestimosos colaboradores na indústria extrativa, na caça, na pesca, em determinados ofícios mecânicos e na criação do gado. Dificilmente se acomodavam, porém, ao trabalho acurado e metódico que exige a exploração dos canaviais. Sua tendência espontânea era para atividades menos sedentárias e que pudessem exercer-se sem regularidade forçada e sem vigilância e fiscalização de estranhos. Versáteis ao extremo, eram-lhes inacessíveis certas noções de ordem, constância e exatidão, que no europeu formam como uma segunda natureza e parecem requisitos fundamentais da existência social e civil.[9] O resultado eram incompreensões

---

9 Ou então adaptavam-se só exteriormente, sem adesão íntima, a essas normas "civilizadas", mais ou menos como um ator desempenha o papel

recíprocas que, de parte dos indígenas, assumiam quase sempre a forma de uma resistência obstinada, ainda quando silenciosa e passiva, às imposições da raça dominante. Nisto assemelhavam-se àqueles Aruaques das Antilhas, dos quais diziam os colonos franceses, comparando-os aos negros: *"regarder un sauvage de travers c'est le battre, le battre c'est le tuer—battre un nègre c'est le nourrir"*.[10]

Numa produção de índole semicapitalista, orientada sobretudo para o consumo externo, teriam de prevalecer por força critérios grosseiramente quantitativos. Em realidade, só com alguma reserva se pode aplicar a palavra "agricultura" aos processos de exploração da terra que se introduziram amplamente no país com os engenhos de cana. Nessa exploração, a técnica européia serviu apenas para fazer ainda mais devastadores os métodos rudimentares de que se valia o indígena em suas plantações. Se tornou possível, em certos casos, a fixação do colono, não cabe atribuir tal fato a esse zelo carinhoso pela terra, tão peculiar ao homem rústico entre povos genuinamente agricultores. A verdade é que a grande lavoura, conforme se praticou e ainda se pratica no Brasil, participa, por sua natureza perdulária, quase tanto da mineração quanto da agricultura. Sem braço escravo e terra farta, terra para gastar e arruinar, não para proteger ciosamente, ela seria irrealizável.

O que o português vinha buscar era, sem dúvida, a riqueza, mas riqueza que custa ousadia, não riqueza que custa trabalho. A mesma, em suma, que se tinha acostumado a alcançar na Índia com as especiarias e os metais preciosos. Os lucros que proporcionou de início, o esforço de plantar a cana e fabricar o açúcar para mercados europeus, compensavam abundantemente esse esforço —efetuado, de resto, com as mãos e os pés dos negros—mas era preciso que fosse muito simplificado, restringindo-se ao estrito necessário às diferentes operações.

Não foi, por conseguinte, uma civilização tipicamente agrícola o que instauraram os portugueses no Brasil com a lavoura açucareira. Não o foi, em primeiro lugar, porque a tanto não conduzia o gênio aventureiro que os trouxe à América; em seguida, por causa da escassez da população do reino, que permitisse emigração em larga escala de trabalhadores rurais, e finalmente pela circunstância de a atividade agrícola não ocupar então, em Portugal, posição de primeira grandeza. No mesmo ano de 1535, em

---

que lhe foi distribuído ou uma criança recita a lição que aprendeu de cor. Foi o que sucedeu, de algum modo, nas velhas missões jesuíticas, onde após a expulsão dos padres, voltaram os índios, em muitos casos, à sua primeira condição.

10 Jean B. Du Tertre, *Histoire Générale des Antilles*, II (Paris, 1667), pág. 490.

que Duarte Coelho desembarcava em sua donataria pernambucana, o humanista Clenardo, escrevendo de Lisboa a seu amigo Latônio, dava notícia das miseráveis condições em que jaziam no país as lides do campo: "Se em algum lugar a agricultura foi tida em desprezo—dizia—é incontestavelmente em Portugal. E antes de mais nada, ficai sabendo que o que faz o nervo principal de uma nação é aqui de uma debilidade extrema; para mais, se há algum povo dado à preguiça sem ser o.português, então não sei onde ele exista. Falo sobretudo de nós outros que habitamos além do Tejo e que respiramos de mais perto o ar da África". E algum tempo mais tarde, respondendo às críticas dirigidas por Sebastião Münster aos habitantes da península hispânica, Damião de Góis admitia que o labor agrícola era menos atraente para seus compatriotas do que as aventuras marítimas e as glórias da guerra e da conquista.[11]

Quando lamentamos que a lavoura, no Brasil, tenha permanecido tão longamente aferrada a concepções rotineiras, sem progressos técnicos que elevassem o nível da produção, é preciso não esquecer semelhantes fatores. E é preciso, além disso, ter em conta que o meio tropical oferece muitas vezes poderosos e inesperados obstáculos à implantação de tais melhoramentos. Se a técnica agrícola adotada aqui pelos portugueses representou em alguns casos, comparada às da Europa, um retrocesso, em muitos pontos verdadeiramente milenar, é certo que para isso contribuíram as resistências da natureza, de uma natureza distinta da européia, não menos do que a inércia e a passividade dos colonos. O escasso emprego do arado, por exemplo, em nossa lavoura de feição tradicional, tem sua explicação, em grande parte, nas dificuldades que ofereciam freqüentemente ao seu manejo os resíduos da pujante vegetação florestal. É compreensível assim que não se tivesse generalizado esse emprego, muito embora fosse tentado em épocas bem anteriores àquelas que costumam ser mencionadas em geral para sua introdução.

Há notícia de que, entre senhores de engenho mais abastados do Recôncavo baiano, era corrente o uso do arado em fins do século XVIII. Cumpre considerar, em todo o caso, que esse uso se restringe unicamente à lavoura canavieira, onde, para se obterem safras regulares, já se faz necessário um terreno previamente limpo, destocado e arroteado. Sem embargo disso, sabemos por depoimentos da época que, para puxar cada arado, era costume, entre fazendeiros, empregarem juntas de dez, doze ou mais bois, o que vinha não só da pouca resistência desses animais no Brasil,

---

11 M. Gonçalves Cerejeira, *O Humanismo em Portugal. Clenardo.* (Coimbra, 1926), pág. 271.

como também de custarem as terras mais a abrir pela sua fortaleza.[12] A regra era irem buscar os lavradores novas terras em lugares de mato dentro, e assim raramente decorriam duas gerações sem que uma mesma fazenda mudasse de sítio, ou de dono. Essa transitoriedade, oriünda, por sua vez, dos costumes indígenas, servia apenas para corroborar o caráter rotineiro do trabalho rural. Como a ninguém ocorria o recurso de revigorar os solos gastos por meio de fertilizantes, faltava estímulo a melhoramentos de qualquer natureza. A noção de que o trabalho de saraquá ou enxada é o único que as nossas terras suportam, ganhou logo crédito. Em São Paulo, onde, como em outros lugares do Brasil, o emprego de processos menos rudimentares chegara a ser tentado desde o segundo século da colonização, se não antes—em inventário datado de 1637 já se assinala "hum ferro de arado" entre os deixados por certo lavrador da zona de Parnaíba[13]—, a força dessa convicção logo contagiava os filhos do reino, conforme o atesta em 1766 um capitão-general, em carta ao então Conde de Oeiras. Todos, dizia, sustentam que a terra, no Brasil, só tem sustância na superfície, "que se não pode usar arado, que alguns já usaram dele, que tudo se lhes perdeu; e finalmente todos falam pela mesma boca".[14]

Que assim sucedesse com relação aos portugueses, não é de admirar, sabendo-se que, ainda em nossos dias, os mesmos métodos predatórios e dissipadores se acham em uso entre colonos de pura estirpe germânica, e isso, não só no meio tropical que constituem as baixadas espírito-santenses, mas também em regiões de clima relativamente temperado como as do Rio Grande do Sul.[15] Deve-se, em todo caso, considerar que a origem principalmente mercantil e citadina da maioria desses colonos, seu número não muito considerável, os limitados recursos materiais de que dispunham ao se transplantarem do Velho Mundo, explicam, em grande parte, a docilidade com que se sujeitaram a técnicas

---

12 "Officio do Govcrnador D. Fernando José de Portugal para D. Rodrigo de Souza Coutinho em que se refere ao emprego de bois e arados na cultura das terras e das canas moidas de assucar como combustivel das fornalhas e dos engenhos. Bahia, 28 de Março de 1798", *Anais da Biblioteca Nacional do Rio de Janeiro*, XXXVI (Rio de Janeiro, 1916), pág. 16.

13 *Inventários e Testamentos*, X (São Paulo, 1912), pág. 464.

14 *Documentos Interessantes para a História e Costumes de São Paulo*, XXIII (São Paulo, 1896), pág. 3 e segs.

15 Dr. Ernst Wagemann, *Die deutsche Kolonisten in brasilianischen Staate Espírito Santo* (Munique e Leipzig, 1915), pág. 72 e segs.; Otto Maull, *Vom Itatiaya zum Paraguay* (Leipzig, 1930), pág. 98 e segs., Dr. Hans Porzelt, *Der deutsche Bauer in Rio Grande do Sul* (Ochsenfurt am Main, 1937), pág. 24 e segs.

já empregadas por brasileiros de ascendência lusitana.[16] Na economia agrária, pode dizer-se que os métodos maus, isto é rudimentares, danosos e orientados apenas para o imoderado e imediato proveito de quem os aplica, tendem constantemente a expulsar os bons métodos. Acontece que, no Brasil, as condições locais quase impunham, pelo menos ao primeiro contato, muitos daqueles métodos "maus" e que, para suplantá-los, era mister uma energia paciente e sistemática.

O que, com segurança, se pode afirmar dos portugueses e seus descendentes é que jamais se sentiram eficazmente estimulados a essa energia. Mesmo comparados a colonizadores de outras áreas onde viria a predominar uma economia rural fundada, como a nossa, no trabalho escravo, na monocultura, na grande propriedade, sempre se distinguiram, em verdade pelo muito que pediam à terra e o pouco que lhe davam em retribuição. Salvo se encarados por um critério estritamente quantitativo, os métodos que puseram em vigor no Brasil não representam nenhum progresso essencial sobre os que, antes deles, já praticavam os indígenas do país.

O contraste entre as condições normais da lavoura brasileira, ainda na segunda metade do século passado, e as que pela mesma época prevaleciam no sul dos Estados Unidos, é bem mais apreciável do que as semelhanças, tão complacentemente assinaladas e exageradas por alguns historiadores. Os fazendeiros oriundos dos Estados confederados, que por volta de 1866 emigraram para o Brasil, e a cuja influência se tem atribuído, com ou sem razão, o desenvolvimento do emprego de arados, cultivadores, rodos e grades nas propriedades rurais paulistas, estiveram bem longe de partilhar da mesma opinião. Certos depoimentos da época refletem, ao contrário, o pasmo causado entre muitos deles pelos processos alarmantemente primitivos que encontraram em uso. Os escravos brasileiros, diz um desses depoimentos, plantam algodão exatamente como os índios norte-americanos plantam o milho.[17]

O princípio que, desde os tempos mais remotos da colonização, norteara a criação da riqueza no país, não cessou de valer um só momento para a produção agrária. Todos queriam extrair do solo excessivos benefícios sem grandes sacrifícios. Ou, como já dizia o mais antigo dos nossos historiadores, queriam servir-se da terra, não como senhores, mas como usufrutuários, "só para a desfrutarem e a deixarem destruída".[18]

---

16 Ver nota ao fim do capítulo: *Persistência da Lavoura de Tipo Predatório*.

17 Rev. Ballard S. Dunn, *Brazil, the home for the Southeners* (Nova York, 1866), pág. 138.

18 Frei Vicente do Salvador, *História do Brasil*, 3.ª ed. (São Paulo, s. d.), pág. 16.

Não cabia, nesse caso, modificar os rudes processos dos indígenas, ditados pela lei do menor esforço, uma vez, é claro, que se acomodassem às conveniências da produção em larga escala. Instrumentos sobretudo passivos, nossos colonizadores aclimaram-se facilmente, cedendo às sugestões da terra e dos seus primeiros habitantes, sem cuidar de impor-lhes normas fixas e indeléveis. Mesmo comparados aos castelhanos, destacaram-se eles por esse aspecto. Na maior parte das suas possessões da América, o castelhano raramente se identificou a tal ponto com a terra e a gente da terra: apenas superpôs-se, com freqüência, a uma e outra. Entre nós, o domínio europeu foi, em geral, brando e mole, menos obediente a regras e dispositivos do que à lei da natureza. A vida parece ter sido aqui incomparavelmente mais suave, mais acolhedora das dissonâncias sociais, raciais, e morais. Nossos colonizadores eram, antes de tudo, homens que sabiam repetir o que estava feito ou o que lhes ensinara a rotina. Bem assentes no solo, não tinham exigências mentais muito grandes e o Céu parecia-lhes uma realidade excessivamente espiritual, remota, póstuma, para interferir em seus negócios de cada dia.

A isso cumpre acrescentar outra face bem típica de sua extraordinária plasticidade social: a ausência completa, ou praticamente completa, entre eles, de qualquer orgulho de raça. Ao menos do orgulho obstinado e inimigo de compromissos, que caracteriza os povos do Norte. Essa modalidade de seu caráter, que os aproxima das outras nações de estirpe latina e, mais do que delas, dos muçulmanos da África, explica-se muito pelo fato de serem os portugueses, em parte, e já ao tempo do descobrimento do Brasil, um povo de mestiços. Ainda em nossos dias, um antropólogo distingue-os racialmente dos seus próprios vizinhos e irmãos, os espanhóis, por ostentarem um contingente maior de sangue negro. A isso atribui o fato de os indígenas da África Oriental os considerarem quase como seus iguais e de os respeitarem muito menos de que aos outros civilizados. Assim, afirma, para designar os diferentes povos da Europa, os Suaheli discriminam sempre: europeus e portugueses.[19]

Neste caso o Brasil não foi teatro de nenhuma grande novidade. A mistura com gente de cor tinha começado amplamente na própria metrópole. Já antes de 1500, graças ao trabalho de pretos trazidos das possessões ultramarinas, fora possível, no reino, estender a porção do solo cultivado, desbravar matos, dessangrar pântanos e transformar charnecas em lavouras, com o que se abriu passo à fundação de povoados novos. Os benefícios

---

[19] Dr. Hans Günther, *Rassekunde Europas* (Munique, 1926), pág. 82.

imediatos que de seu trabalho decorriam, fizeram com que aumentasse incessantemente a procura desses instrumentos de progresso material, em uma nação onde se menoscabavam cada vez mais os ofícios servis.[20]

As lamentações de um Garcia de Resende parecem refletir bem, por volta de 1536, o alarma suscitado entre homens prudentes por essa silenciosa e sub-reptícia invasão, que ameaçava transtornar os próprios fundamentos biológicos onde descansava tradicionalmente a sociedade portuguesa:

> *Vemos no reino meter,*
> *Tantos cativos crescer,*
> *E irem-se os naturais*
> *Que se assi for, serão mais*
> *Eles que nós, a meu ver.*[21]

A já mencionada carta de Clenardo a Latônio revela-nos, pela mesma época, como pululavam os escravos em Portugal. Todo o serviço era feito por negros e mouros cativos, que não se distinguiam de bestas de carga, senão na figura. "Estou em crer—nota ele—que em Lisboa os escravos e escravas são mais que os portugueses". Dificilmente se encontraria habitação onde não houvesse pelo menos uma negra. A gente mais rica tinha escravos de ambos os sexos, e não faltava quem tirasse bons lucros da venda dos filhos de escravos. "Chega-me a parecer—acrescenta o humanista—que os criam como quem cria as pombas para ir ao mercado. Longe de se ofenderem com as ribaldias das escravas, estimam até que tal suceda, porque *o fruto segue a condição do ventre:* nem ali o padre vizinho, nem eu sei lá que cativo africano o podem reclamar".[22]

Embora os cálculos estatísticos acerca da introdução de negros no Reino fossem, em geral, escassos e vagamente aproximativos, é de notar que, em 1541, defendendo o bom nome dos portugueses e espanhóis contra as críticas de Münster, Damião de Góis estimasse em dez a doze mil os escravos da Nigrícia que entravam anualmente em seu país. E que um decênio depois, conforme o *Sumário* de Cristóvão Rodrigues de Oliveira, Lisboa contava nove mil e novecentos e cinqüenta escravos para o total de dezoito mil vizinhos. Isso significa que formavam cerca de uma quinta parte da população.[23] A mesma proporção ainda se guardava mais para

[20] Costa Lobo, *História da Sociedade em Portugal no Século XV* (Lisboa, 1904), pág. 49 e seg.
[21] Garcia de Resende, "Miscellanea", *Chronica dos Salerosos, e Insignes feitos del Rey Dom Ivoam II de Gloriosa Memoria.* Coimbra, 1798, pág. 363.
[22] M. Gonçalves Cerejeira, *op. cit.*, pág. 179, n. 273 e segs.
[23] J. Lúcio de Azevedo, *Novas Epanáforas* (Lisboa, 1932), pág. 102 e segs.

fins do século, a julgar pelos informes de Filippo Sassetti, que andou em Portugal entre os anos de 1578 e 1583.[24] Com o correr do tempo não deve ter diminuído essa intrusão de sangue estranho, que progredia, ao contrário, e não só nas cidades. Em 1655, Manuel Severim de Faria pode lastimar que os mais dos lavradores se sirvam de escravos de Guiné e mulatos.

E em fins do século seguinte, a célebre procissão dos Passos, em Lisboa, deveria ser espetáculo quase comparável ao que proporcionava qualquer cidade brasileira, daquelas onde o contingente negro fosse mais notável. Um visitante estrangeiro dizia em 1798 que participavam dos préstitos entre "quatro e cinco mil almas, sendo a maior parte constituída de negros e mulatos, de negras e mulatas". Em outro depoimento, escrito setenta anos antes dessa data, atribuía-se a cor trigueira da gente portuguesa a efeito do clima e mais ainda "da mistura com os negros, muito ordinária no povo baixo".

Compreende-se, assim, que já fosse exíguo o sentimento de distância entre os dominadores, aqui, e a massa trabalhadora constituída de homens de cor. O escravo das plantações e das minas não era um simples manancial de energia, um carvão humano à espera de que a época industrial o substituísse pelo combustível. Com freqüência as suas relações com os donos oscilavam da situação de dependente para a de protegido, e até de solidário e afim. Sua influência penetrava sinuosamente o recesso doméstico, agindo como dissolvente de qualquer idéia de separação de castas ou raças, de qualquer disciplina fundada em tal separação. Era essa a regra geral: não impedia que tenham existido casos particulares de esforços tendentes a coibir a influência excessiva do homem de côr na vida da colônia, como aquela ordem régia de 1726, que vedava a qualquer mulato, até à quarta geração, o exercício de cargos municipais em Minas Gerais, tornando tal proibição extensiva aos brancos casados com mulheres de cor.[25] Mas resoluções como essa—decorrente, ao que consta, da conjuração dos negros e mulatos, anos antes, naquela capitania—estavam condenadas a ficar no papel e não perturbavam seriamente a tendência da população para um abandono de todas as barreiras sociais, políticas e econômicas entre brancos e homens de cor, livres e escravos.[26]

24 Filippo Sassetti, *Lettere di* (Milão, s. d.), pág. 126.
25 José Pedro Xavier da Veiga, *Efemérides Mineiras*, I (s. l. 1926), pág. 95.
26 Assim, também, quase dois séculos antes, a Câmara de São Vicente ordenava que nenhum cristão falasse mal do outro, ou de suas mercadorias, diante dos gentios, declarando que para ficar provada a transgressão dessa lei, bastaria o juramento de qualquer cristão que ouvisse detrair. Nesse caso prepondera—como é fácil de ver—a ganância econômica do conquista-

A própria coroa não hesitou, ocasionalmente, em temperar os zelos de certos funcionários mais infensos a essa tendência. Assim ocorreu, por exemplo, quando a um governador de Pernambuco se expediu ordem, em 1731, para que desse posse do ofício de procurador ao bacharel nomeado, Antônio Ferreira Castro, apesar da circunstância alegada de ser o provido um mulato. Porque—diz a ordem de D. João V—"o defeito de ser Pardo não obsta para este ministério e se repara muito que vós, por este acidente, excluísseis um Bacharel Formado provido por mim para introduzirdes e conservardes um homem que não é formado, o qual nunca o podia ser por Lei, havendo Bacharel Formado".[27]

É preciso convir em que tais liberalidades não constituíam lei geral; de qualquer modo, o exclusivismo "racista", como se diria hoje, nunca chegou a ser, aparentemente, o fator determinante das medidas que visavam reservar a brancos puros o exercício de determinados empregos. Muito mais decisivo do que semelhante exclusivismo teria sido o labéu tradicionalmente associado aos trabalhos vis a que obriga a escravidão e que não infamava apenas quem os praticava, mas igualmente seus descendentes. A esta, mais do que a outras razões, cabe atribuir até certo ponto a singular importância que sempre assumiram, entre portugueses, as habilitações de genere.

Também não seria outra a verdadeira explicação para o fato de se considerarem aptos, muitas vezes, os gentios da terra e os mamelucos, a ofícios de que os pretos e mulatos ficavam legalmente excluídos. O reconhecimento da liberdade civil dos índios—mesmo quando se tratasse simplesmente de uma liberdade "tutelada" ou "protegida", segundo a sutil discriminação dos juristas—tendia a distanciá-los do estigma social ligado à escravidão. É curioso notar como algumas características ordinariamente atribuídas aos nossos indígenas e que os fazem menos compatíveis com a condição servil —sua "ociosidade", sua aversão a todo esforço disciplinado, sua "imprevidência", sua "intemperança", seu gosto acentuado por atividades antes predatórias do que produtivas—ajustam-se de forma bem precisa aos tradicionais padrões de vida das classes nobres. E deve ser por

dor, não o sentimento de distinção racial. Frei Gaspar menciona-o, efetivamente, entre outros fatos demonstrativos da "má-fé dos portugueses nos seus contratos com os naturais da terra", fatos esses que mereceriam mais tarde a reprovação do Primeiro Governador-Geral do Brasil.—Frei Gaspar da Madre de Deus, Memórias para a História da Capitania de S. Vicente (Lisboa, 1797), pág. 67.

27 "Sobre dar posse ao Doutor Antonio Ferreira Castro do Officio de Procurador da Corôa, pelo Mulatismo lhe nam servir de impedimento", Anais da Biblioteca Nacional do Rio de Janeiro XXVIII (Rio de Janeiro, 1908), pág. 352.

isso que, ao procurarem traduzir para termos nacionais a temática da Idade Média, própria do romantismo europeu, escritores do século passado, como Gonçalves Dias e Alencar, iriam reservar ao índio virtudes convencionais de antigos fidalgos e cavaleiros, ao passo que o negro devia contentar-se, no melhor dos casos, com a posição de vítima submissa ou rebelde.

✓ Longe de condenar os casamentos mistos de indígenas e brancos, o governo português tratou, em mais de uma ocasião, de estimulá-los, e é conhecido o alvará de 1755, determinando que os cônjuges, nesses casos, "não fiquem com infâmia alguma, antes muito hábeis para os cargos dos lugares onde residirem não menos que seus filhos e descendentes, os quais, até terão preferência para qualquer emprego, honra ou dignidade, sem dependência de dispensa alguma, ficando outrossim proibido, sob pena de procedimento, dar-se-lhe o nome de caboclos, ou outros semelhantes, que se possam reputar injuriosos". Os pretos e descendentes de pretos, esses continuavam relegados, ao menos em certos textos oficiais, a trabalhos de baixa reputação, os *negro jobs*, que tanto degradam o indivíduo que os exerce, como sua geração. Assim é que, em portaria de 6 de agôsto de 1771, o vice-rei do Brasil mandou dar baixa do pôsto de capitão-mor a um índio, porque "se mostrara de tão baixos sentimentos que casou com uma preta, manchando o seu sangue com esta aliança, e tornando-se assim indigno de exercer o referido posto".[28]

Uma das conseqüências da escravidão e da hipertrofia da lavoura latifundiária na estrutura de nossa economia colonial, foi a ausência, praticamente, de qualquer esforço sério de cooperação nas demais atividades produtoras, ao oposto do que sucedia em outros países, inclusive nos da América espanhola. Pouca coisa existiu, entre nós, comparável ao que refere um historiador peruano a respeito da prosperidade dos grêmios de oficiais mecânicos já existentes no primeiro século da conquista de Lima, com alcaides jurados e vedores, taxa de jornais, exames de competência, inscrição, descanso dominical obrigatório e fundações pias de assistência mútua nas diversas confrarias de mesteirais. Conhece-se ainda hoje o regimento dos prateiros da Cidade dos Reis, cujo manuscrito é conservado na Beneficência Pública da capital peruana. Esses oficiais mecânicos, em sua maioria índios e mestiços, tinham capela na nave esquerda da Igreja de Santo Agostinho. Sua organização estabelecera perfeitamente dotes e pensões de velhice para as famílias dos agremiados. Os sapateiros e curtidores constituíram-se no ano de 1578, com propriedade da

---

[28] João Francisco Lisboa, *Obras*, III (São Luís do Maranhão, 1866), pág. 383 e seg.

capela de São Crispim e São Crispiniano, na catedral. Aí celebravam suas funções e festas. Tal como sucedeu no Brasil, mas em escala mais ampla do que entre nós, certos grêmios impuseram nome a ruas e praças, onde tinham agrupadas suas tendas e, por vezes, também suas moradas; assim os botoeiros, barreteiros, esteireiros, manteiros, algibebes, taberneiros, sombreireiros (de vicunha ou de palha de jipijapa), espadeiros, guitarreiros, oleiros, saboeiros e ferreiros. Havia também os fazedores de talabartes, na maioria brancos, índios e mestiços, assim como negros e mulatos eram, em regra, os cirurgiões e os barbeiros. Seguiam-se a esses os grêmios de seleiros e fabricantes de jaezes e guarnições, dos fundidores, dos ebanistas, carpinteiros, alarifes, alvanéis, curtidores, surradores de couro, cerieiros, luveiros, chapineiros, alfaiates ou costureiros (os brancos com a confraria de São Francisco o Grande), confeiteiros e pasteleiros. Esses grêmios, definitivamente organizados por D. Francisco de Toledo, foram durante longos anos, para o vice-reinado, uma garantia de prosperidade, riqueza e estabilidade, não obstante as vicissitudes do trabalho mineiro e a decadência do império colonial espanhol.[29]

No Brasil, a organização dos ofícios segundo moldes trazidos do reino teve seus efeitos perturbados pelas condições dominantes: preponderância absorvente do trabalho escravo, indústria caseira, capaz de garantir relativa independência aos ricos, entravando, por outro lado, o comércio e, finalmente, escassez de artífices livres na maior parte das vilas e cidades.

São freqüentes, em velhos documentos municipais, as queixas contra mecânicos que, ou transgridem impunemente regimentos de seu ofício, ou se esquivam aos exames prescritos, contando para isso com a proteção de juízes benévolos. Uma simples licença com fiador era, em casos tais, o bastante para o exercício de qualquer profissão, e desse modo se abriam malhas numerosas na disciplina só aparentemente rígida das posturas. Os que conseguiam acumular algum cabedal, esses tratavam logo de abandonar seus ofícios para poderem desfrutar das regalias ordinariamente negadas a mecânicos. Assim sucede, por exemplo, a certo Manuel Alves, de São Paulo, que deixa em 1639 sua profissão de seleiro para subir à posição de "homem nobre" e servir os cargos da República.[30]

Por vezes, nem tal cautela se torna imprescindível: muitos eram os casos de pessoas consideradas nobres, que se dedicavam,

---

29 J. de la Riva-Aguero, "Lima Española", *El Comercio* (Lima, 18. I. 1935), 1.ª seção, pág. 4.
30 Afonso d'E. Taunay, *História Seiscentista da Vila de São Paulo*, IV (São Paulo, 1929), pág. 325.

como meio de vida, a serviços mecânicos, sem perderem as prerrogativas pertinentes à sua classe. Contudo não seria essa a lei geral: é plausível admitir que constituísse antes um abuso reconhecido como tal, embora largamente tolerado, pois do contrário não se compreende que um Martim Francisco, já em começo do século passado, se admirasse de que muitos moradores de Itu, sendo "todos pelo menos nobres", se dedicassem a ofícios mecânicos, "pois que pelas leis do reino derrogam a nobreza..."[31]

Embora a lei não tivesse cogitado em estabelecer qualquer hierarquia entre as diferentes espécies de trabalho manual, não se pode negar que existiam discriminações consagradas pelos costumes, e que uma intolerância maior prevaleceu constantemente com relação aos ofícios de mais baixa reputação social. Quando, em 1720, Bernardo Pereira de Berredo, governador do Estado do Maranhão, mandou assentar praça de soldado a certo Manuel Gaspar, eleito almotacé, alegando que "bem longe de ter nobreza, havia sido criado de servir", conformou-se logo o senado com a decisão e, ainda por cima, anulou a eleição de outro indivíduo, que "vendia sardinhas e berimbaus".[32]

Nos ofícios urbanos reinavam o mesmo amor ao ganho fácil e a infixidez que tanto caracterizam, no Brasil, os trabalhos rurais. Espelhava bem essas condições o fato, notado por alguém, em fins da era colonial, de que nas tendas de comerciantes se distribuíam as coisas mais disparatadas deste mundo, e era tão fácil comprarem-se ferraduras a um boticário como vomitórios a um ferreiro.[33] Poucos indivíduos sabiam dedicar-se a vida inteira a um só mister sem se deixarem atrair por outro negócio aparentemente lucrativo. E ainda mais raros seriam os casos em que um mesmo ofício perdurava na mesma família por mais de uma geração, como acontecia normalmente em terras onde a estratificação social alcançara maior grau de estabilidade.

Era esse um dos sérios empecilhos à constituição, entre nós, não só de um verdadeiro artesanato, mas ainda de oficiais suficientemente habilitados para trabalhos que requerem vocação decidida e longo tirocínio.[34] Outro empecilho vinha, sem dúvida,

31 Martim Francisco Ribeiro d'Andrada Machado e Silva "Jornaes das Viagens pela Capitania de S. Paulo (1803-4)", *Revista do Instituto Histórico e Geográfico Brasileiro*, XLV, 1.ª parte (Rio de Janeiro, 1882), pág. 18.

32 João Francisco Lisboa, *op. cit.*, pág. 382.

33 Gustavo Beyer, "Notas de Viagens no Brasil, em 1813", *Revista do Instituto Histórico e Geográfico de São Paulo*, XII (São Paulo, 1908), pág. 287.

34 Uma exceção, e isso mesmo nos principais centros urbanos, parecem ter constituído aqueles que, pela natureza dos seus ofícios, necessitavam de aptidões e conhecimentos artísticos que não se improvisam. Um viajante

do recurso muito ordinário aos chamados "negros de ganho" ou "moços de ganho", que trabalhavam mediante simples licenças obtidas pelos senhores em benefício exclusivo destes. Assim, qualquer pessoa com fumaças de nobreza podia alcançar proveitos derivados dos trabalhos mais humildes sem degradar-se e sem calejar as mãos. Spix e Martius tiveram ocasião de assinalar a radical incompatibilidade existente entre esse hábito e o princípio medieval das corporações de mesteres,[35] ainda bem vivo em muitos lugares da Europa ao iniciar-se o século passado.

Da tradição portuguesa, que mesmo em território metropolitano jamais chegara a ser extremamente rígida neste particular, pouca coisa se conservou entre nós que não tivesse sido modificada ou relaxada pelas condições adversas do meio. Manteve-se melhor do que outras, como é fácil imaginar, a obrigação de irem os ofícios embandeirados, com suas insígnias, às procissões reais, o que se explica simplesmente pelo gosto do aparato e o dos espetáculos coloridos, tão peculiar à nossa sociedade colonial.

O que sobretudo nos faltou para o bom êxito desta e de tantas outras formas de labor produtivo foi, seguramente, uma capacidade de livre e duradoura associação entre os elementos empreendedores do país. Trabalhos de índole coletiva espontaneamente aceitos podiam ocorrer nos casos onde fossem de molde a satisfazer certos sentimentos e emoções coletivos, como sucede com os misteres relacionados de algum modo ao culto religioso. Casos, por exemplo, como o da construção da velha matriz de Iguape, em fins do século XVII, em que colaboraram os homens notáveis e o povo da vila, carregando pedras desde a praia até ao lugar onde ficava a obra,[36] ou o da velha matriz de Itu, erigida em 1679 com auxílio dos moradores, que de longa distância levavam à cabeça, em romaria, a terra de pedregulhos com que foram pilados os muros.[37] Não é difícil distinguir, em tais casos, uma sobrevivência de costumes reinóis, cuja implantação no Bra-

---

espanhol, que andou em 1782 no Rio de Janeiro, admirou-se dos progressos atingidos pelos nossos lapidários, prateiros e carpinteiros, observando que suas obras já tinham muita procura no Rio da Prata e poderiam constituir, com o tempo, apreciável fonte de riquezas. Spix e Martius, alguns decênios mais tarde, observam que, aos trabalhos desses artífices, não faltam gosto e durabilidade.—"Diário de Juan Francisco de Aguirre", *Anales de la Biblioteca*, IV (Buenos Aires, 1905), pág. 101; Dr. J. B. von Spix e C. F. Ph. von Martius, *Reise in Brasilien*, I (Munique, 1823), pág. 133.

35 Spix e Martius, *op. cit.*, I, 132.

36 Ernesto Guilherme Young, "Esboço histórico da fundação da cidade de Iguape", *Revista do Instituto Histórico e Geográfico de São Paulo*, II (São Paulo, 1898), pág. 89.

37 "Documentos Inéditos", *A Esperança*, Itu, 27. III. 1867.

sil data pelo menos dos tempos de Tomé de Sousa e da edificação da cidade do Salvador.

Outros costumes, como o do muxirão ou mutirão, em que os roceiros se socorrem uns aos outros nas derrubadas de mato, nos plantios, nas colheitas, na construção de casas, na fiação do algodão, teriam sido tomados de preferência ao gentio da terra e fundam-se, ao que parece, na expectativa de auxílio recíproco, tanto quanto na excitação proporcionada pelas ceias, as danças, os descantes e os desafios que acompanham obrigatoriamente tais serviços. Se os homens se ajudam uns aos outros, notou um observador setecentista, fazem-no "mais animados do espírito da *caninha* do que do amor ao trabalho".[38] É evidente que explicações semelhantes são exatas apenas na medida em que patenteiam o que há de excêntrico e mais ostentoso na verdade: realismo do traço grosso e da caricatura.

Por outro lado, seria ilusório pretender relacionar a presença dessas formas de atividade coletiva a alguma tendência para a cooperação disciplinada e constante. De fato o alvo material do trabalho em comum importa muito menos, nestes casos, do que os sentimentos e inclinações que levam um indivíduo ou um grupo de indivíduos a socorrer o vizinho ou amigo precisado de assistência.

Para determinar o significado exato desse trabalho em comum seria preciso recorrer à distinção que recentes estudos antropológicos, depois de examinados e confrontados os padrões de comportamento de vários povos naturais, permitiram estabelecer entre a genuína "cooperação", e a "prestância" (*helpfullness*).[39] Distinção que se aparenta, de certo modo, à que investigações anteriores já tinham fixado entre "competição" e "rivalidade".

Tanto a competição como a cooperação são comportamentos orientados, embora de modo diverso, para um objetivo material comum: é, em primeiro lugar, sua relação com esse objetivo o que mantém os indivíduos respectivamente separados ou unidos entre si. Na rivalidade, ao contrário, como na prestância, o objetivo material comum tem significação praticamente secundária; o que antes de tudo importa é o dano ou o benefício que uma das partes possa fazer à outra.

Em sociedade de origens tão nitidamente personalistas como a nossa, é compreensível que os simples vínculos de pessoa a pessoa, independentes e até exclusivos de qualquer tendência para a cooperação autêntica entre os indivíduos, tenham sido quase

---

[38] *Documentos Interessantes*, XLIV (São Paulo, 1915), pág. 196.

[39] Margaret Mead, *Cooperation and Competition among Primitive People* (Nova York, 1937), pág. 16.

sempre os mais decisivos. As agregações e relações pessoais, embora por vêzes precárias e, de outro lado, as lutas entre facções, entre famílias, entre regionalismos, faziam dela um todo incoerente e amorfo. O peculiar da vida brasileira parece ter sido, por essa época, uma acentuação singularmente enérgica do afetivo, do irracional, do passional, e uma estagnação ou antes uma atrofia correspondente das qualidades ordenadoras, disciplinadoras, racionalizadoras. Quer dizer, exatamente o contrário do que parece convir a uma população em vias de organizar-se politicamente.

À influência dos negros, não apenas como negros, mas ainda, e sobretudo, como escravos, essa população não tinha como oferecer obstáculos sérios. Uma suavidade dengosa e açucarada invade, desde cedo, todas as esferas da vida colonial. Nos próprios domínios da arte e da literatura ela encontra meios de exprimir-se, principalmente a partir do Setecentos e do Rococó. O gosto do exótico, da sensualidade brejeira, do chichisbeísmo, dos caprichos sentimentais, parecem fornecer-lhe um providencial terreno de eleição, e permitem que, atravessando o oceano, vá exibir-se em Lisboa, com os lundus e modinhas do mulato Caldas Barbosa:

Nós lá no Brasil
A nossa ternura
A açúcar nos sabe,
Tem muita doçura.
Oh! se tem! tem.
Tem um mel mui saboroso
É bem bom, é bem gostoso.
........................
Ah nhanhã, venha escutar
Amor puro e verdadeiro,
Com preguiçosa doçura,
Que é Amor de Brasileiro.[40]

Sinuosa até na violência, negadora de virtudes sociais, contemporizadora e narcotizante de qualquer energia realmente produtiva, a "moral das senzalas" veio a imperar na administração, na economia e nas crenças religiosas dos homens do tempo. A própria criação do mundo teria sido entendida por eles como uma espécie de abandono, um languescimento de Deus.

O sucesso de um tipo de colonização como o dos holandeses poderia fundar-se, ao contrário, na organização de um sistema

---

40 *Viola de Lereno:* Coleção das suas cantigas, oferecidas aos seus amigos, II (Lisboa, 1826), n.º 2, pág. 5 e seg.

eficiente de defesa para a sociedade dos conquistadores contra princípios tão dissolventes. Mas seria praticável entre nós semelhante sistema? O que faltava em plasticidade aos holandeses, sobrava-lhes, sem dúvida, em espírito de empreendimento metódico e coordenado, em capacidade de trabalho e em coesão social. Apenas o tipo de colonos que eles nos puderam enviar, durante todo o tempo de seu domínio nas terras do nordeste brasileiro, era o menos adequado a um país em formação. Recrutados entre aventureiros de toda espécie, de todos os países da Europa, "homens cansados de perseguições", eles vinham apenas em busca de fortunas impossíveis, sem imaginar criar fortes raízes na terra.

O malogro de várias experiências coloniais dos Países Baixos no continente americano, durante o século XVII, foi atribuído em parte, e talvez com justos motivos, à ausência, na mãe-pátria, de descontentamentos que impelissem à migração em larga escala. Esse malogro representou, em realidade, conforme nota o historiador H. J. Priestley, o testemunho do bom êxito da República holandesa como comunidade nacional.[41] E, com efeito, as condições econômico-políticas das Províncias Unidas tinham alcançado tamanho grau de prosperidade, após as lutas de independência, que nos escritórios da Companhia das Índias Ocidentais só se anunciavam, à procura de passagens, soldados licenciados, que tinham ficado sem lar em virtude da guerra dos 30 anos, os *germanorum profugi* de Barlaeus, pequenos artesãos, aprendizes, comerciantes (em parte judeus de ascendência portuguesa), taberneiros, mestres-escolas, mulheres do mundo e "outros tipos perdidos", informa-nos um pesquisador da história do Brasil Holandês. O exército da Companhia, que lutava em Pernambuco, constava principalmente de alemães, franceses, ingleses, irlandeses e neerlandeses.[42]

Entre seus generais mais famosos, um era o fidalgo polonês Cristóvão Arciszewski, que fora obrigado a deixar sua pátria,

41 Herbert J. Priestley, *The Coming of the White Man* (Nova York, 1930), pág. 297. É interessante confrontar esse ponto de vista com as sugestões que um ensaísta português, o Sr. Antônio Sérgio, no prefácio que escreveu para o livro do Sr. Gilberto Freyre, *O Mundo que o Português criou* (Rio de Janeiro, 1940), apresenta para a vocação colonizadora de seus compatriotas. Acredita o Sr. Antônio Sérgio que o mau condicionamento de Portugal para qualquer indústria básica obrigou-o desde cedo a procurar no mar e também no além-mar, o equilíbrio econômico que sua terra lhe regateava. Foi talvez no Brasil que os portugueses vieram encontrar, pela primeira vez, ambiente francamente propício a um desses gêneros de cultura agrária cujo valor é primordial para a sustentação da vida humana. Gêneros como tem sido o trigo, por exemplo, em todas as épocas e como foi particularmente o açúcar em nosso século XVII.
42 Hermann Wätjen. *Das holländische Kolonialreich in Brasilien* (Gotha, 1921), pág. 240.

onde, segundo consta, era perseguido devido às suas idéias socinianas e antijesuíticas, outro o alemão Sigismundo von Schkopp, sobre cujos antecedentes nada se sabe de certo até hoje.

População cosmopolita, instável, de caráter predominantemente urbano, essa gente ia apinhar-se no Recife ou na nascente Mauritsstad, que começava a crescer na ilha de Antônio Vaz. Estimulando, assim, de modo prematuro, a divisão clássica entre o engenho e a cidade, entre o senhor rural e o mascate, divisão que encheria, mais tarde, quase toda a história pernambucana.

Esse progresso urbano era ocorrência nova na vida brasileira, e ocorrência que ajuda a melhor distinguir, um do outro, os processos colonizadores de "flamengos" e portugueses. Ao passo que em todo o resto do Brasil as cidades continuavam simples e pobres dependências dos domínios rurais, a metrópole pernambucana "vivia por si". Ostentavam-se nela palácios monumentais como o de Schoonzicht e o de Vrijburg. Seus parques opulentos abrigavam os exemplares mais vários da flora e da fauna indígenas. Neles é que os sábios Piso e Marcgrave iam encontrar à mão o material de que precisavam para a sua *Historia Naturalis Brasiliae* e onde Franz Post se exercia em transpor para a tela as cores magníficas da natureza tropical. Institutos científicos e culturais, obras de assistência de toda ordem e importantes organismos políticos e administrativos (basta dizer-se que em 1640 se reunia em Recife o primeiro *Parlamento* de que há notícia no hemisfério ocidental), davam à sede do governo da Nova Holanda um esplendor que a destacava singularmente no meio da miséria americana. Para completar o quadro, não faltavam sequer os aspectos escuros, tradicionais na vida urbana de todos os tempos: já em 1641, a zona do porto de Recife constituía, para alguns zelosos calvinistas, verdadeiro "antro de perdição".[43]

Não há dúvida, porém, que o zelo animador dos holandeses na sua notável empresa colonial, só muito dificilmente transpunha os muros das cidades e não podia implantar-se na vida rural de nosso nordeste, sem desnaturá-la e perverter-se. Assim, a Nova Holanda exibia dois mundos distintos, duas zonas artificiosamen-

---

[43] Ao menos nesse ponto, os colonos da Nova Holanda não parecem ter sido de têmpera muito diversa da dos povoadores do Brasil Português. Sabemos pelos velhos cronistas, pelas cartas jesuíticas e por outros documentos, inclusive e especialmente os da Primeira Visitação do Santo Ofício, em parte já publicados, até onde chegava a licença de costumes na população brasileira durante os séculos iniciais da colonização. O quadro que nos ofereceu Paulo Prado em seu *Retrato do Brasil* é bem eloqüente a respeito. Corria na Europa, durante o século XVII, a crença de que aquém da linha do Equador não existe nenhum pecado: *Ultra aequinoxialem non peccari*. Barlaeus, que menciona o ditado, comenta-o, dizendo: "Como se a linha que divide o mundo em dois hemisférios também separasse a virtude do vício".

te agregadas. O esforço dos conquistadores batavos limitou-se a erigir uma grandeza de fachada, que só aos incautos podia mascarar a verdadeira, a dura realidade econômica em que se debatiam.

Seu empenho de fazer do Brasil uma extensão tropical da pátria européia sucumbiu desastrosamente ante a inaptidão que mostraram para fundar a prosperidade da terra nas bases que lhe seriam naturais, como, bem ou mal, já o tinham feito os portugueses. Segundo todas as aparências, o bom êxito destes resultou justamente de não terem sabido ou podido manter a própria distinção com o mundo que vinham povoar. Sua fraqueza foi sua força.

Não pouparam esforços, os holandeses, para competir com seus predecessores na vida da lavoura. Apenas os elementos de que dispunham não se adaptavam a essa vida. Só um ou outro arriscava-se a abandonar a cidade pelas plantações de cana. E, em 1636, os membros do Conselho Político, alarmados ante a perspectiva de ruína, por estarem em mãos de portugueses e sobretudo luso-brasileiros as grandes fontes de riqueza da Nova Holanda, pensaram resolver o problema, tentando importar numerosas famílias de lavradores da mãe-pátria. Seria esse o modo de se prevenirem contra os germes de futuras complicações. "Só quando tivermos numerosos filhos dos Países Baixos residindo entre os portugueses nos terrenos da lavoura é que estará assegurado nosso domínio sobre o elemento mais irrequieto da população", diziam o *Statthalter* e o Conselho ao Diretório da Companhia das Índias Ocidentais, em janeiro de 1638. Para isso reclamava-se com urgência, de Amsterdã, a remessa de mil a três mil camponeses. Mas esperou-se em vão. Os camponeses deixaram-se ficar, aferrados aos seus lares. Não os seduzia uma aventura que tinham boas razões para supor arriscada e duvidosa.[44]

O insucesso da experiência holandesa no Brasil é, em verdade, mais uma justificativa para a opinião, hoje corrente entre alguns antropologistas, de que os europeus do Norte são incompatíveis com as regiões tropicais. O indivíduo isolado—observa uma autoridade no assunto—pode adaptar-se a tais regiões, mas a raça, essa decididamente não; à própria Europa do sul ela já não se adapta. Ao contrário do que sucedeu com os holandeses, o português entrou em contato íntimo e freqüente com a população de cor. Mais do que nenhum outro povo da Europa, cedia com docilidade ao prestígio comunicativo dos costumes, da linguagem e das seitas dos indígenas e negros. Americanizava-se ou africa-

---

[44] Hermann Wätjen, *op. cit.*, pág. 240.

nizava-se, conforme fosse preciso. *Tornava-se negro,* segundo expressão consagrada da costa da África.[45]

A própria língua portuguesa parece ter encontrado, em confronto com a holandesa, disposição particularmente simpática em muitos desses homens rudes. Aquela observação, formulada séculos depois por um Martius, de que, para nossos índios, os idiomas nórdicos apresentam dificuldades fonéticas praticamente insuperáveis, ao passo que o português, como o castelhano, lhes é muito mais acessível,[46] puderam fazê-la bem cedo os invasores. Os missionários protestantes, vindos em sua companhia, logo perceberam que o uso da língua neerlandesa na instrução religiosa prometia escasso êxito, não só entre os africanos como entre o gentio da terra. Os pretos velhos, esses positivamente não o aprendiam nunca. O português, ao contrário, era perfeitamente familiar a muitos deles. A experiência demonstrou, ao cabo, que seu emprego em sermões e prédicas dava resultados mais compensadores.[47] E assim serviram-se, às vezes, do idioma dos vencidos no trato com os pretos e os naturais da terra, quase como os jesuítas se serviam da língua-geral para catequizar índios, mesmo tapuias.

Importante, além disso, é que, ao oposto do catolicismo, a religião reformada, trazida pelos invasores, não oferecia nenhuma espécie de excitação aos sentidos ou à imaginação dessa gente, e assim não proporcionava nenhum terreno de transição por onde sua religiosidade pudesse acomodar-se aos ideais cristãos.

Desses calvinistas holandeses é impossível dizer-se, como se disse, por exemplo, dos puritanos da América do Norte, que, animados pela inspiração bíblica, se sentiam identificados com o povo de Israel a ponto de assimilarem os indivíduos de outra casta, de outro credo e de outra cor, estabelecidos na Nova Holanda, aos cananeus do Antigo Testamento que o Senhor entregara à raça eleita para serem destruídos e subjugados.[48] É bem notório, ao contrário, que não faltaram entre eles esforços constantes para chamar a si os pretos e indígenas do país, e que esses esforços foram, em grande parte, bem sucedidos. O que parece

---

45 Eugen Fischer, *Rasse und Rassenentstehung beim Menschen* (Berlim, 1927), pág. 32. Cf. também A. Grenfell Price, *White Settlers in the Tropics* (Nova York, 1939), pág. 177.

46 Spix e Martius, *op. cit.*, pág. 387.

47 Hermann Wätjen, *op. cit.*, pág. 224.

48 A tese das origens especificamente protestantes dos modernos preconceitos raciais e, em última análise, das teorias racistas é atualmente defendida com ênfase pelo historiador inglês Arnold J. Toynbee. Embora sem aceitar totalmente os pontos de vista e as conclusões do autor, pode-se admitir que a circunstância de esse preconceito racial ser hoje mais acentuado entre povos protestantes não é de modo algum fortuita ou independa de alguns dos fatores que encaminharam os mesmos povos, em determinado período de sua história, a abraçar a Reforma.—Arnold Toynbee, *A Study of History*, I (Londres, 1935), págs. 211-27.

ter faltado em tais contatos foi a simpatia transigente e comunicativa que a Igreja Católica, sem dúvida mais universalista ou menos exclusivista do que o protestantismo, sabe infundir nos homens, ainda quando as relações existentes entre eles nada tenham, na aparência, de impecáveis.

Por isso mesmo não parecem ter conseguido, para sua fé, tantos prosélitos, ou tão dedicados, como os conseguiam, sem excessivo trabalho, os portugueses, para a religião católica. Disso foram testemunhas alguns colonizadores das Antilhas, aos quais os holandeses estabelecidos no Brasil iam vender índios aprisionados e escravizados. "É fácil—diz um depoimento da época— distinguirem-se os que foram convertidos à fé pelos portugueses daqueles que permaneceram no Recife com os holandeses, pela piedade e devoção que mostram nas igrejas, pela sua assiduidade ao serviço divino e pelo seu exterior, muito mais recatado e modesto".[49]

A essas inestimáveis vantagens acrescente-se ainda, em favor dos portugueses, a já aludida ausência, neles, de qualquer orgulho de raça. Em resultado de tudo isso, a mestiçagem que representou, certamente, notável elemento de fixação ao meio tropical, não constituiu, na América Portuguesa, fenômeno esporádico, mas, ao contrário, processo normal. Foi, em parte, graças a esse processo que eles puderam, sem esforço sobre-humano, construir uma pátria nova longe da sua.

### NOTA AO CAPÍTULO II

*PÁG. 21—PERSISTÊNCIA DA LAVOURA DE TIPO PREDATÓRIO.*

É SIGNIFICATIVO o testemunho de um observador norte-americano, R. Cleary que, durante os últimos vinte e poucos anos da monarquia brasileira, exerceu sua profissão de médico em Lajes, Santa Catarina, tendo imigrado em conseqüência da Guerra de Secessão nos Estados Unidos. Em obra ainda inédita, cujos manuscritos se encontram na Library of Congress, em Washington, oferece Cleary o seguinte depoimento acerca dos colonos alemães em São Leopoldo que, afirma, nada trouxeram de novo ao país adotivo e se limitaram a plantar o que os brasileiros já plantavam e do mesmo modo, primitivo e grosseiro:

"Conheci um irlandês em Porto Alegre (....) que tentou introduzir o uso geral do arado entre os alemães. Não obteve o menor resultado, pois os colonos preferiam recorrer a enxadas ou pás e, na grande maioria dos casos, a simples cavadeiras de pau, com o que abriam covas para as sementes. Este último pormenor requer

---

[49] Jean B. Du Tertre, *op. cit.*, II, pág. 489.

36   s. b. de h.

*explicação: nossos próprios trabalhadores rurais ficarão sem dúvida estarrecidos se eu lhes disser que a lavoura aqui é feita, em geral, com o auxílio de enxadas, mais raramente de pás—e isso mesmo onde o lavrador é suficientemente esclarecido para resistir ao hábito corrente, que consiste em fazer abrir as covas com auxílio de um simples pedaço de pau, a fim de nelas se colocarem as sementes. É verdade, como acima se disse, que alguns, muito poucos, se socorrem de pás; estas, porém, não passam de pobres sucedâneos para o grande símbolo da civilização, a última palavra de Tubalcain (o salvador do mundo) que é o arado".*[50]

De então para cá, a aquisição de técnicas superiores, equivalente a uma subversão dos processos herdados dos antigos naturais da terra, não caminhou na progressão que seria para desejar. Pode-se dizer que o desenvolvimento técnico visou, em geral, muito menos a aumentar a produtividade do solo do que a economizar esforços.

Por outro lado, é inegável, entretanto, que, vencida a etapa inicial e pioneira, onde aqueles processos primitivos se apresentam quase como uma fatalidade, os descendentes dos colonos alemães ou italianos se mostraram, em regra, mais bem dispostos do que os luso--brasileiros a acolher as formas de agricultura intensiva fundadas sobre métodos aperfeiçoados.

Essas observações colocam-nos em face de um problema que toca de perto a matéria aqui tratada. Por que motivo, no Brasil, como aliás em toda a América Latina, os colonizadores europeus retrocederam, geralmente, da lavoura de arado para a de enxada, quando não se conformaram simplesmente aos primitivos processos dos indígenas?

No curso do presente trabalho procurou-se indicar como à escassa disposição dos imigrantes ibéricos para as lides agrícolas se deve, em grande parte, semelhante situação. Mas o fato de os colonos europeus de outras procedências não se mostrarem, apesar de tudo, muito mais progressistas nesse particular, do que os portugueses e espanhóis, indica que, ao lado do motivo mencionado, deveriam militar no sentido de atual regressão, outros e ponderáveis fatores. O assunto constituiu objeto de um cuidadoso inquérito do Dr. Herbert Wilhelmy que, publicado na Alemanha durante os anos da guerra, não chegou a encontrar a repercussão merecida.[51]

Mostra-se nesse trabalho como o recurso às queimadas deve parecer aos colonos estabelecidos em mata virgem, de uma tão patente necessidade que não lhes ocorre, sequer, a lembrança de outros métodos de desbravamento. Parece-lhes que a produtividade do

---

50 *Crônicas Lajianas, or a Record of Facts and Observations on Manners and Customs in South Brazil, extracted from notes taken on the spot, during a period of more than twenty years, by* R. Cleary A. M. ... M. D., Lajes, 1886 MS. da Library of Congress. Washington, D. C., fl. 5 e seg.; Dr. Hans Porzelt, *op. cit.*, pág. 23 n.

51 Herbert Wilhelmy, "Probleme der Urwaldkolonisation in Südamerika", *Zeitschrift der Gesellschaft für Erdkunde zu Berlin* números 7 e 8 (Berlim, X. 1940), págs. 303-314. Prof. Dr. Karl Sapper, *Die Ernährungswirtschaft der Erde und ihre Zukunftsaussichten für die Menschheit* (Stuttgart, 1939), pág. 85.

solo desbravado e destocado sem auxílio do fogo não é tão grande que compense o trabalho gasto em seu arroteio, tanto mais quanto são quase sempre mínimas as perspectivas de mercado próximo para a madeira cortada.

Opinião ilusória, pensa Wilhelmy, pois as razões econômicas em que se apóia este ou aquele método de trabalho não dependem apenas dos gastos que se façam necessários para seu emprego. Muito mais decisivo seria o confronto entre o rendimento de um hectare preparado por outros processos. E semelhante confronto revela, por exemplo, que "a colheita do milho plantado em terra onde não houve queimada é duas vezes maior do que em roçados feitos com auxílio do fogo".

Além de prejudicar a fertilidade do solo, as queimadas, destruindo facilmente grandes áreas de vegetação natural, trariam outras desvantagens, como a de retirar aos pássaros a possibilidade de construírem seus ninhos. "E o desaparecimento dos pássaros acarreta o desaparecimento de um importante fator de extermínio de pragas de toda espécie. O fato é que nas diversas regiões onde houve grande destruição de florestas, a broca invade as plantações de mate e penetra até à medula nos troncos e galhos, condenando os arbustos a morte certa. As próprias lagartas multiplicam-se consideravelmente com a diminuição das matas".

Seja como for, os colonos alemães, que há sessenta anos empregaram recursos menos devastadores do que as queimadas, tiveram de acomodar-se, finalmente, ao tradicional sistema brasileiro, pois —diz um depoimento da época—revolvendo-se o solo para arrancar as raízes, sobem à superfície corpúsculos minerais que entravam o crescimento das plantas.

Uma vez efetuado o desbravamento inicial, nada impediria o emprego do arado, que os colonos deviam conhecer de seus países de origem. Tal não se deu, entretanto, salvo em casos excepcionais. E o único desses casos excepcionais que pôde registrar Wilhelmy é o dos menonitas canadenses e russos de ascendência alemã, que entre 1927 e 1930 se estabeleceram nas campinas do Chaco paraguaio. Estes não só vieram com firme deliberação de praticar a lavoura de arado sobre grandes extensões, como ainda, e por motivos de fundo religioso, se mostraram adversos ao sistema das queimadas. A ponto de se terem recusado a admitir a possibilidade, quando esta surgiu mais tarde, de uma transferência para as áreas florestais brasileiras do Estado de Santa Catarina.

Duas causas explicam suficientemente, para Wilhelmy, a persistência dos métodos mais primitivos de lavoura nas colônias alemãs do Sul do Brasil. A primeira está em que essas colônias se acham distribuídas, em sua maioria, ao longo da região serrana e ocupam encostas de morro, em direção aos vales. A própria conformação do terreno proíbe, nesses casos, o emprego do arado. Por outro lado, parte dos colonos instalados em planícies acabou lavrando suas terras à maneira européia. Mas nem todos. Muitos permaneceram e ainda permanecem fiéis à enxada e somente à enxada. A razão está —é esta a segunda causa invocada para explicar a persistência dos processos primitivos—em que a experiência de vários lavradores mostrou como o emprego do arado é muitas vezes contraproducente em certas terras tropicais e subtropicais. Muitos colonos, dos mais progressistas, tiveram de pagar caro por semelhante experiência, como sucedeu, por exemplo, aos de Nueva Germania, núcleo fundado em 1887, no Norte do Paraguai. Destes, os que não se arruinaram, precisaram voltar à lavoura de enxada e não tencionam mais abandoná-la, pois estão plenamente convictos de que um solo florestal *pode ser destruído não só pelo fogo, mas também pelo arado.*

Tais malogros [52] não deveriam interpretar-se, todavia, como um convite à inércia e à persistência de hábitos rotineiros, mas ao exame prévio das peculiaridades de cada solo, antes de se introduzirem aperfeiçoamentos na técnica agrária. As mencionadas experiências parecem indicar apenas que o trabalho do arado se torna prejudicial quando a relha revolve tão profundamente o solo que chega a sepultar a tênue camada de húmus sob terras pobres, isentas de microganismos e, em geral, das substâncias orgânicas necessárias ao desenvolvimento das plantas cultivadas.

Estudos efetuados em outros continentes tendem a corroborar as observações feitas por Sapper e Wilhelmy na América tropical. Assim, quando uma grande fábrica de tecidos de Leipzig tratou de promover em Sadani, na África Central, plantações de algodão segundo métodos modernos, utilizando para isso arados que lavravam a terra numa profundidade de 30 a 35 cm, a conseqüência foi um imediato e desastroso decréscimo na produtividade.

Reconhecida a causa do insucesso, passou-se a praticar uma aradura de superfície, com os melhores resultados. Como explicar, no entanto, que os jesuítas, nas suas missões do Paraguai, tenham introduzido, desde o começo, e com bom êxito, a lavoura de arado? A razão deveria estar em que os arados trazidos pelos espanhóis para suas possessões americanas lavravam em geral, à pouca profundidade. Sapper informa-nos que, nesse ponto, não se distinguiam muito da *taclla* ou arado de pé dos antigos Quíchuas: a criação mais avançada da técnica agrária da América pré-colombiana.[53] Sua vantagem estava em que, num mesmo prazo, lavravam áreas duas e três vezes maiores.

Por uma descrição datada de meados do século XVIII sabemos que os toscos arados de madeira usados nas missões jesuíticas penetravam no solo apenas um quarto de vara e, sem embargo, tudo quanto ali semeavam crescia bem. Cresceria melhor e daria frutos mais copiosos, sustentava o Padre Florian Paucke, julgando certamente segundo padrões europeus, se, à maneira dos arados de ferro,

---

52 Às observações de Wilhelmy cabe acrescentar a de um ilustre americanista, o Dr. Karl Sapper, para quem o emprego intensivo do arado, em terras quentes e úmidas, pode contribuir para a disseminação da malária. Em vários casos "que testemunhei—declara—esse fato fez com que o arado fosse novamente posto de parte, com bons resultados para a saúde dos trabalhadores e de sua gente".—Herbert Wilhelmy, *op. cit.*, pág. 313.

53 O mesmo autor afirma ter avistado em 1927, nas imediações de Cusco, uma *taclla* em uso, que se aprofundava no solo cerca de 20 a 25 cm.—Karl Sapper, *op. cit.*, pág. 84; K. Sapper *Geographie und Geschichte der Indianischen Landwirtschaft* (Hamburgo, 1936), págs. 47-8.

cortassem mais fundo e revolvessem a terra "como ocorre em nossos países alemães".[54]

À América portuguesa mal chegaram esses e outros progressos técnicos de que desfrutaram os índios das Missões. A lavoura entre nós, continuou a fazer-se nas florestas e à custa delas. Dos lavradores de São Paulo dizia, em 1766, D. Luís Antônio de Sousa, seu capitão-general, que iam "seguindo o mato virgem, de sorte que os Fregueses de Cutia que dista desta Cidade sete léguas, são já hoje Fregueses de Sorocaba, que dista da dita Cutia vinte léguas". E tudo porque, ao modo do gentio só sabiam "correr trás do mato virgem, mudando e estabelecendo seu domicílio por onde o há".[55]

[54] Florian Paucke, S. J., *Hacia Allá y para Acá (Una estada entre los indios Mocobies, 1749-1767)*, III, 2.ª Parte (Tucumã-Buenos Aires, 1944), pág. 173.

[55] *Documentos Interessantes para a História e Costumes de S. Paulo*, XXIII (São Paulo, 1896), pág. 4 e segs.

# III

## HERANÇA RURAL

*A ABOLIÇÃO: MARCO DIVISÓRIO ENTRE DUAS ÉPOCAS.—INCOMPATIBILIDADE DO TRABALHO ESCRAVO COM A CIVILIZAÇÃO BURGUESA E O CAPITALISMO MODERNO.—DA LEI EUSÉBIO À CRISE DE 64. O CASO DE MAUÁ.—PATRIARCALISMO E ESPÍRITO DE FACÇÃO.—CAUSAS DA POSIÇÃO SUPREMA CONFERIDA ÀS VIRTUDES DA IMAGINAÇÃO E DA INTELIGÊNCIA.—CAIRU E SUAS IDÉIAS. —DECORO ARISTOCRÁTICO.—DITADURA DOS DOMÍNIOS AGRÁRIOS.—CONTRASTE ENTRE A PUJANÇA DAS TERRAS DE LAVOURA E A MESQUINHEZ DAS CIDADES NA ERA COLONIAL.*

Toda a estrutura de nossa sociedade colonial teve sua base fora dos meios urbanos. É preciso considerar esse fato para se compreenderem exatamente as condições que, por via direta ou indireta, nos governaram até muito depois de proclamada nossa independência política e cujos reflexos não se apagaram ainda hoje.

Se conforme opinião sustentada em capítulo anterior, não foi a rigor uma civilização agrícola o que os portugueses instauraram no Brasil, foi, sem dúvida, uma civilização de raízes rurais. É efetivamente nas propriedades rústicas que toda a vida da colônia se concentra durante os séculos iniciais da ocupação européia: as cidades são virtualmente, se não de fato, simples dependências delas. Com pouco exagero pode dizer-se que tal situação não se modificou essencialmente até à Abolição. 1888 representa o marco divisório entre duas épocas; em nossa evolução nacional, essa data assume significado singular e incomparável.

Na Monarquia eram ainda os fazendeiros escravocratas e eram filhos de fazendeiros, educados nas profissões liberais, quem monopolizava a política, elegendo-se ou fazendo eleger seus candidatos, dominando os parlamentos, os ministérios, em geral todas as posições de mando, e fundando a estabilidade das instituições nesse incontestado domínio.

Tão incontestado, em realidade, que muitos representantes da classe dos antigos senhores puderam, com freqüência, dar-se o luxo de inclinações antitradicionalistas e mesmo de empreender alguns dos mais importantes movimentos liberais que já se operaram em todo o curso de nossa história. A eles, de certo modo, também se deve o bom êxito de progressos materiais que tenderiam a arruinar a situação tradicional, minando aos poucos o prestígio de sua classe e o principal esteio em que descansava esse prestígio, ou seja o trabalho escravo.

Mesmo depois de inaugurado o regime republicano, nunca, talvez, fomos envolvidos, em tão breve período, por uma febre tão intensa de reformas como a que se registou precisamente nos meados do século passado e especialmente nos anos de 51 a 55. Assim é que em 1851 tinha início o movimento regular de constituição das sociedades anônimas; na mesma data funda-se o segundo Banco do Brasil que se reorganiza três anos depois em novos moldes, com unidade e monopólio das emissões: em 1852, inaugura-se a primeira linha telegráfica na cidade do Rio de Janeiro. Em 1853 funda-se o Banco Rural e Hipotecário, que, sem desfrutar dos privilégios do Banco do Brasil, pagará dividendos muito mais avultados. Em 1854 abre-se ao tráfego a primeira linha de estradas de ferro do país—os 14 quilômetros e meio entre o porto de Mauá e a estação do Fragoso. A segunda, que irá ligar à Corte a capital da província de São Paulo, começa a construir-se em 1855.

A organização e expansão do crédito bancário, literalmente inexistente desde a liquidação do primeiro Banco do Brasil, em 1829, e o conseqüente estímulo à iniciativa particular; a abreviação e o incremento dos negócios, favorecidos pela rapidez maior na circulação das notícias; o estabelecimento, enfim, de meios de transporte modernos entre os centros de produção agrária e as grandes praças comerciais do Império, são algumas das conseqüências mais decisivas de tais sucessos. Seria inútil acrescentar que a riqueza oriunda dos novos tipos de especulação provocados por esses meios tendia a ampliar-se, não só à margem, mas também e sobretudo à custa das tradicionais atividades agrícolas. Pode-se mesmo dizer que o caminho aberto por semelhantes transformações só poderia levar logicamente a uma liquidação mais ou menos rápida de nossa velha herança rural e colonial, ou seja da riqueza que se funda no emprego do braço escravo e na exploração extensiva e perdulária das terras de lavoura.

Não é por simples coincidência cronológica que um período de excepcional vitalidade nos negócios e que se desenvolve sob a direção e em proveito de especuladores geralmente sem raízes rurais, tenha ocorrido nos anos que se seguem imediatamente ao primeiro passo dado para a abolição da escravidão, ou seja a supressão do tráfico negreiro.

Primeiro passo e, sem dúvida, o mais decisivo e verdadeiramente heróico, tendo-se em conta a trama complexa de interesses mercantis poderosos, e não só de interesses como de paixões nacionais e prejuízos fundamente arraigados, que a lei Eusébio de Queirós iria golpear de face. Servindo-se de documentos parlamentares britânicos, pôde Calógeras compor um quadro verdadeiramente impressionante do que foram, então, as resistências e recalcitrâncias. Em mais de uma ocasião, a revolta suscitada pela violência dos cruzeiros ingleses de repressão, que chegavam a apresar navios brasileiros dentro dos nossos portos, pôde fortalecer de algum modo a corrente de opinião favorável ao prosseguimento do tráfico, fazendo apelo aos sentimentos patrióticos do povo. Não faltou, além disso, o constante argumento dos partidários eternos do *status quo*, dos que, temerosos do futuro incerto e insondável, só querem, a qualquer custo, o repouso permanente das instituições. Estes eram, naturalmente, do parecer que, em país novo e mal povoado como o Brasil, a importação de negros, por mais algum tempo, seria, na pior hipótese, um mal inevitável, em todo o caso diminuto, se comparado à miséria geral que a carência de mão-de-obra poderia produzir.

Por outro lado, a circunstância de serem principalmente portuguesas, não brasileiras, as grandes fortunas formadas à sombra do comércio negreiro, tendia a mobilizar contra a introdução de escravos e, por conseguinte, em favor de um governo disposto a enfrentá-la sem hesitações, toda a descendência ainda numerosa dos *caramurus* da Regência. E sabe-se que o nativismo lusófobo chegou a representar, direta e indiretamente, uma ponderável influência no movimento para a supressão do tráfico.

Os interessados no negócio tinham logrado organizar uma extensa rede de precauções que salvaguardassem o exercício franco de suas atividades. Desenvolvendo um sistema apurado de sinais e avisos costeiros para indicar qualquer perigo à aproximação dos navios negreiros, subvencionando jornais, subornando funcionários, estimulando, por todos os modos, a perseguição política ou policial aos adversários, julgaram assegurada para sempre a própria impunidade, assim como a invulnerabilidade das suas transações. "Conforme a classe do navio—acrescenta Calógeras—por 800$000 a 1:000$000, se arranjavam papéis brasileiros e portugueses exigidos pelos regulamentos, a fim de se realizarem as viagens. Voltando da costa da África, e após o desembarque da carga humana, entrava o barco com sinal de moléstia a bordo. Por 500$000, o oficial de saúde passava o atestado comprobatório, e o navio ia fazer quarentena no distrito de Santa Rita, cujo juiz de paz era sócio dos infratores. Removiam-se, então, todos os sinais denunciadores do transporte de negros, e por 600$000 se adquiria nova carta de saúde, limpa desta vez. Assim purificado de culpa, o navio ia ancorar no fundeadouro costumeiro. Acontecia, por vezes, que o negreiro parasse na proximidade da ilha

Rasa, e que o faroleiro o fosse visitar: por 200$000 se comprava seu silêncio".[56]

Não é para admirar se, com esse aparelhamento, puderam os interessados no tráfico promover, mesmo, e principalmente, depois de 1845—o ano do *Bill Aberdeen*—, um comércio cada vez mais lucrativo e que os transformaria em verdadeiros magnatas das finanças do Império. Pode-se bem estimar a importância do golpe representado pela lei Eusébio de Queirós, considerando que, naquele ano de 1845, o total de negros importados fora de 19.463; em 1846, de 50.354; em 1847, de 56.172; em 1848, de 60.000; em 1849, de 54.000 e em 1850, de 23.000. A queda súbita que se assinala neste último ano resulta, aliás, não só da aprovação da lei Eusébio de Queirós, que é de 4 de setembro, como da intensificação das atividades britânicas de repressão ao tráfico.

A eficiência das medidas adotadas reflete-se no fato de, já em 1851, terem entrado no país apenas 3.287 negros, e 700 em 1852. Depois disso, só se verificaram pequenos desembarques, entre eles o de Serinhaém, em Pernambuco, e o de São Mateus, no Espírito Santo, que resultaram na apreensão, por parte das autoridades, de mais de quinhentos africanos.

Essa extinção de um comércio que constituíra a origem de algumas das maiores e mais sólidas fortunas brasileiras do tempo, deveria forçosamente deixar em disponibilidade os capitais até então comprometidos na importação de negros. A possibilidade de interessá-los firmemente em outros ramos de negócios não escapou a alguns espíritos esclarecidos. A própria fundação do Banco do Brasil de 1851 está, segundo parece, relacionada com um plano deliberado de aproveitamento de tais recursos na organização de um grande instituto de crédito. Mauá, promotor da iniciativa, escreverá, quase trinta anos mais tarde, em sua *Exposição aos Credores:* "Acompanhei com vivo interesse a solução desse grave problema; compreendi que o contrabando não podia reerguer-se, desde que a "vontade nacional" estava ao lado do ministério que decretava a supressão do tráfico. Reunir os capitais que se viam repentinamente deslocados de ilícito comércio e fazê-los convergir a um centro onde pudessem ir alimentar as forças produtivas do país, foi o pensamento que me surgiu na mente, ao ter a certeza de que aquele fato era irrevogável".[57]

Pode-se assim dizer que, das cinzas do tráfico negreiro, iria surgir uma era de aparato sem precedentes em nossa história comercial. O termômetro dessa transformação súbita pode ser fornecido pelas cifras relativas ao comércio exterior do Império.

---

56 Pandiá Calógeras, *A Política Exterior do Império*, III *Da Regência à Queda de Rosas* (São Paulo, 1933), pág. 362.

57 Visconde de Mauá, *Autobiografia* (Rio de Janeiro, 1942), pág. 123.

Até 1850, nossas importações jamais tinham chegado a atingir a soma de sessenta mil contos por ano. Entretanto, no exercício de 1850-51, alcançam, de um salto, 76.918:000$000, e no de 1851-52, 92.860:000$000. De então por diante, até 1864, registam-se alguns declínios que, contudo, não afetam a tendência geral para o progressivo aumento de quantidade e valores.[58]

A ânsia de enriquecimento, favorecida pelas excessivas facilidades de crédito, contaminou logo todas as classes e foi uma das características notáveis desse período de "prosperidade". O fato constituía singular novidade em terra onde a idéia de propriedade ainda estava intimamente vinculada à da posse de bens mais concretos, e ao mesmo tempo, menos impessoais do que um bilhete de banco ou uma ação de companhia. Os fazendeiros endividados pelo recurso constante aos centros urbanos, onde se proviam de escravos, não encaravam sem desconfiança os novos remédios que, sob a capa de curar enfermidades momentâneas, pareciam uma permanente ameaça aos fundamentos tradicionais de seu prestígio. Em São Paulo chegou-se mesmo a falar em socialismo a propósito de certo projeto de criação de um banco rural e hipotecário. É que os socialistas, clamava um deputado à Assembléia Provincial, sendo "inimigos capitais das propriedades imóveis, se lembraram disto como meio de converterem essas propriedades em capitais..."[59]

Ao otimismo infrene daqueles que, sob o regime da ilimitada liberdade de crédito, alcançavam riquezas rápidas, correspondia a perplexidade e o descontentamento dos outros, mais duramente atingidos pelas conseqüências da cessação do tráfico. Num depoimento citado por Nabuco lê-se este expressivo desabafo do espírito conservador diante dos costumes novos, acarretados pela febre das especulações: "Antes bons negros da costa da África para felicidade sua e nossa, a despeito de toda a mórbida filantropia britânica, que, esquecida de sua própria casa, deixa morrer de fome o pobre irmão branco, escravo sem senhor que dele se compadeça, e hipócrita ou estólida chora, exposta ao ridículo da verdadeira filantropia, o fado do nosso escravo feliz. Antes bons negros da costa da África para cultivar os nossos campos férteis do que todas as tetéias da Rua do Ouvidor, do que vestidos de um conto e quinhentos mil-réis para as nossas mulheres;

---

[58] Ferreira Soares, assinalando as gigantescas proporções que tomara o movimento comercial da praça do Rio de Janeiro depois de abolido o tráfico, nota como nos exercícios de 1850-51 e de 1851-52 a soma global das importações ultrapassou a dos exercícios de 1848-49 e 1849-50 em 59.043:000$000. O mesmo, posto que em menor escala, ocorre com as exportações, que cresceram num total de 11.498:000$000.—Sebastião Ferreira Soares, *Elementos de Estatística*, I (Rio de Janeiro, 1865), págs. 171-2.
[59] *Anais da Assembléia Legislativa Provincial de São Paulo*, 1854 (São Paulo, 1927), pág. 225.

do que laranjas a quatro vinténs cada uma em um país que as produz quase espontaneamente, do que milho e arroz, e quase tudo que se necessita para o sustento da vida humana, do estrangeiro, do que finalmente empresas mal avisadas, muito além das legítimas forças do país, as quais, perturbando as relações da sociedade, produzindo uma deslocação de trabalho, têm promovido mais que tudo a escassez e alto preço de todos os víveres".[60]

A própria instabilidade das novas fortunas, que ao menor vento contrário se desfaziam, vinha dar boas razões a esses nostálgicos do Brasil rural e patriarcal. Eram dois mundos distintos que se hostilizavam com rancor crescente, duas mentalidades que se opunham como ao racional se opõe o tradicional, ao abstrato o corpóreo e o sensível, o citadino e cosmopolita ao regional ou paroquial. A presença de tais conflitos já parece denunciar a imaturidade do Brasil escravocrata para transformações que lhe alterassem profundamente a fisionomia. Com a supressão do tráfico negreiro dera-se, em verdade, o primeiro passo para a abolição de barreiras ao triunfo decisivo dos mercadores e especuladores urbanos, mas a obra começada em 1850 só se completará efetivamente em 1888. Durante esse intervalo de quarenta anos, as resistências hão de partir não só dos elementos mais abertamente retrógrados, representados pelo escravismo impenitente, mas também das forças que tendem à restauração de um equilíbrio ameaçado. Como esperar transformações profundas em país onde eram mantidos os fundamentos tradicionais da situação que se pretendia ultrapassar? Enquanto perdurassem intatos e, apesar de tudo, poderosos, os padrões econômicos e sociais herdados da era colonial e expressos principalmente na grande lavoura servida pelo braço escravo, as transformações mais ousadas teriam de ser superficiais e artificiosas.

Nesse sentido pode-se dizer que a tão execrada lei Ferraz de 22 de agosto de 1860, essa "obra-prima de arrocho em matéria de crédito", como lhe chamaram na época, constituiu como um apelo à realidade. Longe de a provocar ela apenas veio precipitar a tremenda crise comercial de 1864, a primeira registada no Brasil imperial que não deveu sua origem a comoções políticas internas ou à ação de fatores internacionais. Essa crise foi o desfecho normal de uma situação rigorosamente insustentável nascida da ambição de vestir um país ainda preso à economia escravocrata, com os trajes modernos de uma grande democracia burguesa.

De certo modo, o malogro comercial de um Mauá também é

---

60 Joaquim Nabuco, *Um Estadista do Império*, I (São Paulo, 1936), pág. 188.

indício eloqüente da radical incompatibilidade entre as formas de vida copiadas de nações socialmente mais avançadas, de um lado, e o patriarcalismo e personalismo fixados entre nós por uma tradição de origens seculares. Muitas das grandes iniciativas progressistas que se devem a Irineu Evangelista de Sousa puderam ser toleradas e até admiradas, enquanto não comprometessem esses padrões venerandos. Mas os choques nem sempre eram evitáveis e, nestes casos, a tolerância se mudava sem dificuldade em desconfiança e a desconfiança em oposição calorosa.

Nas suas objurgatórias contra Mauá, que ao apoiar, em 1872, o Ministério Rio Branco, colocara seus "interesses de mercador" acima da lealdade partidária, a atitude que encarna o liberal Silveira Martins é justamente a de um conservador e tradicionista, no sentido mais amplo que possam ter essas palavras. A opinião de que um indivíduo filiado a determinado partido político assumiu, pelo fato dessa filiação, compromissos que não pode romper sem felonia, pertence de modo bem distinto a um círculo de idéias e princípios que a ascensão da burguesia urbana tenderia a depreciar cada vez mais. Segundo tal concepção, as facções são constituídas à semelhança das famílias, precisamente das famílias de estilo patriarcal, onde os vínculos biológicos e afetivos que unem ao chefe os descendentes, colaterais e afins, além da famulagem e dos agregados de toda sorte, hão de preponderar sobre as demais considerações. Formam, assim, como um todo indivisível, cujos membros se acham associados, uns aos outros, por sentimentos e deveres, nunca por interesses ou idéias.

A incompreensão manifestada por mais de um estrangeiro em face de algumas peculiaridades de nosso maquinismo político provém, sem dúvida, da incompatibilidade fundamental que, apesar de muitas aparências em contrário, subsistia entre esses sistemas e os que regiam outros países mais fundamente marcados pela revolução industrial, em particular os países anglo-saxões. A um desses estrangeiros, pelo menos, não escaparam os motivos reais da divergência. "No Brasil—escrevia em 1885 o naturalista norte-americano Herbert Smith—vigora quase universal a idéia de que é desonroso para uma pessoa abandonar seu partido; os que o fazem são estigmatizados como traidores". E acrescentava: "Ora, esse espírito de fidelidade é bom em si, porém mau na aplicação; um homem não age bem quando deserta de um parente, de um amigo, de uma causa nobre; mas não age necessariamente mal quando se retira de um partido político: às vezes o mal está em apegar-se a ele".[61]

---

[61] Herbert Smith, *Do Rio de Janeiro a Cuiabá* (São Paulo, 1922), pág. 182.

À origem desse espírito de facção podem distinguir-se as mesmas virtudes ou pretensões aristocráticas que foram tradicional-mente o apanágio de nosso patriciado rural. Dos senhores de engenho brasileiros, e não somente deles como dos lavradores livres, obrigados ou mesmo arrendatários, dissera alguém, em fins do século XVIII, exprimindo sem dúvida convicção generalizada, que formavam um corpo "tão nobre por natureza, que em nenhum outro país se encontra outro igual a ele".[62] Eram, pela solidez de seus estabelecimentos, considerados como a mola real da riqueza e do poder na colônia, os animadores reais da produção, do comércio, da navegação e de todas as artes e ofícios.

Nos domínios rurais, a autoridade do proprietário de terras não sofria réplica. Tudo se fazia consoante sua vontade, muitas vezes caprichosa e despótica. O engenho constituía um organismo completo e que, tanto quanto possível, se bastava a si mesmo. Tinha capela onde se rezavam as missas. Tinha escola de primeiras letras, onde o padre-mestre desasnava meninos. A alimentação diária dos moradores, e aquela com que se recebiam os hóspedes, freqüentemente agasalhados, procedia das plantações, das criações, da caça, da pesca proporcionadas no próprio lugar. Também no lugar montavam-se as serrarias, de onde saíam acabados o mobiliário, os apetrechos do engenho, além da madeira para as casas: a obra dessas serrarias chamou a atenção do viajante Tollenare, pela sua "execução perfeita". Hoje mesmo, em certas regiões, particularmente no Nordeste, apontam-se, segundo o Sr. Gilberto Freyre, as "cômodas, bancos, armários, que são obra de engenho, revelando-o no não sei quê de rústico de sua consistência e no seu ar distintamente heráldico".[63]

A propósito dessa singular autarquia dos domínios rurais brasileiros, conservou-nos Frei Vicente do Salvador a curiosa anedota onde entra certo bispo de Tucumã, da Ordem de São Domingos, que por aqui passou em demanda da Corte dos Filipes. Grande canonista, homem de bom entendimento e prudência, esse prelado notou que, quando mandava comprar um frangão, quatro ovos e um peixe para comer, nada lhe traziam, porque não se achavam dessas coisas na praça, nem no açougue, e que, quando as pedia às casas particulares, logo lhas mandavam. "Então disse

---

[62] A diferença entre lavradores "livres" e "obrigados" estava em que os primeiros faziam plantações em terras próprias ou foreiras sem compromisso de mandarem moer suas canas em certo e determinado engenho, ao passo que os outros plantavam em terras dos engenhos, com a obrigação expressa de só destes se servirem.—"Discurso Preliminar, Histórico, Introdutivo, com Natureza de Descrição Econômica da Cidade de Bahia", *Anais da Biblioteca Nacional*, XXVII (Rio de Janeiro, 1906), pág. 290.

[63] Gilberto Freyre, "A Cultura da Cana no Nordeste. Aspectos de seu desenvolvimento histórico", *Livro do Nordeste, comemorativo do 1.º centenário do Diário de Pernambuco* (Recife, 1925), pág. 158.

o bispo: verdadeiramente que nesta terra andam as coisas trocadas, porque toda ela não é república, sendo-o cada casa". "E assim é"—comenta Frei Vicente, contemporâneo do episódio—"que estando as casas dos ricos (ainda que seja à custa alheia, pois muitos devem quanto têm) providas de todo o necessário, porque têm escravos, pescadores e caçadores que lhes trazem a carne e o peixe, pipas de vinho e azeite que compram por junto nas vilas, muitas vezes se não acha isto de venda".[64]

No Maranhão, em 1735, queixava-se um governador de que não vivia a gente em comum, mas em particular, sendo a casa de cada habitante ou de cada régulo uma verdadeira república, porque tinha os ofícios que a compõem, como pedreiros, carpinteiros, barbeiros, sangrador, pescador, etc.[65] Com pouca mudança, tal situação prolongou-se, aliás, até bem depois da Independência e sabemos que, durante a grande época do café na Província do Rio de Janeiro, não faltou lavrador que se vangloriasse de só ter de comprar ferro, sal, pólvora e chumbo, pois o mais davam de sobra suas próprias terras.

Nos domínios rurais é o tipo de família organizada segundo as normas clássicas do velho direito romano-canônico, mantidas na Península Ibérica através de inúmeras gerações, que prevalece como base e centro de toda a organização. Os escravos das plantações e das casas, e não somente escravos, como os agregados, dilatam o círculo familiar e, com ele, a autoridade imensa do pater-famílias. Esse núcleo bem característico, em tudo se comporta como seu modelo da antiguidade, em que a própria palavra "família", derivada de *famulus*, se acha estreitamente vinculada à idéia de escravidão, e em que mesmo os filhos são apenas os membros livres do vasto corpo, inteiramente subordinado ao patriarca, os *liberi*.

Dos vários setores de nossa sociedade colonial, foi sem dúvida a esfera da vida doméstica aquela onde o princípio de autoridade menos acessível se mostrou às forças corrosivas que de todos os lados o atacavam. Sempre imerso em si mesmo, não tolerando nenhuma pressão de fora, o grupo familiar mantém-se imune de qualquer restrição ou abalo. Em seu recatado isolamento pode desprezar qualquer princípio superior que procure perturbá-lo ou oprimi-lo.

Nesse ambiente, o pátrio poder é virtualmente ilimitado e poucos freios existem para sua tirania. Não são raros os casos como o de um Bernardo Vieira de Melo, que, suspeitando a nora de adultério, condena-a à morte em conselho de família e manda

---

64 Fr. Vicente do Salvador, *op. cit.*, pág. 16.
65 Melo Morais, *Corografia histórica, cronográfica, genealógica, nobiliária e política do Império do Brasil*, II (Rio de Janeiro, 1858), pág. 164.

executar a sentença, sem que a justiça dê um único passo no sentido de impedir o homicídio ou de castigar o culpado, a despeito de toda a publicidade que deu ao fato o próprio criminoso.

O quadro familiar torna-se, assim, tão poderoso e exigente, que sua sombra persegue os indivíduos mesmo fora do recinto doméstico. A entidade privada precede sempre, neles, a entidade pública. A nostalgia dessa organização compacta, única e intransferível, onde prevalecem necessariamente as preferências fundadas em laços afetivos, não podia deixar de marcar nossa sociedade, nossa vida pública, todas as nossas atividades. Representando, como já se notou acima, o único setor onde o princípio de autoridade é indisputado, a família colonial fornecia a idéia mais normal do poder, da respeitabilidade, da obediência e da coesão entre os homens. O resultado era predominarem, em toda a vida social, sentimentos próprios à comunidade doméstica, naturalmente particularista e antipolítica, uma invasão do público pelo privado, do Estado pela família.

Com o declínio da velha lavoura e a quase concomitante ascensão dos centros urbanos, precipitada grandemente pela vinda, em 1808, da Corte Portuguesa e depois pela Independência, os senhorios rurais principiam a perder muito de sua posição privilegiada e singular. Outras ocupações reclamam agora igual eminência, ocupações nitidamente citadinas, como a atividade política, a burocracia, as profissões liberais.

É bem compreensível que semelhantes ocupações venham a caber, em primeiro lugar, à gente principal do país, toda ela constituída de lavradores e donos de engenhos. E que, transportada de súbito para as cidades, essa gente carregue consigo a mentalidade, os preconceitos e, tanto quanto possível, o teor de vida que tinham sido atributos específicos de sua primitiva condição.

Não parece absurdo relacionar a tal circunstância um traço constante de nossa vida social: a posição suprema que nela detêm, de ordinário, certas qualidades de imaginação e "inteligência", em prejuízo das manifestações do espírito prático ou positivo. O prestígio universal do "talento", com o timbre particular que recebe essa palavra nas regiões, sobretudo, onde deixou vinco mais forte a lavoura colonial e escravocrata, como o são eminentemente as do Nordeste do Brasil, provém sem dúvida do maior decoro que parece conferir a qualquer indivíduo o simples exercício da inteligência, em contraste com as atividades que requerem algum esforço físico.

O trabalho mental, que não suja as mãos e não fatiga o corpo, pode constituir, com efeito, ocupação em todos os sentidos digna de antigos senhores de escravos e dos seus herdeiros. Não significa forçosamente, neste caso, amor ao pensamento especulativo,

—a verdade é que, embora presumindo o contrário, dedicamos, de modo geral, pouca estima às especulações intelectuais—mas amor à frase sonora, ao verbo espontâneo e abundante, à erudição ostentosa, à expressão rara. É que para bem corresponder ao papel que, mesmo sem o saber, lhe conferimos, inteligência há de ser ornamento e prenda, não instrumento de conhecimento e de ação.

Numa sociedade como a nossa, em que certas virtudes senhoriais ainda merecem largo crédito, as qualidades do espírito substituem, não raro, os títulos honoríficos, e alguns dos seus distintivos materiais, como o anel de grau e a carta de bacharel, podem equivaler a autênticos brasões de nobreza. Aliás, o exercício dessas qualidades que ocupam a inteligência sem ocupar os braços, tinha sido expressamente considerado, já em outras épocas, como pertinente aos homens nobres e livres, de onde, segundo parece, o nome de liberais dado a determinadas artes, em oposição às mecânicas que pertencem às classes servis.

Nem mesmo um Silva Lisboa que, nos primeiros decênios do século passado, foi grande agitador de novas idéias econômicas, parece ter ficado inteiramente imune dessa opinião generalizada, de que o trabalho manual é pouco dignificante, em confronto com as atividades do espírito. Nos seus *Estudos do Bem Comum*, publicados a partir de 1819, o futuro Visconde de Cairu propõe-se mostrar aos seus compatriotas, brasileiros ou portugueses, como o fim da economia não é carregar a sociedade de trabalhos mecânicos, braçais e penosos. E pergunta, apoiando-se confusamente numa passagem de Adam Smith, se para a riqueza e prosperidade das nações, contribui mais, e em que grau, a *quantidade de trabalho* ou a *quantidade de inteligência*.

A propósito dessa questão que, diga-se de passagem, não figura no trecho referido de Smith, mas resulta, sem dúvida, de uma tradução malfeita [66] e, em .verdade, mais segundo o espírito do tradutor do que do original, nosso economista toma decididamente o partido da "inteligência". As faculdades intelectuais competiria, no seu modo de ver, a imensa tarefa de aliviar as atividades corporais "pelo estudo das leis e obras do Criador", a fim de "terem os homens a màior riqueza possível com o menor trabalho possível".[67]

Ao economista baiano deveria parecer inconcebível que a tão celebrada "inteligência" dos seus compatriotas não pudesse operar prodígios no acréscimo dos bens materiais que costumam fazer

---

66 A própria palavra "inteligência" está, ao que parece, no lugar dos vocábulos *skill*, *dexterity* e *judgement*, do original inglês, nenhum dos quais, isoladamente ou em conjunto, poderia ter tal significado.

67 José da Silva Lisboa, *Estudos do Bem Comum*, I (Rio de Janeiro, 1819), pág. XII.

a riqueza e prosperidade das nações. Essa, em resumo, a idéia que, julgando corrigir ou rematar o pensamento do mestre escocês, expõe em seu livro. Não lhe ocorre um só momento que a qualidade particular dessa tão admirada "inteligência" é ser simplesmente decorativa, de que ela existe em função do próprio contraste com o trabalho físico, por conseguinte não pode supri--lo ou completá-lo finalmente, que corresponde, numa sociedade de coloração aristocrática e personalista, à necessidade que sente cada indivíduo de se distinguir dos seus semelhantes por alguma virtude aparentemente congênita e intransferível, semelhante por esse lado à nobreza de sangue.

A "inteligência", que há de constituir o alicerce do sistema sugerido por Silva Lisboa, é, assim, um princípio essencialmente antimoderno. Nada, com efeito, mais oposto ao sentido de todo o pensamento econômico oriundo da revolução industrial e orientado pelo emprego progressivo da máquina, do que essa primazia conferida a certos fatores subjetivos, irredutíveis a leis de mecânica e a termos de matemática. "A máquina—notou um arguto observador—quer a adaptação do trabalhador ao seu trabalho, não a adaptação do trabalho ao trabalhador".[68] O gosto artístico, a destreza, o cunho pessoal, que são virtudes cardeais na economia do artesanato, passam assim a plano secundário. O terreno do capricho individual, do engenho criador e inventivo, tende, na medida do possível, a restringir-se, em proveito da capacidade de atenção perseverante a todas as minúcias do esforço produtivo. A mais cabal expressão de semelhante tendência encontra--se, sem dúvida, nos atuais sistemas de organização racional do trabalho, como o taylorismo e a experiência de Ford, que levam às suas conseqüências extremas o ideal da completa despersonalização do trabalhador.

É claro que, se existe qualquer coisa de dificilmente compatível com a atividade impessoal, "ininteligente", que cada vez mais reclama o caráter da economia moderna, deve-se buscá-la justamente naquele tipo de talento sobretudo ornamental e declamatório que Cairu admirava entre os brasileiros de seu tempo. E também parece certo que o autor dos *Estudos do Bem Comum*, a despeito de seu trato com economistas britânicos, não contribuiu, salvo nas aparências e superficialmente, para a reforma das nossas idéias econômicas. Pode dizer-se que, em 1819, já era um homem do passado,[69] comprometido na tarefa de, a qualquer

---

[68] Thorstein Veblen, *The Theory of Business Enterprise* (Nova York, 1917), pág. 310. Cf. também G. Tarde, *Psychologie Economique*, I (Paris, 1902), pág. 124.

[69] Um ponto de vista oposto ao que se exprime aqui é o defendido pelo Sr. Alceu Amoroso Lima em conferência sobre Cairu, publicada a 1.º de novembro de 1944 no *Jornal do Comércio* do Rio de Janeiro. Referindo-se

custo, frustrar a liquidação das concepções e formas de vida relacionadas de algum modo ao nosso passado rural e colonial.

É semelhante empenho que se espelha, com perfeita nitidez, em suas opiniões filosóficas, em suas genuflexões constantes diante do Poder e, sobretudo, em sua noção bem característica da sociedade civil e política, considerada uma espécie de prolongamento ou ampliação da comunidade doméstica, noção essa que se exprime, com a insistência de um *leitmotiv*, ao longo de toda a sua obra. "O primeiro princípio da economia política"—exclama—"é que o soberano de cada nação deve considerar-se como chefe ou cabeça de uma vasta família, e conseqüentemente amparar a todos que nela estão, como seus filhos e cooperadores da geral felicidade..." "Quanto mais o governo civil se aproxima a este caráter paternal —diz ainda—e forceja por realizar essa ficção generosa e filantrópica, tanto ele é mais justo e poderoso, sendo então a obediência a mais voluntária e cordial, e a satisfação dos povos a mais sincera e indefinida".[70]

A família patriarcal fornece, assim, o grande modelo por onde se hão de calcar, na vida política, as relações entre governantes e governados, entre monarcas e súditos. Uma lei moral inflexível, superior a todos os cálculos e vontades dos homens, pode regular a boa harmonia do corpo social, e portanto deve ser rigorosamente respeitada e cumprida.

Esse rígido paternalismo é tudo quanto se poderia esperar de mais oposto, não já às idéias da França revolucionária, esses *ópios políticos*, como lhes chamou acrimoniosamente o mesmo Silva Lisboa,[71] mas aos próprios princípios que guiaram os homens de Estado norte-americanos na fundação e constituição de sua grande República. Pois não foi um desses homens, James

---

aos *Estudos do Bem Comum*, assim se manifesta o ilustre pensador: "Na impossibilidade de analisar devidamente essa grande obra, seja-me permitido apenas, para provar a atualidade das idéias econômicas de Cairu e, de outro lado, a sua autonomia em face de seu mestre Adam Smith, relembrar um traço essencial de sua teoria da produção econômica. Haviam os fisiocratas colocado a *terra* como elemento capital da produção. Veio Adam Smith e acentuou o elemento *trabalho*. E com o manchesterianismo, o *capital* é que passou a ser considerado o elemento básico da produção. Pois bem, o nosso grande Cairu, no seu tratado de 1819, mencionando embora a ação de cada um desses elementos, dá sobre eles a preeminência a outro fator, que só modernamente, depois da luta entre o socialismo e o liberalismo de todo o século XIX, é que viria a ser destacado—a *Inteligência*". E acrescenta, linhas adiante: "Cairu é o precursor de Ford, de Taylor, de Stakhanoff, a um século de distância".

70 *Princípios de Economia Política* para servir de Introdução à Tentativa Econômica do Autor dos Princípios de Direito Mercantil (Lisboa, 1804), págs. 39 e 42.

71 José da Silva Lisboa, *Observações sobre a Prosperidade do Estado pelos Liberais Princípios da Nova Legislação do Brasil* (Bahia, 1811), pág. 68.

Madison, quem sustentou a impotência dos motivos morais e religiosos na repressão das causas de dissídio entre os cidadãos, e apresentou como finalidade precípua dos governos—finalidade de onde resultaria certamente sua natureza essencial—a fiscalização e o ajuste de interesses econômicos divergentes?[72]

No Brasil, o decoro que corresponde ao Poder e às instituições de governo não parecia conciliável com a excessiva importância assim atribuída a apetites tão materiais, por isso mesmo subalternos e desprezíveis de acordo com as idéias mais geralmente aceitas. Era preciso, para se fazerem veneráveis, que as instituições fossem amparadas em princípios longamente consagrados pelo costume e pela opinião. O próprio Hipólito da Costa não ousará defender algumas das suas convicções mais audaciosas sem procurar emprestar-lhes a chancela da antigüidade e a da tradição. É assim que chega a ressuscitar um documento, sem dúvida apócrifo, como as famosas atas das cortes de Lamego, onde o poder real é associado a um contrato expresso entre o primeiro monarca português e o povo,[73] para dar nobreza e cidadania lusitana ao princípio dos pactos sociais, tão abominado por todos os reacionários da época.

Tradicionalistas e iconoclastas movem-se, em realidade, na mesma órbita de idéias. Estes, não menos do que aqueles, mostram-se fiéis preservadores do legado colonial, e as diferenças que os separam entre si são unicamente de forma e superfície. A própria revolução pernambucana de 1817, pode-se dizer que, embora tingida de "idéias francesas", foi, em grande parte, uma reedição da luta secular do natural da terra contra o adventício, do senhor de engenho contra o mascate. Vitoriosa, é pouco provável que suscitasse alguma transformação verdadeiramente substancial em nossa estrutura político-econômica. Sabemos bem que, entre os condutores do movimento, muitos pertenciam de fato à chamada nobreza da terra, e nada indica que estivessem intimamente preparados para aceitar todas as conseqüências de seu gesto, despin-

---

72 *Apud* Charles A. Beard, *An Economical Interpretation of the Constitution of the United States* (Nova York, 1944), pág. 152-188.
73 "Paralelo da Constituição Portuguesa com a Inglesa", *Correio Brasiliense*, III (Londres, 1809), pág. 307 e segs. Sobre as cortes de Lamego, cujas atas foram publicadas em Portugal, pela primeira vez, em 1632, reinando Filipe III (IV), por Frei Antônio Brandão, na *Monarquia Lusitana*, leia-se A. Herculano *História de Portugal*, 7.ª ed., II (Paris-Lisboa, 1914), 286. Acerca da influência política desse documento, A. Martins Afonso, "Valor e significação das atas das cortes de Lamego no movimento da Restauração", *Congresso do Mundo Português. Publicações*, VII (Lisboa, 1940), pág. 475 e segs. e Henrique da Gama Barros, *História da Administração Pública em Portugal*, 2.ª ed., III (Lisboa, s. d.), págs. 301--303 n. e 410-411.

do-se das antigas prerrogativas. A declaração com que um Antônio Carlos se escusará perante os juízes da alçada, na Bahia, de ter participado do levante, pode não exprimir perfeitamente suas opiniões, destinada como estava a atrair boa vontade dos magistrados. É difícil, em todo caso, negar qualquer parcela de sinceridade ao documento em que manifesta sua áspera repulsa à tendência, ao menos teórica, de uma revolução que pretendia abolir todas as barreiras sociais, nivelando-o, e aos demais membros da classe superior, com as camadas ínfimas da população. Ou, para repetir suas mesmas palavras, a um "sistema que, derrubando-me da ordem da nobreza a que pertencia, me punha a par da canalha e ralé de todas as cores e me segava em flor as mais bem fundadas esperanças de ulterior avanço e de mores dignidades".[74]

E o que era verdadeiro em 1817 não deixaria de sê-lo depois de nossa emancipação política. Em 1847, dirigindo-se aos Praieiros, que tinham movido uma justa campanha, posto que improfícua, contra a predominância esmagadora de certas famílias de proprietários rurais em Pernambuco, Nabuco de Araújo podia notar sabiamente como o espírito anti-social e perigoso representado por essas famílias era um vício "que nasceu da antiga organização e que nossas revoluções e civilização não puderam acabar". E, logo a seguir, acrescentava: "Excitastes essas idéias generosas para carear a popularidade e para triunfar, mas ao depois e na prática, tendes respeitado e conciliado esse feudalismo dos vossos e só combatido o dos adversários; tendes dividido a província em conquistadores e conquistados; vossos esforços têm sido para dar aos vossos aquilo que reprovais aos outros; só tendes irritado e lançado os elementos de uma reação funesta; tendes obrado com o encarniçamento e odiosidade de uma facção, e não com o patriotismo e vistas de um partido político".[75]

Esse caráter puramente exterior, epidérmico, de numerosas agitações ocorridas entre nós durante os anos que antecederam e sucederam à Independência, mostra o quanto era difícil ultrapassarem-se os limites que à nossa vida política tinham traçado certas condições específicas geradas pela colonização portuguesa. Um dos efeitos da improvisação quase forçada de uma espécie de burguesia urbana no Brasil, está em que certas atitudes peculiares, até então, ao patriciado rural, logo se tornaram comuns a todas as classes como norma ideal de conduta. Estereotipada por longos anos de vida rural, a mentalidade de casa-grande invadiu

---

74 Dr. Francisco Muniz Tavares, *História da Revolução de Pernambuco em 1817*, 3.ª ed. (Recife, 1917), pág. 115.

75 Joaquim Nabuco, *Um Estadista do Império*, I (São Paulo, 1936), pág. 63 e seg.

assim as cidades e conquistou todas as profissões, sem exclusão das mais humildes. É bem típico o caso testemunhado por um John Luccock, no Rio de Janeiro, do simples oficial de carpintaria que se vestia à maneira de um fidalgo, com tricórnio e sapatos de fivela, e se recusava a usar das próprias mãos para carregar as ferramentas de seu ofício, preferindo entregá-las a um preto.[76]

Muitas das dificuldades observadas, desde velhos tempos, no funcionamento dos nossos serviços públicos, devem ser atribuídas, sem dúvida, às mesmas causas. Num país que, durante a maior parte de sua existência, foi terra de senhores e escravos, sem comércio que não andasse em mãos de adventícios ambiciosos de riquezas e de enobrecimento, seria impossível encontrar uma classe média numerosa e apta a semelhantes serviços.

Tais condições tornam-se ainda mais compreensíveis quando se considere que no Brasil, como aliás na maioria dos países de história colonial recente, mal existiam tipos de estabelecimento humano intermediários entre os meios urbanos e as propriedades rurais destinadas à produção de gêneros exportáveis. Isso é particularmente verdadeiro onde, como entre nós e em geral na América Latina a estabilidade dos domínios agrários sempre dependeu diretamente e unicamente da produtividade natural dos solos. E sobretudo onde o esperdício das áreas de lavoura determinou com freqüência deslocações dos núcleos de povoamento rural e formação, em seu lugar, de extensos sítios ermados, ou de população dispersa e mal apegada à terra.[77]

O resultado é que a distinção entre o meio urbano e a "fazenda" constitui no Brasil, e pode dizer-se que em toda a América, o verdadeiro correspondente da distinção clássica e tipicamente européia entre a cidade e a aldeia. Salvo muito raras exceções, a própria palavra "aldeia", no seu sentido mais corrente, assim como a palavra "camponês", indicando o homem radicado ao seu rincão de origem através de inúmeras gerações, não correspondem no Novo Mundo a nenhuma realidade.[78] E por isso, com o cres-

---

[76] John Luccock, *Notas sobre o Rio de Janeiro e partes meridionais do Brasil, tomadas durante uma estada de dez anos nesse país, de 1808 a 1818* (São Paulo, s. d.), pág. 73.

[77] O geógrafo norte-americano Preston James, depois de estudo acurado do assunto, pôde concluir que, em toda a América Latina, existem apenas quatro zonas bem definidas onde se processa um povoamento verdadeiramente expansivo, quer dizer, onde a ocupação de novas áreas de território não é seguida do declínio da população do núcleo originário. São elas: 1) o planalto da República da Costa Rica; 2) o planalto de Antióquia, na Colômbia; 3) o Chile Central e 4) os três Estados do sul do Brasil. Preston James, *Latin America* (Nova York—Boston, s. d.), pág. 828 e segs.

[78] Leopold von Wiese, "Ländliche Siedlungen", *Handwörterbuch der Soziologie* (Stuttgart, 1931), pág. 522 e segs.

cimento dos núcleos urbanos, o processo de absorção das populações rurais encontra aqui menores resistências do que, por exemplo, nos países europeus; sempre que não existam, a pequeno alcance, terras para desbravar e desbaratar.

Procurou-se mostrar no presente capítulo, como, ao menos em sua etapa inicial, esse processo correspondeu de fato a um desenvolvimento da tradicional situação de dependência em que se achavam colocadas as cidades em face dos domínios agrários. Na ausência de uma burguesia urbana independente, os candidatos às funções novamente criadas recrutam-se, por força, entre indivíduos da mesma massa dos antigos senhores rurais, portadores de mentalidade e tendência características dessa classe. Toda a ordem administrativa do país, durante o Império e mesmo depois, já no regime republicano, há de comportar, por isso, elementos estreitamente vinculados ao velho sistema senhorial.

Essas condições representam o prolongamento de um fato muito real e sensível, que prevaleceu durante o regime colonial. Durante largo tempo, de algum modo até à vinda da Corte Portuguesa para o Rio de Janeiro, constituímos uma estrutura *sui generis*, mesmo comparados aos outros países americanos, àqueles, em particular, onde a vida econômica se apoiou quase totalmente, como aqui, no trabalho servil.

A regra, em todo o mundo e em todas as épocas, foi sempre o contrário: a prosperidade dos meios urbanos fazendo-se à custa dos centros de produção agrícola. Sem o incremento das cidades e a formação de classes não agrárias, o que tem sucedido constantemente é que a terra entra a concentrar-se, pouco a pouco, nas mãos dos representantes de tais classes, que residem, em geral, nas cidades e consomem a produção dos elementos rurais, sem lhes dar, no entanto, o equivalente econômico do que recebem.[79]

Se não parece muito exato dizer-se que tivemos entre nós justamente o reverso de tal medalha, é por ter sido precário e relativo o incremento das nossas cidades durante todo o período colonial. Deve-se reter, todavia, este fato significativo, de que, naquele período, os centros urbanos brasileiros nunca deixaram de se ressentir fortemente da *ditadura* dos domínios rurais. É importante assinalar-se tal fato, porque ajuda a discriminar o

---

79 Por outro lado, a pretensão dos entusiastas do progresso urbano de que a cidade durante o apogeu de seu desenvolvimento, entre os séculos XV e XVIII, favoreceu os habitantes dos campos, "libertando-os" da servidão, da escravidão e de outras formas de opressão, é em grande parte, injustificada. "O *ar livre* das cidades significou freqüentemente o ar de prisão para as partes rurais", conforme notaram Sorokin e Zimmermann. Pitirim Sorokin e Carle E. Zimmermann, *Principles of Rural-Urban Sociology* (Nova York, 1928), pág. 88.

caráter próprio das nossas cidades coloniais. As funções mais elevadas cabiam nelas, em realidade, aos senhores de terras. São comuns em nossa história colonial as queixas dos comerciantes, habitadores das cidades, contra o monopólio das poderosas câmaras municipais pelos lavradores. A pretensão dos mercadores de se ombrearem com os proprietários rurais passava por impertinente, e chegou a ser tachada de absurda pela própria Corte de Lisboa, pois o título de senhor de engenho, segundo refere o cronista, podia ser considerado tão alto como os títulos de nobreza dos grandes do Reino de Portugal.

Não admira, assim, que fossem eles praticamente os únicos verdadeiros "cidadãos" na colônia, e que nesta se tenha criado uma situação característica talvez da Antigüidade clássica mas que a Europa—e mesmo a Europa medieval—não conhecia. O cidadão típico da Antigüidade clássica foi sempre, de início, um homem que consumia os produtos de suas próprias terras, lavradas pelos seus escravos. Apenas não residia por hábito nelas. Em alguns lugares da bacia do Mediterrâneo, na Sicília, por exemplo —segundo informou Max Weber—não residiam os lavradores, em hipótese nenhuma, fora dos muros das cidades, devido à insegurança e aos extraordinários perigos a que se achavam expostos constantemente os domínios rurais. As próprias "vilas" romanas eram, antes de mais nada, construções de luxo, e não serviam para residência habitual dos proprietários, mas para vilegiatura.[80]

No Brasil colonial, entretanto, as terras dedicadas à lavoura eram a morada habitual dos grandes. Só afluíam eles aos centros urbanos a fim de assistirem aos festejos e solenidades. Nas cidades apenas residiam alguns funcionários da administração, oficiais mecânicos e mercadores em geral. Da pobreza dos habitantes de Piratininga durante o século XVII, dá-nos conta o Padre Justo Mansilla van Surck, em carta ao geral da Companhia de Jesus sobre o assalto às reduções de Guairá. Nesse documento explica-se a miséria piratiningana pela constante ausência dos habitantes, "*porque fuera las 3 ó 4 principales fiestas, muy pocos, ó hombres ó mujeres estan en ellas; si no siempre ó en sus herdades ó por los bosques y campos, en busca de Indios, en que gastan su vida*". Na Bahia, o centro administrativo do país durante a maior parte do período colonial, informa-nos Capistrano de Abreu que as casas, fechadas quase todo o ano, só se enchiam com as festas públicas. "A cidade—diz—saía da vida sorna muito poucas vezes por ano. Gabriel Soares fala de uma honesta praça

---

[80] Max Weber, *Wirtschaft und Gesellschaft*, II (Tübingen, 1925), pág. 520 e segs.

em que corriam touros quando convinha. Repetiam-se as festas eclesiásticas com suas procissões e figurações e cantorias ao ar livre; dentro da igreja representavam-se comédias e com pouco alinho, se, como jura uma testemunha, podia alguém sentar-se no altar. Esvaziavam-se então os engenhos; podia exibir-se o luxo, que não se limitava como hoje a um sexo único..."[81] Em outro lugar, referindo-se ainda à cidade do Salvador no século XVI, diz o mesmo historiador: "... cidade esquisita, de casas sem moradores, pois os proprietários passavam o mais tempo em suas roças rurais, só acudindo no tempo das festas. A população urbana constava de mecânicos, que exerciam seus ofícios, de mercadores, de oficiais de justiça, de fazenda, de guerra, obrigados à residência".[82]

Idêntica, segundo outros depoimentos, era a situação nas demais cidades e vilas da colônia. Sucedia, assim, que os proprietários se descuidavam freqüentemente de suas habitações urbanas, dedicando todo o zelo à moradia rural, onde estava o principal de seus haveres e peças de luxo e onde podiam receber, com ostentosa generosidade, aos hóspedes e visitantes. Como na Florença do Renascimento, onde, dizia Giovanni Villani, as "vilas" dos homens ricos, situadas nas campinas toscanas, eram mais belas do que as casas da cidade e nelas se gastava muito mais do que seria razoável.

As referências que se acabam de citar relacionam-se principalmente com o primeiro e o segundo século da colonização; já no terceiro, a vida urbana, em certos lugares, parece adquirir mais caráter, com a prosperidade dos comerciantes reinóis, instalados nas cidades. Em 1711, Antonil declarava que ter os filhos sempre no engenho era "criá-los tabaréus, que nas conversações não saberão falar de outra coisa mais do que do cão, do cavalo, e do boi. Deixá-los sós na cidade, é dar-lhes liberdade para se fazerem logo viciosos e encherem-se de vergonhosas doenças, que se não podem facilmente curar".[83]

Mas ainda assim não devia ser muito favorável às cidades a comparação entre a vida urbana e a rural por essa época, se é certo o que dizia o Conde de Cunha, primeiro vice-rei do Brasil, em carta escrita ao rei de Portugal em 1767, onde se descreve o Rio de Janeiro como só habitado de oficiais mecânicos, pescadores, marinheiros, mulatos, pretos boçais e nus, e alguns homens de negócios, dos quais muito poucos podem ter esse nome, sem haver quem pudesse servir de vereador, nem servir cargo auto-

81 *Primeira Visitação do Santo Ofício às Partes do Brasil. Denunciações da Bahia* (São Paulo, 1928), pág. 11 e seg.
82 Fr. Vicente do Salvador, *op. cit.*, XI.
83 João Antônio Andreoni (André João Antonil), *Cultura e Opulência do Brasil,* texto da edição de 1711 (São Paulo, 1967), pág. 165.

rizado, pois as pessoas de casas nobres e distintas viviam retiradas em suas fazendas e engenhos.

Esse depoimento serve para atestar como ainda durante a segunda metade do século XVIII persistia bem nítido o estado de coisas que caracteriza a nossa vida colonial desde os seus primeiros tempos. A pujança dos domínios rurais, comparada à mesquinhez urbana, representa fenômeno que se instalou aqui com os colonos portugueses, desde que se fixaram à terra. E essa singularidade avulta quando posta em contraste com o que realizaram os holandeses em Pernambuco. Já se assinalou no capítulo anterior como a Companhia das Índias Ocidentais não conseguiu, durante a conquista de nosso Nordeste, apesar de todo o seu empenho em obter uma imigração rural considerável, senão aumentar o afluxo de colonos urbanos. A vida de cidade desenvolveu-se de forma anormal e prematura. Em 1640, enquanto nas capitanias do Sul, povoadas por portugueses, a defesa urbana era encarada, às vezes, como sério problema, devido à escassez dos habitantes, o que se dava no Recife era justamente o contrário: escassez notável de habitações para abrigar novos moradores, que não cessavam de afluir. Referem documentos holandeses, que por toda parte se improvisavam camas para os recém-chegados à colônia. Por vezes, em um só aposento, sob um calor intolerável, deitavam-se três, quatro, seis e às vezes oito pessoas. Se as autoridades neerlandesas não tomassem providências rigorosas para facilitar o alojamento de toda essa gente, só restaria um remédio: ir residir nas estalagens do porto. "E estas—diz um relatório holandês—são os lupanares mais ordinários do mundo. Ai do moço de família que cair ali! Estará condenado irremediavelmente à desgraça".[84]

O predomínio esmagador do ruralismo, segundo todas as aparências, foi antes um fenômeno típico do esforço dos nossos colonizadores do que uma imposição do meio. E vale a pena assinalar-se isso, pois parece mais interessante, e talvez mais lisonjeiro à vaidade nacional de alguns, a crença, nesse caso, em certa misteriosa "força centrífuga" própria ao meio americano e que tivesse compelido nossa aristocracia rural a abandonar a cidade pelo isolamento dos engenhos e pela vida rústica das terras de criação.

---

[84] Hermann Wätjen, *op. cit.*, pág. 244.

# IV

## O SEMEADOR E O LADRILHADOR

*A FUNDAÇÃO DE CIDADES COMO INSTRUMENTO
DE DOMINAÇÃO.—ZELO URBANÍSTICO DOS CAS-
TELHANOS: O TRIUNFO COMPLETO DA LINHA
RETA.—MARINHA E INTERIOR.—A ROTINA CON-
TRA A RAZÃO ABSTRATA. O ESPÍRITO DA EX-
PANSÃO PORTUGUESA. A NOBREZA NOVA DO
QUINHENTOS.—O REALISMO LUSITANO.—PAPEL
DA IGREJA.*

NOTAS AO CAPÍTULO IV:

1. *VIDA INTELECTUAL NA AMÉRICA ESPANHO-
   LA E NO BRASIL.*
2. *A LÍNGUA-GERAL EM S. PAULO.*
3. *AVERSÃO ÀS VIRTUDES ECONÔMICAS.*
4. *NATUREZA E ARTE.*

Essa PRIMAZIA acentuada da vi-
da rural concorda bem com o espírito da dominação portuguesa,
que renunciou a trazer normas imperativas e absolutas, que ce-
deu todas as vezes em que as conveniências imediatas aconselharam a ceder, que cuidou menos em construir, planejar ou
plantar alicerces, do que em feitorizar uma riqueza fácil e quase
ao alcance da mão.

Com efeito, a habitação em cidades é essencialmente antina-
tural, associa-se a manifestações do espírito e da vontade, na medida. em que se opõem à natureza. Para muitas nações conquis-
tadoras, a construção de cidades foi o mais decisivo instrumento
de dominação que conheceram. Max Weber mostra admiravelmente como a fundação de cidades representou para o Oriente
Próximo e particularmente para o mundo helenístico e para a
Roma imperial, o meio específico de criação de órgãos locais de
poder, acrescentando que o mesmo fenômeno se encontra na Chi-
na, onde, ainda durante o século passado, a subjugação das tribos
Miaotse pôde ser identificada à urbanização de suas terras. E
não foi sem boas razões que esses povos usaram de semelhante
recurso, pois a experiência tem demonstrado que ele é, entre todos, o mais duradouro e eficiente. As fronteiras econômicas estabelecidas no tempo e no espaço pelas fundações de cidades no
Império Romano tornaram-se também as fronteiras do mundo

que mais tarde ostentaria a herança da cultura clássica.[85] Os domínios rurais ganhavam tanto mais em importância, quanto mais livres se achassem da influência das fundações de centros urbanos, ou seja quanto mais distassem das fronteiras. Mas não é preciso ir tão longe na história e na geografia. Em nosso próprio continente a colonização espanhola caracterizou-se largamente pelo que faltou à portuguesa:—por uma aplicação insistente em assegurar o predomínio militar, econômico e político da metrópole sobre as terras conquistadas, mediante a criação de grandes núcleos de povoação estáveis e bem ordenados. Um zelo minucioso e previdente dirigiu a fundação das cidades espanholas na América. Se, no primeiro momento, ficou ampla liberdade ao esforço individual, a fim de que, por façanhas memoráveis, tratasse de incorporar novas glórias e novas terras à Coroa de Castela, logo depois, porém, a mão forte do Estado fez sentir seu peso, impondo uma disciplina entre os novos e velhos habitadores dos países americanos, apaziguando suas rivalidades e dissensões e canalizando a rude energia dos colonos para maior proveito da metrópole. Concluída a povoação e terminada a construção dos edifícios, "não antes"—recomendam-no expressamente as *Ordenanzas de Descubrimiento Nuevo y Población*, de 1563—é que governadores e povoadores, com muita diligência e sagrada dedicação, devem tratar de trazer, pacificamente, ao grêmio da Santa Igreja e à obediência das autoridades civis, todos os naturais da terra.

Já à primeira vista, o próprio traçado dos centros urbanos na América Espanhola denuncia o esforço determinado de vencer e retificar a fantasia caprichosa da paisagem agreste: é um ato definido da vontade humana. As ruas não se deixam modelar pela sinuosidade e pelas asperezas do solo; impõem-lhes antes o acento voluntário da linha reta. O plano regular não nasce, aqui, nem ao menos de uma idéia religiosa, como a que inspirou a construção das cidades do Lácio e mais tarde a das colônias romanas, de acordo com o rito etrusco; foi simplesmente um triunfo da aspiração de ordenar e dominar o mundo conquistado. O traço retilíneo, em que se exprime a direção da vontade a um fim previsto e eleito, manifesta bem essa deliberação. E não é por acaso que ele impera decididamente em todas essas cidades espanholas, as primeiras cidades "abstratas" que edificaram europeus em nosso continente.

Uma legislação abundante previne de antemão, entre os descendentes dos conquistadores castelhanos, qualquer fantasia e capricho na edificação dos núcleos urbanos. Os dispositivos das Leis das Índias, que devem reger a fundação das cidades na

---

[85] Max Weber, *op. cit.*, II, pág. 713.

América, exibem aquele mesmo senso burocrático das minúcias, que orientava os casuístas do tempo, ocupados em enumerar, definir e apreciar os complicados casos de consciência, para edificação e governo dos padres confessores. Na procura do lugar que se fosse povoar cumpria, antes de tudo, verificar com cuidado as regiões mais saudáveis, pela abundância de homens velhos e moços, de boa compleição, disposição e cor, e sem enfermidades; de animais sãos e de competente tamanho, de frutos e mantimentos sadios; onde não houvesse coisas peçonhentas e nocivas; de boa e feliz constelação; o céu claro e benigno, o ar puro e suave.

Se fosse na marinha, era preciso ter em consideração o abrigo, a profundidade, e a capacidade de defesa do porto e, quando possível, que o mar não batesse da parte do sul ou do poente. Para as povoações de terra dentro, não se escolhessem lugares demasiado altos, expostos aos ventos e de acesso difícil; nem muito baixos, que costumam ser enfermiços, mas sim os que se achassem a altura mediana, descobertos para os ventos de norte e sul. Se houvesse serras, que fosse pela banda do levante e poente. Caso recaísse a escolha sobre localidade à beira de um rio, ficasse ela de modo que, ao sair o sol, desse primeiro na povoação e só depois nas águas.

A construção da cidade começaria sempre pela chamada praça maior. Quando em costa de mar, essa praça ficaria no lugar de desembarque do porto; quando em zona mediterrânea, ao centro da povoação. A forma da praça seria a de um quadrilátero, cuja largura correspondesse pelo menos a dois terços do comprimento, de modo que, em dias de festa, nelas pudessem correr cavalos. Em tamanho, seria proporcional ao número de vizinhos e, tendo-se em conta que as povoações podem aumentar, não mediria menos de duzentos pés de largura por trezentos de comprimento, nem mais de oitocentos pés de comprido por quinhentos e trinta e dois de largo; a mediana e boa proporção seria a de seiscentos pés de comprido por quatrocentos de largo. A praça servia de base para o traçado das ruas: as quatro principais sairiam do centro de cada face da praça. De cada ângulo sairiam mais duas, havendo o cuidado de que os quatro ângulos olhassem para os quatro ventos. Nos lugares frios, as ruas deveriam ser largas; estreitas nos lugares quentes. No entanto, onde houvesse cavalos, o melhor seria que fossem largas.[86]

Assim, a povoação partia nitidamente de um centro; a praça maior representa aqui o mesmo papel do *cardo* e do *decumanus* nas cidades romanas—as duas linhas traçadas pelo *lituus* do fun-

---

86 *Recopilación de Leyes de los Reynos de Indias*, II (Madri, 1756), fls. 90-92.

dador, de norte a sul e de leste a oeste, que serviam como referência para o plano futuro da rede urbana. Mas, ao passo que nestas o agrupamento ordenado pretende apenas reproduzir na terra a própria ordem cósmica, no plano das cidades hispano--americanas, o que se exprime é a idéia de que o homem pode intervir arbitrariamente, e com sucesso, no curso das coisas e de que a história não somente "acontece", mas também pode ser dirigida e até fabricada.[87] É esse pensamento que alcança a sua melhor expressão e o seu apogeu na organização dos jesuítas em suas reduções. Estes não só o introduziram na cultura material das missões guaranis, "fabricando" cidades geométricas, de pedra lavrada e adobe, numa região rica em lenho e paupérrima em pedreiras, como o estenderam até às instituições. Tudo estava tão regulado, refere um depoimento, que nas reduções situadas em território hoje boliviano, *"conjuges Indiani media nocte sono tintinabuli ad exercendum coitum excitarentur"*.[88]

Na América Portuguesa, entretanto, a obra dos jesuítas foi uma rara e milagrosa exceção. Ao lado do prodígio verdadeiramente monstruoso de vontade e de inteligência que constituiu essa obra, e do que também aspirou a ser a colonização espanhola, o empreendimento de Portugal parece tímido e mal aparelhado para vencer. Comparado ao dos castelhanos em suas conquistas, o esforço dos portugueses distingue-se principalmente pela predominância de seu caráter de exploração comercial, repetindo assim o exemplo da colonização da Antigüidade, sobretudo da fenícia e da grega; os castelhanos, ao contrário, querem fazer do país ocupado um prolongamento orgânico do seu. Se não é tão verdadeiro dizer-se que Castela seguiu até ao fim semelhante rota, o indiscutível é que ao menos a intenção e a direção inicial foram essas. O afã de fazer das novas terras mais do que simples feitorias comerciais levou os castelhanos, algumas vezes, a começar pela cúpula a construção do edifício colonial. Já em 1538, cria-se a Universidade de São Domingos. A de São Marcos, em Lima, com os privilégios, isenções e limitações da de Salamanca, é fundada por cédula real de 1551, vinte anos apenas depois de iniciada a conquista do Peru por Francisco Pizarro. Também de 1551 é a da cidade do México, que em 1553 inaugura seus cursos. Outros institutos de ensino superior nascem ainda no século XVI

87 Não está excluída, aliás, a hipótese de uma influência direta dos modelos greco-romanos sobre o traçado das cidades hispano-americanas. Estudos recentes demonstraram mesmo a estreita filiação das instruções filipinas para fundação de cidades do Novo Mundo no tratado clássico de Vitrúvio.—Dan Stanislawski, "Early Town Planning in the New World", *Geographical Review* (Nova York, janeiro, 1947), pág. 10 e segs.

88 Cf. A. Bastian, *Die Kulturländer des Alten Amerika. II Beiträge zu Geschichtlichen Vorarbeiten* (Berlim, 1878), pág. 838.

e nos dois seguintes, de modo que, ao encerrar-se o período colonial, tinham sido instaladas nas diversas possessões de Castela nada menos de vinte e três universidades, seis das quais de primeira categoria (sem incluir as do México e Lima). Por esses estabelecimentos passaram, ainda durante a dominação espanhola, dezenas de milhares de filhos da América que puderam, assim, completar seus estudos sem precisar transpor o Oceano.[89]

Esse exemplo não oferece senão uma das faces da colonização espanhola, mas que serve bem para ilustrar a vontade criadora que a anima. Não se quer dizer que essa vontade criadora distinguisse sempre o esforço castelhano e que nele as boas intenções tenham triunfado persistentemente sobre todos os esforços e prevalecido sobre a inércia dos homens. Mas é indiscutivelmente por isso que seu trabalho se distingue do trabalho português no Brasil. Dir-se-ia que, aqui, a colônia é simples lugar de passagem, para o governo como para os súditos. É, aliás, a impressão que levará Koster, já no século XIX, de nossa terra. Os castelhanos, por sua vez, prosseguiram no Novo Mundo a luta secular contra os infiéis, e a coincidência de ter chegado Colombo à América justamente no ano em que caía, na Península, o último baluarte sarraceno, parece providencialmente calculada para indicar que não deveria existir descontinuidade entre um esforço e outro. Na colonização americana reproduziram eles naturalmente, e apenas apurados pela experiência, os mesmos processos já empregados na colonização de suas terras da metrópole, depois de expulsos os discípulos de Mafoma. E acresce o fato significativo de que, nas regiões de nosso continente que lhes couberam, o clima não oferecia, em geral, grandes incômodos. Parte considerável dessas regiões estava situada fora da zona tropical e parte a grandes altitudes. Mesmo na cidade de Quito, isto é, em plena linha equinocial, o imigrante andaluz vai encontrar uma temperatura sempre igual, e que não excede em rigor à de sua terra de origem.[90]

Os grandes centros de povoação que edificaram os espanhóis no Novo Mundo, estão situados precisamente nesses lugares onde a altitude permite aos europeus, mesmo na zona tórrida, desfrutar um clima semelhante ao que lhes é habitual em seu país. Ao contrário da colonização portuguesa, que foi antes de tudo litorânea e tropical, a castelhana parece fugir deliberadamente da marinha preferindo as terras do interior e os planaltos. Existem, aliás, nas ordenanças para descobrimento e povoação, recomendações explícitas nesse sentido. Não se escolham, diz o legislador,

89 V. nota 1 ao fim do capítulo: *Vida Intelectual na América Espanhola e no Brasil.*

90 Bernhard Brandt, *Südamerika* (Breslau, 1923), pág. 69.

sítios para povoação em lugares marítimos, devido ao perigo que há neles de corsários e por não serem tão sadios, e porque a gente desses lugares não se aplica em lavrar e em cultivar a terra, nem se formam tão bem os costumes. Só em caso de haver bons portos é que se poderiam instalar povoações novas ao longo da orla marítima e ainda assim apenas aquelas que fossem verdadeiramente indispensáveis para que se facilitasse a entrada, o comércio e a defesa da terra.

Os portugueses, esses criavam todas as dificuldades às entradas terra a dentro, receosos de que com isso se despovoasse a marinha. No regimento do primeiro governador-geral do Brasil, Tomé de Sousa, estipula-se, expressamente, que pela terra firme a dentro não vá tratar pessoa alguma sem licença especial do governador ou do provedor-mor da fazenda real, acrescentando--se ainda que tal licença não se dará, senão a pessoa que possa ir "a bom recado e que de sua ida e tratos se não seguirá prejuizo algum, nem isso mesmo irão de huas capitanias para outras por terra sem licença dos ditos capitães ou provedores posto que seja por terras que estãm de paz para evitar alguns enconvenientes que se disso seguem sob pena de ser açoutado sendo pião e sendo de moor calidade pagará vinte cruzados a metade para os cautivos e a outra metade para quem o accusar".[91]

Outra medida que parece destinada a conter a povoação no litoral é a que estipulam as cartas de doação das capitanias, segundo as quais poderão os donatários edificar junto do mar e dos rios navegáveis quantas vilas quiserem, "por que por dentro da terra fyrme pelo sertam as nam poderam fazer menos espaço de seys legoas de hua a outra pera que se posam ficar ao menos tres legoas de terra de termo a cada hua das ditas villas e ao tempo que se fizerem as tais villas ou cada hua dellas lhe lymetaram e asynaram logo termo pera ellas e depois nam poderam da terra que asy tiverem dado por termo fazer mays outra villa", sem licença prévia de Sua Majestade.[92]

Em São Vicente, a notícia da derrogação, em 1554, pela esposa do donatário, Dona Ana Pimentel, da proibição feita pelo seu marido aos moradores do litoral, de irem tratar nos campos de Piratininga, provocou tal perplexidade entre os camaristas, que estes exigiram lhes fosse exibido o alvará em que figurava a nova resolução. Tão imprudente deve ter parecido a medida, que ainda durante os últimos anos do século XVIII, era ela acerbamente criticada, e homens como Frei Gaspar da Madre de Deus ou o

---

91 Cf. "Regimento de Tomé de Sousa", *História da Colonização Portuguesa do Brasil*, III (Porto, 1924), pág. 347.

92 *Hist. da Col. Port.*, cit., III, pág. 310.

Ouvidor Cleto chegaram a lamentar o prejuízo que, por semelhante revogação, vieram a sofrer as terras litorâneas da Capitania.

Com a criação na Borda do Campo da vila de Santo André e depois com a fundação de São Paulo, decaiu São Vicente e mesmo Santos fez menores progressos do que seria de esperar a princípio, assim como continuaram sem morador algum as terras de beira-mar que ficam ao norte da Bertioga e ao sul de Itanhaém; não trabalhavam mais os engenhos da costa e, por falta de gêneros que se transportassem, cessou a navegação da capitania tanto para Angola como para Portugal.

A providência de Martim Afonso parecia a Frei Gaspar, mesmo depois que os paulistas, graças à sua energia e ambição, tinham corrigido por conta própria o traçado de Tordesilhas, estendendo a colônia sertão adentro, como a mais ajustada ao bem comum do Reino e a mais propícia ao desenvolvimento da capitania. O primeiro donatário penetrara melhor do que muitos dos futuros governadores os verdadeiros interesses do Estado: seu fim fora não somente evitar as guerras, mas também fomentar a povoação da costa; previu que da livre entrada dos brancos nas aldeias dos índios seguir-se-iam contendas sem fim, alterando a paz tão necessária ao desenvolvimento da terra; não ignorava que D. João III tinha mandado fundar colônias em país tão remoto com o intuito de retirar proveitos para o Estado, mediante a exportação de gêneros de procedência brasileira: sabia que os gêneros produzidos junto ao mar podiam conduzir-se facilmente à Europa e que os do sertão, pelo contrário, demoravam a chegar aos portos onde fossem embarcados e, se chegassem, seria com tais despesas, que aos lavradores "não faria conta largá-los pelo preço por que se vendessem os da marinha".

Assim dizia Frei Gaspar da Madre de Deus há século e meio. E acrescentava: "Estes foram os motivos de antepor a povoação da costa à do sertão; e porque também previu que nunca, ou muito tarde, se havia de povoar bem a marinha, repartindo-se os colonos, dificultou a entrada do campo, reservando-a para o tempo futuro, quando estivesse cheia e bem cultivada a terra mais vizinha aos portos".[93]

A influência dessa colonização litorânea, que praticavam, de preferência, os portugueses, ainda persiste até aos nossos dias. Quando hoje se fala em "interior", pensa-se, como no século XVI, em região escassamente povoada e apenas atingida pela cultura

---

93 Fr. Gaspar da Madre de Deus, *Memórias para a História da Capitania de S. Vicente* (Lisboa, 1797), pág. 32. Marcelino Pereira Cleto, "Dissertação a respeito da Capitania de S. Paulo, sua decadência e modo de restabelecê-la" (1782), *Anais da Biblioteca Nacional do Rio de Janeiro*, XXI (Rio de Janeiro, 1900), pág. 201 e segs.

urbana. A obra das bandeiras paulistas não pode ser bem compreendida em toda a sua extensão, se a não destacarmos um pouco do esforço português, como um empreendimento que encontra em si mesmo sua explicação, embora ainda não ouse desfazer-se de seus vínculos com a metrópole européia, e que, desafiando todas as leis e todos os perigos, vai dar ao Brasil sua atual silhueta geográfica. Não é mero acaso o que faz com que o primeiro gesto de autonomia ocorrido na colônia, a aclamação de Amador Bueno, se verificasse justamente em São Paulo, terra de pouco contato com Portugal e de muita mestiçagem com forasteiros e indígenas, onde ainda no século XVIII as crianças iam aprender o português nos colégios como as de hoje aprendem o latim.[94]

No planalto de Piratininga nasce em verdade um momento novo de nossa história nacional. Ali, pela primeira vez, a inércia difusa da população colonial adquire forma própria e encontra voz articulada. A expansão dos *pioneers* paulistas não tinha suas raízes do outro lado do oceano, podia dispensar o estímulo da metrópole e fazia-se freqüentemente contra a vontade e contra os interesses imediatos desta. Mas ainda esses audaciosos caçadores de índios, farejadores e exploradores de riqueza, foram, antes do mais, puros aventureiros—só quando as circunstâncias o forçavam é que se faziam colonos. Acabadas as expedições, quando não acabavam mal, tornavam eles geralmente à sua vila e aos seus sítios da roça. E assim, antes do descobrimento das minas, não realizaram obra colonizadora, salvo esporadicamente.

No terceiro século do domínio português é que temos um afluxo maior de emigrantes para além da faixa litorânea, com o descobrimento do ouro das Gerais, ouro que, no dizer de um cronista do tempo, "passa em pó e em moeda para os reinos estranhos; e a menor parte he a que fica em Portugal e nas cidades do Brasil, salvo o que se gasta em cordões, arrecadas e outros brincos, dos quaes se vem hoje carregadas as mulatas de máo viver, muito mais que as senhoras".[95] E mesmo essa emigração faz-se largamente a despeito de ferozes obstruções artificialmente instituídas pelo governo; os estrangeiros, então, estavam decididamente excluídos delas (apenas eram tolerados—mal tolerados—os súditos de nações amigas: ingleses e holandeses), bem assim como os monges, considerados dos piores contraventores das determinações régias, os padres sem emprego, os negociantes, estalajadeiros, todos os indivíduos enfim, que pudessem não ir exclusivamente a serviço da insaciável avidez da metrópole. Em 1720 pretendeu-se mesmo fazer uso de um derradeiro recurso, o da proibição

---

94 V. Nota 2 ao fim do capítulo: *A Língua-Geral em S. Paulo.*
95 João Antônio Andreoni (André João Antonil), *op. cit.*, pág. 304.

de passagens para o Brasil. Só as pessoas investidas de cargo público poderiam embarcar com destino à colônia. Não acompanhariam esses funcionários mais do que os criados indispensáveis. Dentre os eclesiásticos podiam vir os bispos e missionários, bem como os religiosos que já tivessem professado no Brasil e precisassem regressar aos seus conventos. Finalmente seria dada licença excepcionalmente, a particulares que conseguissem justificar a alegação de terem negócios importantes, e comprometendo-se a voltar dentro de prazo certo.

Então, e só então, é que Portugal delibera intervir mais energicamente nos negócios de sua possessão ultramarina, mas para usar de uma energia puramente repressiva, policial, e menos dirigida a edificar alguma coisa de permanente do que a absorver tudo quanto lhe fosse de imediato proveito. É o que se verifica em particular na chamada Demarcação Diamantina, espécie de Estado dentro do Estado, com seus limites rìgidamente definidos, e que ninguém pode transpor sem licença expressa das autoridades. Os moradores, regidos por leis especiais, formavam como uma só família, governada despoticamente pelo intendente-geral. "Única na história—observa Martius—essa idéia de se isolar um território, onde todas as condições civis ficavam subordinadas à exploração de um bem exclusivo da Coroa".[96]

A partir de 1771, os moradores do distrito ficaram sujeitos à mais estrita fiscalização. Quem não pudesse exibir provas de identidade e idoneidade julgadas satisfatórias, devia abandonar imediatamente a região. Se regressasse, ficava sujeito à multa de 50 oitavas de ouro e a seis meses de cadeia; em caso de reincidência, a seis anos de degrêdo em Angola. E ninguém poderia, por sua vez, pretender residir no distrito, sem antes justificar minuciosamente tal pretensão. Mesmo nas terras próximas à demarcação, só se estabelecia quem tivesse obtido consentimento prévio do intendente. "A devassa geral, que se conservava sempre aberta—diz um historiador—era como uma teia imensa, infernal, sustentada pelas delações misteriosas, que se urdia nas trevas para envolver as vítimas, que muitas vezes faziam a calúnia, a vingança particular, o interesse e ambição dos agentes do fisco".[97] A circunstância do descobrimento das minas, sobretudo das minas de diamantes foi, pois, o que determinou finalmente Portugal a pôr um pouco mais de ordem em sua colônia, ordem mantida com artifício pela tirania dos que se interessavam em ter mobilizadas todas as forças econômicas do país para lhe desfrutarem, sem maior trabalho, os benefícios.

---

96 Spix & Martius, *op. cit.*, II pág. 436.
97 Dr. Joaquim Felício dos Santos, *Memória do Distrito Diamantino da Comarca de Serro Frio* (Rio de Janeiro, 1924), pág. 107.

Não fosse também essa circunstância, veríamos, sem dúvida, prevalecer até ao fim o recurso fácil à colonização litorânea, graças à qual tais benefícios ficariam relativamente acessíveis. Nada se imagina mais dificilmente, em um capitão português, do que um gesto como o que se atribui a Cortez, de ter mandado desarmar as naus que o conduziram à Nova Espanha, para aproveitar o lenho nas construções de terra firme. Nada, no entanto, mais legitimamente castelhano de que esse ato verdadeiramente simbólico do novo sistema de colonização, que se ia inaugurar. Pizarro repetiria mais tarde a façanha quando, em 1535, assediado por um exército de cinqüenta mil índios no Peru, ordenou que os navios se afastassem do porto, a fim de retirar aos seus homens toda veleidade ou tentação de fuga, enquanto prosseguia triunfante a conquista do grande império de Ttahuantinsuyu.

Para esses homens, o mar certamente não existia, salvo como obstáculo a vencer. Nem existiam as terras do litoral, a não ser como acesso para o interior e para as *tierras templadas* ou *frias*.[98] No território da América Central, os centros mais progressivos e mais densamente povoados situam-se perto do oceano, é certo, mas do Oceano Pacífico, não do Atlântico, estrada natural da conquista e do comércio. Atraídos pela maior amenidade do clima nos altiplanos das proximidades da costa ocidental, foi neles que fizeram os castelhanos seus primeiros estabelecimentos. E ainda em nossos dias é motivo de surpresa para historiadores e geógrafos o fato dos descendentes de antigos colonos não terem realizado nenhuma tentativa séria para ocupar o litoral do Mar das Antilhas entre o Iucatã e o Panamá. Embora esse litoral ficasse quase à vista das possessões insulares da Coroa Espanhola, e embora seu povoamento devesse encurtar apreciavelmente a distância entre a mãe-pátria e os estabelecimentos da costa do Pacífico, preferiram eles abandoná-lo aos mosquitos, aos índios bra-

---

98 Não é por acaso que os principais centros da colonização castelhana no continente americano—México, Guatemala, Bogotá, Quito, etc.—se acham localizados a grandes altitudes. Apenas Lima, situada a 140 m sobre o nível do mar e a pouca distância do litoral, constitui exceção à regra. Essa exceção relaciona-se menos com as facilidades que o sítio da atual capital peruana proporcionaria para o comércio com a metrópole, do que com certos acidentes históricos da conquista. Sabe-se que o primeiro local escolhido, no Peru, para sede da administração castelhana foi Jauja, a 3.300 m de altitude. A preferência dada ulteriormente a Lima deve-se, segundo acentua um pesquisador moderno, ao fato de os cavalos trazidos pelos conquistadores não se terem aclimado a princípio naquelas alturas. Como o bom sucesso das armas castelhanas dependia em grande parte do efeito moral que a simples presença do cavalo exercia sobre os índios, a escolha de um sítio onde sua criação se fizesse mais facilmente pareceria de importância decisiva.—Cf. Karl Sapper, "Uber das Problem der Tropenakklimatization von Européern", *Zeitschrift der Gesellschaft für Erdkunde zu Berlin*, Hft. 9/10 (Berlim, XII, 1939), pág. 372.

vos e aos entrelopos ingleses. Em mais de um ponto, os maiores núcleos de população centro-americanos acham-se até hoje isolados da costa oriental por uma barreira de florestas virgens quase impenetráveis.[99]

A facilidade das comunicações por via marítima e, à falta desta, por via fluvial, tão menosprezada pelos castelhanos, constituiu, pode-se dizer que o fundamento do esforço colonizador de Portugal. Os regimentos e forais concedidos pela Coroa Portuguesa, quando sucedia tratarem de regiões fora da beira-mar, insistiam sempre em que se povoassem somente as partes que ficavam à margem das grandes correntes navegáveis, como o rio São Francisco. A legislação espanhola, ao contrário, mal se refere à navegação fluvial como meio de comunicação; o transporte dos homens e mantimentos podia ser feito por terra.

No Brasil, a exploração litorânea praticada pelos portugueses encontrou mais uma facilidade no fato de se achar a costa habitada de uma única família de indígenas, que de norte a sul falava um mesmo idioma. É esse idioma, prontamente aprendido, domesticado e adaptado em alguns lugares, pelos jesuítas, às leis da sintaxe clássica, que há de servir para o intercurso com os demais povos do país, mesmo os de casta diversa. Tudo faz crer que em sua expansão ao largo do litoral, os portugueses tivessem sido sempre antecedidos, de pouco tempo, das extensas migrações de povos Tupi e o fato é que, durante todo o período colonial, descansaram eles na área previamente circunscrita por essas migrações.

O estabelecimento dos Tupi-Guarani pelo litoral parecia ter ocorrido em data relativamente recente, quando aportaram às nossas costas os primeiros portugueses. Um americanista moderno fixa esse fato como se tendo verificado, provavelmente, a partir do século XV. E, com efeito, ao tempo de Gabriel Soares, isto é, aos fins do século XVI, ainda era tão viva na Bahia a lembrança da expulsão dos povos não-Tupis para o sertão, que o cronista nos pode transmitir até os nomes das nações "Tapuias" das terras conquistadas depois pelos Tupinaé e Tupinambá. Ainda depois de iniciada a colonização portuguesa, vamos assistir a uma nova extensão dos Tupis, esta alcançando o Maranhão e as margens do Amazonas. O capuchinho Claude d'Abbeville, que viveu no Maranhão em 1612, chegou a conhecer pessoalmente algumas testemunhas da primeira migração tupinambá para aquelas regiões. Métraux acredita, fundado em poderosos motivos,

99 Arnold J. Toynbee, *A Study of History*, II (Londres, 1935), pág. 35 e seg.

que essa migração se teria produzido entre os anos de 1560 e 1580.[100]

A opinião de que a conquista da orla litorânea pelas tribos Tupi se verificou pouco tempo antes da chegada dos portugueses, parece ainda confirmada pela perfeita identidade na cultura de todos os habitantes da costa, pois estes, conforme disse Gandavo, "ainda que estejam divisos e haja entre eles diversos nomes de nações, todavia na semelhança, condição, costumes e ritos gentílicos todos sam huns".[101]

Confundindo-se com o gentio principal da costa, cujas terras ocuparam, ou repelindo-o para o sertão, os portugueses herdaram muitas das suas inimizades e idiossincrasias. Os outros, os não Tupi, os "Tapuias", continuaram largamente ignorados durante todo o período colonial e sobre eles corriam as lendas e versões mais fantásticas. E é significativo que a colonização portuguesa não se tenha firmado ou prosperado muito fora das regiões antes povoadas pelos indígenas da língua-geral. Estes, dir-se-ia que apenas prepararam terreno para a conquista lusitana. Onde a expansão dos Tupi sofria um hiato, interrompia-se também a colonização branca, salvo em casos excepcionais, como o dos Goianá de Piratininga, que ao tempo de João Ramalho já estariam a caminho de ser absorvidos pelos Tupiniquim, ou então, como o dos Cariris do sertão ao norte do São Francisco.

O litoral do Espírito Santo, o "vilão farto" de Vasco Fernandes Coutinho, assim como a zona sul-baiana, as antigas capitanias de Ilhéus e Porto Seguro, permaneceram quase esquecidos dos portugueses, só porque, justamente nessas regiões, logo se abriram grandes claros na dispersão dos Tupi, desalojados pelos primeiros habitantes do lugar. Handelmann chegou a dizer, em sua *História do Brasil*, que, excetuado o Alto Amazonas, era essa a zona mais escassamente povoada de todo o Império, e espantava-se de que, após trezentos anos de colonização, ainda houvesse uma região tão selvagem, tão pobremente cultivada, entre a baía de Todos os Santos e a baía do Rio de Janeiro. No Espírito Santo, para manterem os raros centros povoados, promoveram os portugueses migrações artificiais de índios da costa que os defendes-

---

100 A. Métraux, *Migrations Historiques des Tupi-Guarani* (Paris, 1927), pág. 3.

101 Tanto mais extraordinária essa semelhança quanto nos é conhecida hoje a capacidade dos povos Tupi-Guarani para assimilarem traços de culturas diferentes da sua e também para "tupinizarem" os povos estranhos à sua raça. O Padre W. Schmidt, em seu estudo sobre os círculos de cultura e capas de cultura no continente sul-americano, observa que esse fato faz parecer quase impossível "determinar-se o que constitui propriamente e em si a cultura específica dos Tupi-Guarani".—P. Wilhelm Schmidt, "Kulturkreise und Kulturschichten in Südamerika", *Zeitschrift für Ethnologie* (Berlim, 1913), pág. 1108.

sem contra as razias dos outros gentios. E só no século XIX, graças ao zelo beneditino de Güido Tomás Marlière, foi iniciada a catequese dos que se presume serem os últimos descendentes dos ferozes Aimoré das margens do rio Doce, em outros tempos, o flagelo dos colonos.

Assim, acampando nos lugares antes habitados dos indígenas que falavam o abanheenga, mal tinham os portugueses outra notícia do gentio do sertão, dos que falavam "outra língua", como se exprime a respeito dêles o Padre Cardim, além do que lhes referia a gente costeira. Como já foi dito, não importava muito aos colonizadores povoar e conhecer mais do que as terras da marinha, por onde a comunicação com o Reino fosse mais fácil. Assim, o fato de acharem essas terras habitadas de uma só raça de homens, falando a mesma língua, não podia deixar de representar para eles inestimável vantagem.

A fisionomia mercantil, quase semita, dessa colonização, exprime-se tão sensivelmente no sistema de povoação litorânea ao alcance dos portos de embarque, quanto ao fenômeno, já aqui abordado, do desequilíbrio entre o esplendor rural e a miséria urbana. Justamente essas duas manifestações são de particular significação pela luz que projetam sobre as fases ulteriores de nosso desenvolvimento social. O Padre Manuel da Nóbrega, em carta de 1552, exclamava: "... de quantos lá vieram, nenhum tem amor a esta terra (....) todos querem fazer em seu proveito, ainda que seja a custa da terra, porque esperam de se ir". Em outra carta, do mesmo ano, repisa o assunto, queixando-se dos que preferem ver sair do Brasil muitos navios carregados de ouro do que muitas almas para o Céu. E acrescenta: "Não querem bem à terra, pois têm sua afeição em Portugal; nem trabalham tanto para a favorecer, como por se aproveitarem de qualquer maneira que puderem; isto é geral, posto que entre eles haverá alguns fora desta regra".[102] E Frei Vicente do Salvador, escrevendo no século seguinte, ainda poderá queixar-se de terem vivido os portugueses até então "arranhando as costas como caranguejos" e lamentará que os povoadores, por mais arraigados que à terra estejam e mais ricos, tudo pretendam levar a Portugal, e "se as fazendas e bens que possuem souberam falar, também lhes houveram de ensinar a dizer como papagaios, aos quais a primeira cousa que ensinam é: papagaio real para Portugal, por que tudo querem para lá".[103]

Mesmo em seus melhores momentos, a obra realizada no Brasil pelos portugueses teve um caráter mais acentuado de feito-

---

102 Manuel da Nóbrega, *Cartas do Brasil*, 1549-1560 (Rio de Janeiro, 1931), págs. 131 e 134.
103 Fr. Vicente do Salvador, *op. cit.*, pág. 16.

rização do que de colonização. Não convinha que aqui se fizessem grandes obras, ao menos quando não produzissem imediatos benefícios. Nada que acarretasse maiores despesas ou resultasse em prejuízo para a metrópole. O preceito mercantilista, adotado aliás por todas as potências coloniais até ao século XIX, segundo o qual metrópole e colônias hão de completar-se reciprocamente, ajustava-se bem a esse ponto de vista. Assim era rigorosamente proibida, nas possessões ultramarinas, a produção de artigos que pudessem competir com os do Reino. Em fins do século XVIII, como da capitania de São Pedro do Rio Grande principiasse a exportação de trigo para outras partes do Brasil, o gabinete de Lisboa fazia sustar sumariamente o cultivo desse cereal. E no alvará de 5 de janeiro de 1785, que mandava extinguir todas as manufaturas de ouro, prata, seda, algodão, linho e lã porventura existentes em território brasileiro, alegava-se que, tendo os moradores da colônia, por meio da lavoura e da cultura, tudo quanto lhes era necessário, se a isso ajuntassem as vantagens da indústria e das artes para vestuário, "ficarão os ditos habitantes totalmente independentes da sua capital dominante".

Com tudo isso, a administração portuguesa parece, em alguns pontos, relativamente mais liberal do que a das possessões espanholas. Assim é que, ao contrário do que sucedia nessas, foi admitida aqui a livre entrada de estrangeiros que se dispusessem a vir trabalhar. Inúmeros foram os espanhóis, italianos, flamengos, ingleses, irlandeses, alemães que para cá vieram, aproveitando-se dessa tolerância. Aos estrangeiros era permitido, além disso, percorrerem as costas brasileiras na qualidade de mercadores, desde que se obrigassem a pagar dez por cento do valor das suas mercadorias, como imposto de importação, e desde que não traficassem com os indígenas. Essa situação prevaleceu ao menos durante os primeiros tempos da colônia. Só mudou em 1600, durante o domínio espanhol, quando Filipe II ordenou fossem terminantemente excluídos todos os estrangeiros do Brasil. Proibiu-se então seu emprego como administradores de propriedades agrícolas, determinou-se fosse realizado o recenseamento de seu número, domicílio e cabedais, e em certos lugares—como em Pernambuco —deu-se-lhes ordem de embarque para os seus países de origem. Vinte e sete anos mais tarde renova-se essa proibição, que só depois da Restauração seria parcialmente revogada, em favor de ingleses e holandeses.

Na realidade o exclusivismo dos castelhanos, em contraste com a relativa liberalidade dos portugueses, constitui parte obrigatória, inalienável de seu sistema. Compreende-se que, para a legislação castelhana, deva ter parecido indesejável, como prejudicial à boa disciplina dos súditos, o trato e convívio de estrangeiros em terras de tão recente conquista e de domínio tão mal assente. Essa liberalidade dos portugueses pode parecer, em comparação, uma atitude negativa, mal definida, e que proviria, em parte, de sua moral interessada, moral de negociantes, embora de negociantes ainda sujeitos, por muitos e poderosos laços, à tradição medieval.

Pouco importa aos nossos colonizadores que seja frouxa e insegura a disciplina fora daquilo em que os freios podem melhor aproveitar, e imediatamente, aos seus interesses terrenos. Para isso também contribuiria uma aversão congênita a qualquer ordenação impessoal da existência, aversão que, entre os portugueses, não encontrava corretivo na vontade de domínio, sujeita aos meios relativamente escassos de que dispunham como nação, nem em qualquer tendência pronunciada para essa rigidez ascética a que a própria paisagem áspera de Castela já parece convidar os seus naturais e que se resolve, não raro, na inclinação para subordinar esta vida a normas regulares e abstratas.

A fantasia com que em nossas cidades, comparadas às da América Espanhola, se dispunham muitas vezes as ruas ou habitações é, sem dúvida, um reflexo de tais circunstâncias. Na própria Bahia, o maior centro urbano da colônia, um viajante do princípio do século XVIII notava que as casas se achavam dispostas segundo o capricho dos moradores. Tudo ali era irregular, de modo que a praça principal, onde se erguia o Palácio dos Vice-Reis, parecia estar só por acaso no seu lugar.[104] Ainda no primeiro século da colonização, em São Vicente e Santos, ficavam as casas em tal desalinho, que o primeiro governador-geral do Brasil se queixava de não poder murar as duas vilas, pois isso acarretaria grandes trabalhos e muito dano aos moradores.[105]

É verdade que o esquema retangular não deixava de manifestar-se—no próprio Rio de Janeiro já surge em esboço—quando encontrava poucos empecilhos naturais. Seria ilusório, contudo, supor que sua presença resultasse da atração pelas formas fixas e preestabelecidas, que exprimem uma enérgica vontade construtora, quando o certo é que precedem, em sua generalidade,

---

104 L. G. de la Barbinais, *Nouveau voyage au tour du Monde*, III (Paris, 1729), pág. 181.
105 A carta dirigida por Tomé de Sousa a el-rei, datada de 1 de junho de 1553, diz o seguinte: "... estas duas vilas de São Vicente e Santos não estão cercadas e as casas de tal maneira espalhadas que se não podem cercar senão com muito trabalho e perda dos moradores, porque tem casas de pedra e cal e grandes quintais e tudo feito em desordem, por onde lhe não vejo melhor telha que em cada ũa delas que fazer-se no melhor sitio que puder e mais convinhavel para sua defensão, cada ũa seu castelo, e desta maneira ficarão bem, segundo a qualidade da terra e tudo deve-se logo prover nisto que com razão deve fazer, doutra maneira estão mal". *Hist. da Col. Port.*, cit., III, pág. 365.

dos princípios racionais e estéticos de simetria que o Renascimento instaurou, inspirando-se nos ideais da Antigüidade. Seja como for, o traçado geométrico jamais pôde alcançar, entre nós, a importância que veio a ter em terras da Coroa de Castela: não raro o desenvolvimento ulterior dos centros urbanos repeliu aqui esse esquema inicial para obedecer antes às sugestões topográficas.

A rotina e não a razão abstrata foi o princípio que norteou os portugueses, nesta como em tantas outras expressões de sua atividade colonizadora. Preferiam agir por experiências sucessivas, nem sempre coordenadas umas às outras, a traçar de antemão um plano para segui-lo até ao fim. Raros os estabelecimentos fundados por eles no Brasil, que não tenham mudado uma, duas ou mais vezes de sítio, e a presença da clássica vila velha ao lado de certos centros urbanos de origem colonial é persistente testemunho dessa atitude tateante e perdulária.

Assim, o admirável observador que foi Vilhena podia lamentar-se, em começo do século passado, de que, ao edificarem a cidade do Salvador, tivessem os portugueses escolhido uma colina escarpada "cheia de tantas quebras e ladeiras", quando ali, a pouca distância, tinham um sítio "talvez dos melhores que haja no mundo para fundar uma cidade, a mais forte, a mais deliciosa e livre de mil incômodos a que está sujeita esta no sítio em que se acha".[106]

A cidade que os portugueses construíram na América não é produto mental, não chega a contradizer o quadro da natureza, e sua silhueta se enlaça na linha da paisagem. Nenhum rigor, nenhum método, nenhuma previdência, sempre esse significativo abandono que exprime a palavra "desleixo"—palavra que o escritor Aubrey Bell considerou tão tipicamente portuguesa como "saudade" e que, no seu entender, implica menos falta de energia do que uma íntima convicção de que "não vale a pena..."[107]

Pode-se acrescentar que tal convicção, longe de exprimir desapego ou desprezo por esta vida, se prende antes a um realismo fundamental, que renuncia a transfigurar a realidade por meio de imaginações delirantes ou códigos de postura e regras formais (salvo nos casos onde estas regras já se tenham estereotipado em convenções e dispensem, assim, qualquer esforço ou artifício). Que aceita a vida, em suma, como a vida é, sem cerimônias, sem ilusões, sem impaciências, sem malícia e, muitas vezes, sem alegria.

A esse chão e tosco realismo cabe talvez atribuir a pouca sedução que, ainda em nossos dias, exercem sobre o gosto um tanto

---

106 Luís dos Santos Vilhena, *Recopilação das Notícias Soteropolitanas Brasílicas*, I (Bahia, 1921), pág. 109.
107 Aubrey Bell, *Portugal of the Portuguese* (Londres, 1915), pág. 11.

romanesco de alguns historiadores muitas façanhas memoráveis dos portugueses na era dos descobrimentos. Comparada ao delirante arroubo de um Colombo, por exemplo, não há dúvida que mesmo a obra do grande Vasco da Gama apresenta, como fundo de tela, um bom senso atento a minudências e uma razão cautelosa e pedestre. Sua jornada fez-se quase toda por mares já conhecidos —uma cabotagem em grande estilo, disse Sophus Ruge —com destino já conhecido, e, quando foi necessário cruzar o Índico, pôde dispor de pilotos experimentados, como Ibn Majid.

A expansão dos portugueses no mundo representou sobretudo obra de prudência, de juízo discreto, de entendimento "que experiências fazem repousado". E parece certo que assim foi desde o primeiro ato, apesar de todas as galas poéticas em que se tem procurado envolver, por exemplo, a conquista de Ceuta.[108] Uma coragem sem dúvida obstinada, mas raramente descomedida, constitui traço comum de todos os grandes marinheiros lusitanos, exceção feita de Magalhães.

A grandeza heróica de seus cometimentos e a importância universal e duradoura do alto pensamento que os presidia, é claro que foram vivamente sentidas, e desde cedo, pelos portugueses. A idéia de que superavam mesmo as lendárias façanhas de gregos e romanos impõe-se como verdadeiro lugar-comum de toda a sua literatura quinhentista. Mas é significativo, ao mesmo tempo, que essa exaltação literária caminhe em escala ascendente na medida em que se vai tornando tangível o descrédito e o declínio do poderio português. É uma espécie de engrandecimento retrocessivo e de intenção, quase pedagógica, o que vamos encontrar, por exemplo, nas páginas do historiador João de Barros. E a "fúria grande e sonorosa" de Luís de Camões só há de ser bem compreendida se, ao lado dos *Lusíadas*, lermos o *Soldado Prático* de Diogo do Couto que fornece, se não um quadro perfeitamente fiel, ao menos o reverso necessário daquela grandiosa idealização poética.

De nenhuma das maiores empresas ultramarinas dos portugueses parece lícito dizer, aliás, que foi verdadeiramente popular no Reino. O próprio descobrimento do caminho da Índia, é notório que o decidiu el-rei contra vontade expressa dos seus conselheiros. A estes parecia imprudente largar-se o certo pelo vago ou problemático. E o certo, nas palavras de Damião de Góis, eram o pacífico trato da Guiné e a honrosa conquista dos lugares

---

108 Contra os exageros de Oliveira Martins acerca da tomada de Ceuta, convém ler o "Ensaio de interpretação não romântica do texto de Azurara", de autoria de Antônio Sérgio, *Ensaios*, I (Rio de Janeiro, s. d., [1920]), 281 s., onde se procura mostrar como a empresa nasceu menos de um pensamento de Cavalaria do que das exigências de uma burguesia de cunho cosmopolita.

de África, para ganho dos mercadores, proveito das rendas do Reino e exercício de sua nobreza.

Mais tarde, quando o cheiro da canela indiana começa a despovoar o Reino, outras razões se juntam àquelas para condenar a empresa do Oriente. É que o cabedal rapidamente acumulado ou a esperança dele, costuma cegar os indivíduos a todos os benefícios do esforço produtivo, naturalmente modesto e monótono, de modo que só confiam verdadeiramente no acaso e na boa fortuna.

A funesta influência que sobre o ânimo dos portugueses teriam exercido as conquistas ultramarinas é, como se sabe, tema constante dos poetas e cronistas do Quinhentos. E não deve ser inteiramente fortuito o fato de essa influência ter coincidido, em geral, com o processo de ascensão da burguesia mercantil, que se impusera já com a casa de Avis, mas recrudesceu sensivelmente desde que D. João II conseguiu abater a arrogância dos homens de solar.

A relativa infixidez das classes sociais fazia com que essa ascensão não encontrasse, em Portugal, forte estorvo, ao oposto do que sucedia ordinariamente em terras onde a tradição feudal criara raízes fundas e onde, em conseqüência disso, era a estratificação mais rigorosa. Como nem sempre fosse vedado a netos de mecânicos alçarem-se à situação dos nobres de linhagem e misturarem-se a eles, todos aspiravam à condição de fidalgos.

O resultado foi que os valores sociais e espirituais, tradicionalmente vinculados a essa condição, também se tornariam apanágio da burguesia em ascensão. Por outro lado, não foi possível consolidarem-se ou cristalizarem-se padrões éticos muito diferentes dos que já preexistiam para a nobreza, e não se pôde completar a transição que acompanha de ordinário as revoluções burguesas para o predomínio de valores novos.

À medida em que subiam na escala social, as camadas populares deixavam de ser portadoras de sua primitiva mentalidade de classe para aderirem à dos antigos grupos dominantes. Nenhuma das "virtudes econômicas" tradicionalmente ligadas à burguesia pôde, por isso, conquistar bom crédito, e é característico dessa circunstância o sentido depreciativo que se associou em português a palavras tais como *traficante* e sobretudo *tratante*, que a princípio, e ainda hoje em castelhano, designam simplesmente e sem qualquer labéu, o homem de negócios. Boas para genoveses, aquelas virtudes—diligência pertinaz, parcimônia, exatidão, pontualidade, solidariedade social...—nunca se acomodariam perfeitamente ao gosto da gente lusitana.[109]

109 V. nota 3 ao fim do capítulo: *Aversão às Virtudes Econômicas.*

A "nobreza nova" do Quinhentos era-lhes particularmente ad versa. Não só por indignas de seu estado como por evocarem talvez, uma condição social, a dos mercadores citadinos, a que ela se achava ligada de algum modo pela origem, não pelo orgulho. De onde seu afã constante em romper os laços com o passado, na medida em que o passado lhe representava aquela origem, e ao mesmo tempo, de robustecer em si mesma, com todo ardor dos neófitos, o que parecesse atributo inseparável da nobreza genuína.

Esta hipertrofia dos ideais autênticos ou supostos da classe nobre responderia, no caso, à necessidade de compensar interiormente e para os demais uma integração imperfeita na mesma classe. A invenção e a imitação tomaram o lugar da tradição como princípio orientador, sobretudo no século XVI, quando se tinham alargado as brechas nas barreiras já de si pouco sólidas que, em Portugal, separavam as diferentes camadas da sociedade. Através das palavras do soldado prático pode-se assistir ao desfile daqueles capitães que se vão, aos poucos, desapegando dos velhos e austeros costumes e dando moldura vistosa à nova consciência de classe. É assim que desaparecem de cena os famosos veteranos de barbas pelos joelhos, calções curtos, chuça ferrugenta na mão ou besta às costas. Os que agora surgem só querem andar de capa debruada de veludo, gibão e calças do mesmo estofo, meias de retrós, chapéus com fitas de ouro, espada e adaga douradas, topete muito alto e barba tosada ou inteiramente rapada. Com isso se vai perdendo o antigo brio e valor dos lusitanos, pois, conforme ponderou um deles, "a guerra não se faz com invenções, senão com fortes corações; e nehũa coisa deita mais a perder os grandes imperios, que a mudança de trajos e de leis".[110]

Diogo do Couto desejaria os seus portugueses menos permeáveis às inovações, mais fiéis ao ideal de imobilidade que fizera, no seu entender, a grandeza duradoura de outros povos, como o veneziano ou o chinês. A nova nobreza parece-lhe, e com razão, uma simples caricatura da nobreza autêntica, que é, em essência, conservadora. O que prezam acima de tudo os fidalgos quinhentistas são as aparências ou exterioridades por onde se possam distinguir da gente humilde.

Pondo todo o garbo nos enfeites que sobre si trazem, o primeiro cuidado deles é tratar de garantir bem aquilo de que fazem tamanho cabedal. E como só querem andar em palanquins, já não usam cavalos e assim desaprendem a arte da equitação, tão necessária aos misteres da guerra.[111] Os próprios jogos e tor-

---

110 Diogo do Couto, *O Soldado Prático* (Lisboa, 1937), pág. 144 e seg.
111 Diogo do Couto, *op. cit.*, pág. 219.

neios, que pertencem à melhor tradição da aristocracia e que os antigos tinham criado para que "o uso das armas nam se perdesse", segundo já dissera el-Rei D. João I,[112] começavam a fazer-se mais cheios de aparato do que de perigos.

E se muitos ainda não ousavam trocar a milícia pela mercancia que é profissão baixa, trocavam-na pela toga e também pelos postos da administração civil e empregos literários, de modo que conseguiam resguardar a própria dignidade, resguardando, ao mesmo tempo, a própria comodidade. O resultado era que, até em terras cercadas de inimigos, como a Índia, onde cumpre andar sempre de espada em punho, se metiam "varas em lugar de lanças, leis em lugar de arneses, escrivães em lugar de soldados", e tornavam-se correntes, mesmo entre iletrados, expressões antes desusadas, como *libelo, contrariedade, réplica, tréplica, dilações, suspeições* e outras do mesmo gosto e qualidade.[113]

Sobre essa paisagem de decadência, deve situar-se como sobre um cenário que, ao mesmo tempo, a completa e aviva pelo contraste, não só a exasperação nativista de um Antônio Ferreira, mas até, e principalmente, o "som alto e sublimado" dos *Lusíadas*. Em Camões, a tinta épica de que se esmaltavam os altos feitos lusitanos não corresponde tanto a uma aspiração generosa e ascendente, como a uma retrospecção melancólica de glórias extintas. Nesse sentido cabe dizer que o poeta contribuiu antes para desfigurar do que para fixar eternamente a verdadeira fisionomia moral dos heróis da expansão ultramarina.

A tradição portuguesa, longe de manifestar-se no puro afã de glórias e na exaltação grandíloqua das virtudes heróicas, parece exprimir-se, ao contrário, no discreto uso das mesmas virtudes. E se Camões encontrou alguma vez o timbre adequado para formular essa tradição, foi justamente nas oitavas finais de sua epopéia, em que aconselha D. Sebastião a favorecer e levantar os mais experimentados que sabem "o como, o quando e onde as coisas cabem", e enaltece a disciplina militar que se aprende pela prática assídua—"vendo, tratando, pelejando"—e não pela fantasia—"sonhando, imaginando ou estudando".

Para esse modo de entender ou de sentir, não são os artifícios, nem é a imaginação pura e sem proveito, ou a ciência, que podem sublimar os homens. O crédito há de vir pela mão da natureza, como um dom de Deus, ou pelo exercício daquele bom senso amadurecido na experiência, que faz com que as obras humanas tenham mais de natureza do que de arte. Já observara o velho Sá de Miranda que

---

[112] D. João I, *Livro da Montaria* feito por ....., rei de Portugal (Coimbra, 1918), pág. 8.
[113] Diogo do Couto, *op. cit.*, pág. 157.

*Pouco por força podemos,*
*isso que é, por saber veio,*
*todo o mal jaz nos extremos,*
*o bem todo jaz no meio.*

E um século antes, el-Rei D. Duarte tinha colocado acima da "vontade espiritual", a "vontade perfeita", sobre a qual "faz fundamento a real prudência", dizendo preferir os que seguem o "juizo da razom e do entender", "caminho da discrição, que em nossa linguagem chamamos verdadeiro siso", aos que andam em feitos de cavalaria, "pondo-se a todos os perigos e trabalhos que se lhes oferecem, nom avendo resguardo aos que, segundo seu estado e poder lhe som razoados", que tudo quanto lhes apraz seguem "destemperadamente, que nom teem cuidado de comer, dormir, nem de folgança ordenada que o corpo naturalmente requer".[114]

A essas regras de tranqüila moderação, isentas de rigor e já distanciadas em muitos pontos dos ideais aristocráticos e feudais, ainda se mostra fiel o filho do Mestre de Avis, quando aconselha o leitor de seu tratado, para bom regimento da consciência, a que "nom se mova sem certo fundamento, nem cure de sinais, sonhos, nem topos de verdade..."[115] Nisso mostra-se representante exemplar desse realismo que repele abstrações ou delírios místicos, que na própria religião se inclina para as devoções mais pessoais, para as manifestações mais tangíveis da divindade. E se é certo que na literatura medieval portuguesa surge com insistência característica o tema da dissonância entre o indivíduo e o mundo, e até o comprazer-se nela, não é evidente que essa mesma dissonância já implica uma imagem afirmativa, um gosto pelo mundo e pela vida? Longe de corresponder a uma atitude de perfeito desdém pela sociedade dos homens, o apartar-se deles, nestes casos, significa, quase sempre, incapacidade para abandonar inteiramente os vãos cuidados terrenos. O próprio Amadis, modelo de valor e espelho de cortesia, não consegue tornar-se um anacoreta genuíno no ermo da Penha Pobre, porque tem a acompanhar todos os seus pensamentos e obras, a lembrança indelével de Oriana.

Na lírica dos antigos cancioneiros, onde vamos encontrar essa atitude em estado bruto, as efusões do coração, as evocações ternas ou sombrias, as malogradas aspirações, as imprecações, os desenganos, jamais se submeterão àquelas construções impessoais que admirariam mais tarde os artistas do Renascimento e do classicismo, mas compõem um rústico jardim de emoções íntimas.

---

114 Dom Eduarte, *Leal Conselheiro* (Lisboa, 1942), pág. 15.
115 Dom Eduarte, *op. cit.*, pág. 27.

Todo arranjo teórico será insólito aqui, pois os acidentes da experiência individual têm valor único e terminante. Muitos males se escusariam, dirá uma personagem da *Diana* de Jorge de Montemor, e muitas desditas não aconteceriam, *"se nosotros dexassemos de dar crédito a palabras bien ordenadas y razones bien compuestas de corazones libres, porque en ninguna cosa ellos muestran tanto serlo como en saber dezir por orden un mal que, quando es verdadero, no ay cosa mas fuera della"*. Reflexão que representa como um eco desta outra da Menina e Moça: "... de tristezas nam se pode contar nada ordenadamente, porque desordenadamente acõtecem ellas..."[116]

Atribuindo embora caráter positivo e intransferível a tais estados, a poesia portuguesa nunca os levará, nem depois do romantismo, ao ponto de uma total desintegração da personalidade, e nisso mostra bem que ainda pertence ao galho latino e ibérico. Também não se perde nos transes ou desvarios metafísicos, que possam constituir solução para todos os inconformismos. Canta desilusões, mas sem pretender atrair tempestades, invocar o demônio ou fabricar o ouro. A ordem que aceita não é a que compõem os homens com trabalho, mas a que fazem com desleixo e certa liberdade; a ordem do semeador, não a do ladrilhador. É também a ordem em que estão postas as coisas divinas e naturais pois que, já o dizia Antônio Vieira, se as estrelas estão em ordem, "he ordem que faz influência, não he ordem que faça lavor. Não fez Deus o Céu em xadrez de estrêlas..."[117]

A visão do mundo que assim se manifesta, de modo cabal, na literatura, sobretudo na poesia, deixou seu cunho impresso nas mais diversas esferas da atividade dos portugueses, mormente no domínio que em particular nos interessa: o da expansão colonizadora. Cabe observar, aliás, que nenhum estímulo vindo de fora os incitaria a tentar dominar seriamente o curso dos acontecimentos, a torcer a ordem da natureza. E ainda nesse caso será instrutivo o confronto que se pode traçar entre eles e outros povos hispânicos. A fúria centralizadora, codificadora, uniformizadora de Castela, que tem sua expressão mais nítida no gosto dos regulamentos meticulosos—capaz de exercer-se, conforme já se acentuou, até sobre o traçado das cidades coloniais—vem de um povo internamente desunido e sob permanente ameaça de desagregação. Povo que precisou lutar, dentro de suas próprias fronteiras peninsulares, com o problema dos aragoneses, o dos catalães, o dos euscaros e, não só até 1492, mas até 1611, o dos mouriscos.

---

[116] Bernardim Ribeiro e Cristóvão Falcão, *Obras*, II (Coimbra, 1931), pág. 364.
[117] V. nota 4, ao fim do capítulo: *Natureza e Arte*.

Não é assim de admirar se, na medida em que a vocação imperial dos castelhanos vai lançando sua sombra sobre flamengos e alemães, burguinhões e milaneses, napolitanos e sicilianos, muçulmanos da Berberia e índios da América e do Oriente, a projeção da monarquia do Escorial para além das fronteiras e dos oceanos tenha como acompanhamento obrigatório o propósito de tudo regular, ao menos em teoria, quando não na prática, por uma espécie de compulsão mecânica. Essa vontade normativa, produto de uma agregação artificiosa e ainda mal segura, ou melhor, de uma aspiração à unidade de partes tão desconexas, pôde exprimir-se nas palavras de Olivares, quando exortava Filipe IV, Rei de Portugal, de Aragão, de Valência e Conde de Barcelona, a "reduzir todos os reinos de que se compõe a Espanha aos estilos e leis de Castela, pois desse modo há de ser o soberano mais poderoso do mundo".[118] O amor exasperado à uniformidade e à simetria surge, pois, como um resultado da carência de verdadeira unidade.

Portugal, por esse aspecto, é um país comparativamente sem problemas. Sua unidade política, realizara-a desde o século XIII, antes de qualquer outro Estado europeu moderno, e em virtude da colonização das terras meridionais, libertas enfim do sarraceno, fora-lhe possível alcançar apreciável homogeneidade étnica. Essa precoce satisfação de um impulso capaz de congregar todas as energias em vista de um objetivo que transcendia a realidade presente, permitindo que certas regiões mais elevadas da abstração e da formalização cedessem o primeiro plano às situações concretas e individuais —as "árvores que não deixam ver a floresta", segundo o velho rifão—cabe talvez relacionar o "realismo", o "naturalismo" de que deram tamanhas provas os portugueses no curso de sua história.

Explica-se como, por outro lado, o natural conservantismo, o deixar estar—o "desleixo"—pudessem sobrepor-se tantas vezes entre eles à ambição de arquitetar o futuro, de sujeitar o processo histórico a leis rígidas, ditadas por motivos superiores às contingências humanas. Restava, sem dúvida, uma força suficientemente poderosa e arraigada nos corações para imprimir coesão e sentido espiritual à simples ambição de riquezas. Contra as increpações de Paulo Jóvio, que acusava os portugueses de ganancia e falta de escrúpulo no negócio das especiarias, podia o humanista Damião de Góis objetar que os proveitos da mercancia eram necessários para se atenderem às despesas com guerras imprevistas na propagação da fé católica. E se abusos houvesse, caberia toda culpa aos mercadores, bufarinheiros e regatões, para

---

[118] Henri Hauser, *La Préponderance Espagnole* (Paris, 1940), pág. 328.

os quais nenhuma lei existe além da que favorece sua ambição de ganho.

Mas essa escusa piedosa não impede que, ao menos nas dependências ultramarinas de Portugal, quando não na própria metrópole, o catolicismo tenha acompanhado quase sempre o relaxamento usual. Estreitamente sujeita ao poder civil, a Igreja Católica, no Brasil em particular, seguiu-lhe também estreitamente as vicissitudes e circunstâncias. Em conseqüência do grão--mestrado da Ordem de Cristo, sobretudo depois de confirmada em 1551 por Sua Santidade o Papa Júlio III, na bula *Praeclara carissimi,* sua transferência aos monarcas portugueses com o patronato nas terras descobertas, exerceram estes, entre nós, um poder praticamente discricionário sobre os assuntos eclesiásticos. Propunham candidatos ao bispado e nomeavam-nos com cláusula de ratificação pontifícia, cobravam dízimos para dotação do culto e estabeleciam toda sorte de fundações religiosas, por conta própria e segundo suas conveniências momentâneas. A Igreja transformara-se, por esse modo, em simples braço do poder secular, em um departamento da administração leiga ou, conforme dizia o Padre Júlio Maria, em um *instrumentum regni.*

O fato de os nossos clérigos se terem distinguido freqüentemente como avessos à disciplina social e mesmo ao respeito pela autoridade legal, o célebre "liberalismo" dos eclesiásticos brasileiros de outrora parece relacionar-se largamente com semelhante situação. Como corporação, a Igreja podia ser aliada e até cúmplice fiel do poder civil, onde se tratasse de refrear certas paixões populares; como indivíduos, porém, os religiosos lhe foram constantemente contrários. Não só no período colonial, mas também durante o Império, que manteve a tradição do padroado, as constantes intromissões das autoridades nas coisas da Igreja tendiam a provocar no clero uma atitude de latente revolta contra as administrações.

Essa revolta reflete-se na própria pastoral coletiva do Episcopado brasileiro de março de 1890, que surge quase como um aplauso franco ao regime republicano, implantado quatro meses antes, não obstante lhe seja impossível aprovar, em princípio, as idéias de separação entre a Igreja e o Estado. Nesse documento são ridicularizados os ministros de Estado que ordenavam aos bispos o cumprimento dos cânones do Concílio de Trento nos provimentos das paróquias; que lhes proibiam a saída da diocese sem licença do governo, sob pena de ser declarada a sé vacante e de procederem as autoridades civis à nomeação do sucessor; que exigiam fossem sujeitos à aprovação dos administradores leigos os compêndios de Teologia em que deveriam estudar os alunos dos seminários; que vedavam às ordens regulares o receberem noviços;

que negavam aos vigários o direito de reclamarem velas da banqueta; que fixavam a quem competia a nomeação do porteiro da maça nas catedrais. Referindo-se, por fim, aos efeitos do padroado, em que se firmava essa posição de inconteste supremacia do poder temporal, conclui a pastoral: "Era uma proteção que nos abafava".

Pode-se acrescentar que, subordinando indiscriminadamente clérigos e leigos ao mesmo poder por vezes caprichoso e despótico, essa situação estava longe de ser propícia à influência da Igreja e, até certo ponto, das virtudes cristãs na formação da sociedade brasileira. Os maus padres, isto é, negligentes, gananciosos e dissolutos, nunca representaram exceções em nosso meio colonial. E os que pretendessem reagir contra o relaxamento geral, dificilmente encontrariam meios para tanto. Destes, a maior parte pensaria como o nosso primeiro bispo, que em terra tão nova, "muitas mais coisas se ão de dessimular que castigar..."[119]

NOTAS AO CAPÍTULO IV

*1. PÁG. 65.—VIDA INTELECTUAL NA AMÉRICA ESPANHOLA E NO BRASIL.*

O DESAPARECIMENTO de vários arquivos universitários, como os de Lima e Chuquisaca, é uma das razões da falta de dados precisos sobre o número de estudantes diplomados por esses estabelecimentos. Contudo não seria exagerada a estimativa feita por um historiador, que avalia em cerca de 150.000 o total para toda a América Espanhola. Só da Universidade do México sabe-se com segurança que, no período entre 1775 e a independência, saíram 7.850 bacharéis e 473 doutores e licenciados.[120] É interessante confrontar este número com o dos naturais do Brasil graduados durante o mesmo período (1775-1821) em Coimbra, que foi dez vezes menor, ou exatamente 720.[121]

Igualmente surpreendente é o contraste entre as Américas Espanhola e Portuguesa no que respeita à introdução de outro importante instrumento de cultura: a imprensa. Sabe-se que, já em 1535, se imprimiam livros na Cidade do México e que quatro anos mais tarde se instalava ali a oficina do lombardo Giovanni Paoli ou Juan Pablos, agente do impressor alemão João Gronberger, de Sevilha.

---

119 "Carta do Bispo do Salvador (1552)", *Hist. da Col. Port.*, cit., III, pág. 364.

120 John Tate Lane, "The Transplantation of the Scholastic University". *University of Miami Hispanic-American Studies*, I (Coral Gables, Flórida, XI, 1939), pág. 29.

121 "Estudantes Brasileiros na Universidade de Coimbra", *Anais da Biblioteca Nacional do Rio de Janeiro*, LXII (Rio de Janeiro, 1942), pág. 141 e segs.

Da Nova Espanha a arte tipográfica é levada, ainda em fins do século XVI, para Lima, datando de 1584 a autorização para se estabelecer oficina impressora na capital peruana.

Em todas as principais cidades da América Espanhola existiam estabelecimentos gráficos por volta de 1747, o ano em que aparece no Rio de Janeiro, para logo depois ser fechada, por ordem real, a oficina de Antônio Isidoro da Fonseca.[122] A carta régia de 5 de julho do referido ano, mandando seqüestrar e devolver ao Reino, por conta e risco dos donos, as "letras de imprensa" alega não ser conveniente que no Estado do Brasil "se imprimão papeis no tempo presente, nem ser utilidade aos impressores trabalharem no seu ofício aonde as despesas são maiores que no Reino, do qual podem hir impressos os livros e papeis no mesmo tempo em que d'elles devem hir as licenças da Inquizição e do meu Conselho Ultramarino, sem as quaes se não podem imprimir nem correrem as obras...".

Antes de iniciado o século XIX, em que verdadeiramente se introduziu a imprensa no Brasil, com a vinda da Corte Portuguesa, o número de obras dadas à estampa só na cidade do México, segundo pôde apurar José Toribio Medina, elevou-se a 8.979, assim distribuídas:

| | | |
|---|---|---|
| Século XVI | ..................... | 251 |
| Século XVII | ..................... | 1.838 |
| Século XVIII | ..................... | 6.890 |

Em começo do século XIX, até 1821, publicaram-se na cidade do México mais 2.673 obras, o que eleva a 11.652 o total saído das suas oficinas durante o período colonial.

Não é de admirar se, já em fins do século XVIII, se inicia ali a imprensa periódica americana com a publicação, a partir do ano de 1671, da primeira *Gaceta*, que saiu da loja de Bernardo Calderón.

Posto que menos considerável do que a do México, a bibliografia limenha é, ainda assim, digna de registro. Medina pôde assinalar, conhecidos *de visu* ou através de referências fidedignas, 3.948 títulos de obras saídas das oficinas da capital peruana entre os anos de 1584 e 1824.

Acerca da imprensa colonial na América Espanhola, merece ser consultado, entre os mais recentes, o excelente e exaustivo estudo de José Torres Rovello, *Orígenes de la Imprenta en España y su desarrollo en América Española*, Buenos Aires, 1940. Do mesmo autor existe outro trabalho relacionado mais particularmente com a legislação sobre o livro e a imprensa na América Espanhola: *El Libro, La Imprenta y El Periodismo en América durante la Dominación Española*, Buenos Aires, 1940. Interessantes e profusamente

---

122 Foi essa, ao que se sabe, a primeira oficina de impressão instalada no Brasil. Recentemente, compulsando documentos inéditos da Companhia de Jesus, pôde apurar entretanto Serafim Leite que entre os livros da biblioteca do Colégio dos Jesuítas do Rio de Janeiro havia "alguns impressos na própria casa por volta de 1724"... Com isso ficaria estabelecida a primazia cronológica dos jesuítas no estabelecimento das artes gráficas na América Portuguesa. Primazia a que não se deve contudo atribuir extraordinária importância se, conforme comenta o ilustre historiador, esses livros eram compostos "para uso privado do Colégio e dos padres".—Serafim Leite, *História da Companhia de Jesus no Brasil*, VI (Rio de Janeiro, 1945), pág. 26.

ilustrados são os estudos publicados na revista *Mexican Art and Life* n.º 7, de julho de 1939, dedicados ao IV centenário da introdução da imprensa no México, especialmente o de Frederico Gomez de Orozco, intitulado *Mexican Books in the Seventeenth Century*. Assim como o trabalho de Ernst Wittich, *Die Erste Drückerei in Amerika*, publicado no *Ibero-Amerikanisches Archiv*, Berlim, abril de 1938, págs. 68-87.

Os entraves que ao desenvolvimento da cultura intelectual no Brasil opunha a administração lusitana, faziam parte do firme propósito de impedir a circulação de idéias novas que pudessem pôr em risco a estabilidade de seu domínio. E é significativo que apesar de sua maior liberalidade na admissão de estrangeiros capazes de contribuir com seu trabalho para a valorização da colônia, tolerassem muito menos aqueles cujo convívio pudesse excitar entre os moradores do Brasil pensamentos de insubordinação e rebeldia. É bem conhecido, a esse respeito, o caso da ordem expedida, já na aurora do século XIX, pelo príncipe-regente, aos governadores das capitanias do Norte, até ao Ceará, para que atalhassem a entrada em terras da Coroa de Portugal de "um tal Barão de Humboldt, natural de Berlim", por parecer suspeita a viagem e "sumamente prejudicial aos interesses políticos" da mesma Coroa.[123]

Há notícia de que, sabedor da ordem, se apressou o Conde da Barca em interceder junto ao príncipe-regente em favor de Alexandre Humboldt. É pelo menos o que consta de carta que a este dirigiu, em 1848, Eschwege, onde se relata com pormenores o fato ocorrido quase meio século antes. À margem da cópia da ordem citada, que lhe enviou juntamente o autor do *Pluto Brasiliensis*, escreveu Humboldt do próprio punho, com data de 1854, as palavras seguintes: "Desejo que este documento seja publicado depois de minha morte".

Sobre o mesmo assunto é interessante o trecho do diário de Varnhagen de Ense, correspondente a 11 de agosto de 1855, que vai a seguir traduzido: "Humboldt foi ultimamente condecorado com a grande ordem brasileira em virtude de sentença arbitral que proferiu num litígio entre o Brasil e a Venezuela.[124] Valera seu parecer, ao Império, uma porção apreciável de território.

—Em outros tempos, no Rio de Janeiro, quiseram prender-me e mandar-me de volta à Europa como espião perigoso, e o aviso baixado nesse sentido é exibido por lá como objeto de curiosidade. Hoje fazem-me juiz. É evidente que eu só poderia decidir em favor do Brasil, pois necessitava de uma condecoração, coisa que não existe na república da Venezuela!

Interrompi essas palavras, ditas com jovial ironia:

—Como tudo muda!

—É isso mesmo—retrucou Humboldt.—A ordem de prisão primeiro; depois a comenda".[125]

---

123 O texto da ordem expedida ao governador do Grão-Pará pode ler-se em nota de R. Garcia à 3.ª ed. da *História Geral do Brasil* do Visconde de Porto Seguro, V (São Paulo, s. d.), págs. 93-95, bem assim como a notícia sobre a viagem de Humboldt publicada na *Gazeta de Lisboa* de 13 de maio de 1800 e que deu motivo à proibição.

124 A Grã-Cruz da Imperial Ordem da Rosa foi concedida a 31 de março de 1855, ao Barão de Humboldt, que acabava de apresentar ao governo uma memória sobre os limites do Império pelo lado do Norte. Barão do Rio Branco, *Efemérides Brasileiras* (Rio de Janeiro, 1946), pág. 184.

125 Julius Löwenberg, "Alexander von Humboldt. Sein Reiseleben in

## 2. PÁG. 68—A LÍNGUA-GERAL EM S. PAULO.

O assunto, que tem sido ultimamente objeto de algumas controvérsias, foi tratado pelo autor no *Estado de S. Paulo* de 11 e 18 de maio e 13 de junho de 1945, em artigos cujo texto se reproduz, a seguir, quase na íntegra.

Admite-se, em geral, sobretudo depois dos estudos de Teodoro Sampaio, que ao bandeirante, mais talvez do que ao indígena, se deve nossa extraordinária riqueza de topônimos de procedência tupi. Mas admite-se sem convicção muito arraigada, pois parece evidente que uma população "primitiva", ainda quando numerosa, tende inevitavelmente a aceitar os padrões de seus dominadores mais eficazes.

Não faltou, por isso mesmo, quem opusesse reservas a um dos argumentos invocados por Teodoro Sampaio, o de que os paulistas da era das bandeiras se valiam do idioma tupi em seu trato civil e doméstico, exatamente como os dos nossos dias se valem do português.

Esse argumento funda-se, no entanto, em testemunhos precisos e que deixam pouco lugar a hesitações, como o é o do Padre Antônio Vieira, no célebre voto que proferiu acerca das dúvidas suscitadas pelos moradores de São Paulo em torno do espinhoso problema da administração do gentio. "É certo—sustenta o grande jesuíta—é certo que as famílias dos portuguezes e indios de São Paulo estão tão ligadas hoje humas ás outras, que as mulheres e os filhos se criam mystica e domesticamente, e a lingua que nas ditas familias se fala he a dos indios, e a portugueza a vão os meninos aprender à escola..."[126]

Não se diga que tal afirmação, vinda de quem veio, pudesse ter sido uma invenção piedosa, destinada a abonar o parecer dos adversários da entrega do gentio a particulares e partidários do regime das aldeias, onde, no espiritual, pudessem os índios ser doutrinados e viver segundo a lei da Igreja. Era antes um escrúpulo e dificuldade, que tendia a estorvar o parecer de Vieira, pois "como desunir esta tão natural união", sem rematada crueldade para com os que "assim se criaram e há muitos anos vivem"?

Tentando precaver-se contra semelhante objeção, chega a admitir o jesuíta que se os índios ou índias tivessem realmente tamanho amor aos seus chamados senhores, que quisessem ficar com êles por espontânea vontade, então ficassem, sem outra qualquer obrigação além desse amor, que é o cativeiro mais doce e a liberdade mais livre.

Que Vieira, conhecendo apenas de informações o que se passava em S. Paulo, tenha sido levado facilmente a repetir certas fábulas que, entre seus próprios companheiros de roupeta, correriam a respeito dos moradores da capitania sulina, não é contudo improvável. Caberia, por conseguinte, ao lado do seu, coligir outros depoimentos contemporâneos sobre o assunto e verificar até onde possam eles ter sido expressão da verdade.

O empenho que mostraram constantemente os paulistas do século XVII em que fossem dadas as vigararias da capitania, de preferência a naturais dela, pode ser atribuído ao mesmo nativismo

---

Amerika und Asien", *Alexander von Humboldt. Eine Wissenschafliche Biographie, bearbeitet und herausgegeben von Karl Bruhns*, I (Leipzig, 1872), pág. 463.

126 P. Antônio Vieira, *Obras Várias*, I (Lisboa, 1856), pág. 249.

que iria explodir mais tarde na luta dos emboabas. Mas outro motivo plausível é apresentado mais de uma vez em favor de semelhante pretensão: o de que os religiosos procedentes de fora, desconhecendo inteiramente a língua da terra, se entendiam mal com os moradores.

É explícita, a propósito, uma exposição que, isso já em 1725, enviaram a el-Rei os camaristas de São Paulo.[127] E em 1698, ao solicitar de Sua Majestade que o provimento de párocos para as igrejas da repartição do Sul recaísse em religiosos conhecedores da língua-geral dos índios, o Governador Artur de Sá e Meneses exprimia-se nos seguintes termos: "... a mayor parte daquella Gente se não explica em outro ydioma, e principalmente o sexo feminino e todos os servos, e desta falta se experimenta irreparavel perda, como hoje se ve em São Paulo com o nouo Vigario que veio provido naquella Igreja, o qual ha mister quem o interprete..."[128]

Que entre mulheres principalmente o uso da língua-geral tivesse caráter mais exclusivista, eis uma precisão importante, que o texto citado vem acrescentar às informações de Vieira. Mais estreitamente vinculada ao lar do que o homem, a mulher era aqui, como o tem sido em toda parte, o elemento estabilizador e conservador por excelência, o grande custódio da tradição doméstica. E a tradição que no caso particular mais vivaz se revela, é precisamente a introduzida na sociedade dos primeiros conquistadores e colonos pelas cunhãs indígenas que com eles se misturaram.

Em favor da persistência de semelhante situação em São Paulo através de todo o século XVII deve ter agido, em grau apreciável, justamente o lugar preeminente que ali ocuparia muitas vezes o elemento feminino. Casos como o de uma Inês Monteiro, a famosa *Matrona* de Pedro Taques, que quase sem auxílio se esforçou por segurar a vida do filho e de toda sua gente contra terríveis adversários, ajudam a fazer idéia de tal preeminência. Atraindo periodicamente para o sertão distante parte considerável da população masculina da capitania, o bandeirismo terá sido uma das causas indiretas do sistema quase matriarcal a que ficavam muitas vezes sujeitas as crianças antes da idade da doutrina e mesmo depois. Na rigorosa reclusão caseira, entre mulheres e serviçais, uns e outros igualmente ignorantes do idioma adventício, era o da terra que teria de constituir para elas o meio natural e mais ordinário de comunicação.

Num relatório escrito por volta de 1692 dizia o Governador Antônio Pais de Sande das mulheres paulistas que eram "formosas e varonis, e he costume alli deixarem seus maridos à sua disposição o governo das casas e das fazendas..." Linhas adiante acrescentava ainda que "os filhos primeiro sabem a lingua do gentio do que a materna..."[129] Isto é a portuguesa.

Um século depois de Antônio Vieira, de Artur de Sá e Meneses, de Antônio Pais de Sande, condição exatamente idêntica à que, segundo seus depoimentos, teria prevalecido no S. Paulo do último decênio seiscentista, será observada por Dom Félix de Azara em Curuguati, no Paraguai. Ali também as mulheres falavam só o gua-

---

127 "Ordens Régias", *Revista do Arquivo Municipal*, XXI (São Paulo, 1936), pág. 114 e seg.

128 "Cartas de Artur de Sá e Meneses a el-Rei...", *Revista do Instituto Histórico e Geográfico de São Paulo*, XVIII (São Paulo, 1913), pág. 354.

129 "Relatório do Governador Antônio Pais de Sande..., *Anais da Biblioteca do Rio de Janeiro*, XXXIX (Rio de Janeiro, 1921), pág. 199.

rani e os homens não se entendiam com elas em outra língua, pôsto que entre si usassem por vezes do castelhano. Essa forma de bilingüismo desaparecia, entretanto, em outras partes do Paraguai, onde todos, homens e mulheres, indiscriminadamente, só se entendiam em guarani, e apenas os mais cultos sabiam o espanhol.

Deve-se notar, de passagem, que ao mesmo Azara não escaparam as coincidências entre o que lhe fora dado observar no Paraguai e o que se afirmava dos antigos paulistas. *"Lo mismo—escreve—ha succedido exatamente en la imensa provincia de San Pablo, donde los portugueses, habiendo olvidado su idioma, no hablan sino el Guarani".*[130]

Ao tempo em que redigia suas notas de viagem, essa particularidade, no que diz respeito a São Paulo, já pertencia ao passado, mas permaneceria viva na memória dos habitantes do Paraguai e do Prata castelhanos, terras tantas vezes ameaçadas e trilhadas pelos antigos bandeirantes.

Sobre os testemunhos acima citados pode dizer-se que precisamente seu caráter demasiado genérico permitiria atenuar, embora sem destruir de todo, a afirmação de que entre paulistas do século XVII fosse corrente o uso da língua-geral, mais corrente, em verdade, do que o do próprio português. Nada impede, com efeito, que esses testemunhos aludissem sobretudo às camadas mais humildes (e naturalmente as mais numerosas) do povo, onde a excessiva mistura e a convivência de índios quase impunham o manejo constante de seu idioma.

Que os paulistas das classes educadas e mais abastadas também fossem, por sua vez, muito versados na língua-geral do gentio, comparados aos filhos de outras capitanias, nada mais compreensível, dado seu gênero de vida. Aliás não é outra coisa o que um João de Laet, baseando-se, este certamente, em informações de segunda mão, dá a entender em sua história do Novo Mundo, publicada em 1640. Depois de referir-se ao idioma tupi, que no seu parecer é fácil, copioso e bem agradável, exclama o então diretor da Companhia das Índias Ocidentais: *"Or les enfants des Portugais nés ou eslevés de jeunesse dans ces Provinces, le sçavent comme le leur propre, principalement dans le gouvernement de St Vincent..."*[131]

Outros dados ajudam, no entanto, a melhor particularizar a situação a que se referem os já mencionados depoimentos. Um deles é o inventário de Brás Esteves Leme, publicado pelo Arquivo do Estado de São Paulo. Ao fazer-se o referido inventário, o juiz de órfãos precisou dar juramento a Álvaro Neto, prático na língua da terra, a fim de poder compreender as declarações de Luzia Esteves, filha do defunto, "por não saber falar bem a língua portuguesa".[132]

Cabe esclarecer que o juiz de órfãos era, neste caso, Dom Francisco Rendon de Quebedo, morador novo em São Paulo, pois aqui chegara depois de 1630 e o inventário em questão data de 36. Isso explica como, embora residente na capitania, tivesse ele necessidade de intérprete para uma língua usual entre a população.

O exemplo de Luzia Esteves não será, contudo, dos mais convincentes, se considerarmos que, apesar de pertencer, pelo lado pater-

---

130 D. Félix de Azara, *Viajes por la América del Sur* (Montevidéu, 1850), pág. 210.

131 Jean de Laet, *Histoire du Nouveau Monde ou Description des Indes Occidentales* (Leide, 1640), pág. 478.

132 *Inventários e Testamentos*, X (São Paulo, 1921), pág. 328.

no, à gente principal da terra, era ela própria mamaluca de primeiro grau.

Mais importante, sem dúvida, para elucidar-se o assunto é o caso de Domingos Jorge Velho, o vencedor dos Palmares e desbravador do Piauí. Na ascendência do grande régulo parnaibano o elemento português predomina francamente, embora, para acompanhar a regra, não isento de mestiçagem com o gentio pois, se não falham os genealogistas, foi tetraneto, por um lado, da filha de Piquerobi e, por outro, da tapuia anônima de Pedro Afonso.

Não deixa, assim, de ser curioso que, tendo de tratar com o bispo de Pernambuco no sítio dos Palmares, em 1697, precisasse levar intérprete, "porque nem falar sabe", diz o bispo. E ajunta: "nem se diferença do mais barbaro Tapuia mais que em dizer que he Christão, e não obstante o haver se casado de pouco lhe assistem sete Indias Concubinas, e daqui se pode inferir como procede no mais".[133]

Um estorvo sério à plena aceitação desse depoimento estaria no fato de se conhecerem, escritas e firmadas de próprio punho por Domingos Jorge, diversos documentos onde se denuncia certo atilamento intelectual que as linhas citadas não permitem supor. Leiam-se, por exemplo, no mesmo volume onde vêm reproduzidas as declarações do bispo de Pernambuco, as palavras com que o famoso caudilho procura escusar e até exaltar o comportamento dos sertanistas preadores de índios, em face das acres censuras que tantas vezes lhes endereçaram os padres da Companhia.

Primeiramente, observa, as tropas de paulistas não são de gente matriculada nos livros de Sua Majestade, nem obrigada por soldo ou pão de munição. Não vão a cativar, mas antes a reduzir ao conhecimento da civil e urbana sociedade um gentio brabo e comedor de carne humana. E depois, se esses índios ferozes são postos a servir nas lavras e lavouras, não entra aqui nenhuma injustiça clamorosa, "pois he para os sustentarmos a eles e aos seus filhos, como a nós e aos nossos", o que, bem longe de significar cativeiro, constitui para aqueles infelizes inestimável serviço, pois aprendem a arrotear a terra, a plantar, a colher, enfim a trabalhar para o sustento próprio, coisa que, antes de amestrados pelos brancos não sabiam fazer.

É esse, segundo seu critério, o único meio racional de se fazer com que cheguem os índios a receber da luz de Deus e dos mistérios da sagrada religião católica, o que baste para sua salvacão eterna, pois, observa, "em vão trabalha quem os quer fazer anjos antes de os fazer homens".

Deixando de parte toda aquela rústica e especiosa pedagogia com que se procura disfarçar o serviço forçado do gentio em benefício de senhores particulares, é impossível desprezar a sentença cabal que aqui se lavra contra o sistema dos padres. Anjos, não homens, é o que pretendem realmente fabricar os inacianos em suas aldeias, sem conseguir, em regra, nem uma coisa, nem outra. Ainda nos dias de hoje é essa, sem dúvida, a mais ponderável crítica que se poderá fazer ao regime das velhas missões jesuíticas.

Permanece intacto, todavia, o problema de saber-se se o "tapuia bárbaro", que nem falar sabia —entenda-se: falar português—terá sido efetivamente autor de tão sutis raciocínios. Restaria, em verdade, o recurso de admitir que, sendo porventura sua a letra com

---

133 "Carta do bispo de Pernambuco..." Ernesto Ennes, *As Guerras dos Palmares*, I (São Paulo), pág. 353.

que foram redigidos os escritos, não o seriam as palavras e, ainda menos, as idéias.

Seja como for, não cabe repelir de todo algumas das afirmações do bispo pernambucano, apesar de sua rancorosa aversão ao bandeirante, que se denuncia da primeira à última linha. No que diz respeito ao escasso conhecimento da língua portuguesa por parte de Domingos Jorge, a carta constitui mais um depoimento, entre muitos outros semelhantes, sobre os paulistas do século XVII. Depoimento que, neste caso especial, pode merecer reparos e reservas, mas que não é lícito pôr de parte.

Além desses testemunhos explícitos, quase todos do século XVII, existe uma circunstância que deve merecer aqui nossa atenção. Se procedermos a um rigoroso exame das alcunhas tão freqüentes na antiga São Paulo verificaremos que, justamente, por essa época, quase todas são de procedência indígena. Assim é que Manuel Dias da Silva era conhecido por "Bixira"; Domingos Leme da Silva era o "Botuca"; Gaspar de Godói Moreira, o "Tavaimana"; Francisco Dias de Siqueira, o "Apuçá"; Gaspar Vaz da Cunha, o "Jaguaretê"; Francisco Ramalho, o "Tamarutaca"; Antônio Rodrigues de Góis, ou da Silva, o "Tripoí". Segundo versão nada inverossímil, o próprio Bartolomeu Bueno deveu aos seus conterrâneos, não aos índios Goiás, que por sinal nem falavam a língua-geral, a alcunha tupi de Anhangüera, provavelmente de ter um olho furado ou estragado. O episódio do fogo lançado a um vaso de aguardente, que anda associado à sua pessoa, Pedro Taques atribuiu-o a outro sertanista, Francisco Pires Ribeiro.

No mesmo século XVII as alcunhas de pura origem portuguesa é que constituem raridade. Um dos poucos exemplos que se podem mencionar é a de "Perna-de-Pau" atribuída a Jerônimo Ribeiro, que morreu em 1693. Não faltam, ao contrário, casos em que nomes ou apelidos de genuína procedência lusa recebem o sufixo aumentativo do tupi, como a espelhar-se, num consórcio às vezes pitoresco, de línguas tão dessemelhantes, a mistura assídua de duas raças e duas culturas. É por esse processo que Mecia Fernandes, a mulher de Salvador Pires, se transforma em Meciuçu. E Pedro Vaz de Barros passa a ser Pedro Vaz Guaçu. Num manuscrito existente na Biblioteca Nacional do Rio de Janeiro lê-se que ao Governador Antônio da Silva Caldeira Pimentel puseram os paulistas o cognome de Casacuçu, porque trazia constantemente uma casaca comprida.[134] Sinal, talvez, de que ainda em pleno Setecentos persistiria, ao menos em determinadas camadas do povo, o uso da chamada língua da terra. E não é um exemplo isolado. Salvador de Oliveira Leme, natural de Itu e alcunhado o "Sarutaia", só vem a morrer em 1802.

Trata-se, porém, já agora de casos isolados, que escapam à regra geral e podem ocorrer a qualquer tempo. O que de fato se verifica, à medida em que nos distanciamos do século XVII, é a freqüência cada vez maior e mais exclusivista de alcunhas portuguêsas como as de "Via-Sacra", "Ruivo", "Orador", "Cabeça do Brasil", e esta, de sabor ciceroniano: "Pai da Pátria". As de origem tupi, predominantes na era seiscentista, é que vão diminuindo, até desaparecerem praticamente por completo. Não parece de todo fortuita a coincidência cronológica desse fato, que sugere infiltração maior e progressiva do sangue reinol na população da Capitania, com os

---

[134] "Sumário dos Senhores Generais que têm governado a Capitania", *Ms. da Biblioteca Nacional do Rio de Janeiro;* I—7, 4, 10.

grandes descobrimentos do ouro das Gerais e o declínio quase concomitante das bandeiras de caça ao índio.

Em que época, aproximadamente, principia a desaparecer, entre moradores do planalto paulista, o uso corrente da língua tupi? Os textos até aqui invocados para indicar o predomínio de tal idioma procedem, em sua grande maioria, do século XVII, conforme se viu, e precisamente do último decênio do século XVII. De 1692 ou 93, pouco mais ou menos, é o relatório de Antônio Pais de Sande. O famoso voto do Padre Antônio Vieira sobre as dúvidas dos moradores da capitania, traz a data de 1694. De 1697 é o depoimento do bispo de Pernambuco acerca de Domingos Jorge Velho. 1693 é o ano da carta do Governador Artur de Sá e Meneses, recomendando que recaísse em sacerdotes práticos na língua do gentio o provimento de párocos em São Paulo, assim como em todo o território da repartição do Sul.

Nos primeiros tempos da era setecentista ainda aparecem, é certo que menos numerosas, referências precisas ao mesmo fato. Em 1709, segundo documento manuscrito que me acaba de ser amavelmente comunicado pelo mestre Afonso de Taunay, Antônio de Albuquerque Coelho de Carvalho teve ocasião de surpreender uma conversa entre cabos de forças paulistas acampadas perto de Guaratinguetá, cujo teor, desprimoroso para ele e sua gente, o governador emboaba só conseguiu perceber devido a ter sido anteriormente capitão-general do Maranhão, terra onde também era corrente o emprego do tupi. Ou talvez devido à presença, em sua escolta, de algum padre catequista habituado ao trato do gentio.

A textos semelhantes junte-se ainda o significativo testemunho do biógrafo, quase hagiógrafo, do Padre Belchior de Pontes. Este, segundo nos afiança Manuel da Fonseca, dominava perfeitamente o "idioma que aquela gentilidade professava, porque era, naquelles tempos, comum a toda a Comarca..."[135] Tendo-se em consideração que Belchior de Pontes nasceu no ano de 1644, isto quer dizer que a língua do gentio seria usual em toda a capitania pela segunda metade do século XVII.. Já não o era em meados do seguinte, pois o Padre Manuel da Fonseca se refere ao fato como coisa passada. De modo que o processo de integração efetiva da gente paulista no mundo da língua portuguesa pode dizer-se que ocorreu, com todas as probabilidades, durante a primeira metade do século XVIII.

E é possível que, mesmo nessa primeira metade e até mais tarde, não se tivesse completado inteiramente em certos lugares, ou entre algumas famílias mais estremes de contato com novas levas de europeus. Assim se explica como Hércules Florence, escrevendo em 1828, dissesse, no diário da expedição Langsdorff, que as senhoras paulistas, sessenta anos antes—isto é, pelo ano de 1780—conversavam naturalmente na língua-geral brasílica, que era a da amizade e a da intimidade doméstica. "No Paraguai—acrescentava—é comum a todas as classes, mas (como outrora em S. Paulo) só empregada em família, pois com estranhos se fala espanhol".[136]

Observação que se ajusta à de D. Felix de Azara, já citada, e que ainda em nossos dias pode ser verificada não apenas na Re-

---

135 P. Manuel da Fonseca, *Vida do Venerável Padre Belchior de Pontes* (São Paulo, s. d.), pág. 22.
136 Hércules Florence, "Expedição Langsdorff", *Revista do Instituto Histórico e Geográfico Brasileiro*, XXXVIII, 2.ª parte (Rio de Janeiro, 1878), pág. 284.

pública do Paraguai como na província argentina de Corrientes e em partes do Sul do nosso Mato Grosso. Na província de São Paulo, onde chegou no ano de 1825, o próprio Florence pudera ouvir ainda a língua-geral da boca de alguns velhos. Não seria para admirar se isso se desse durante sua demora de mais de um semestre em Porto Feliz, distrito onde fora numerosa a mão-de-obra indígena e onde, segundo se lê nas *Reminiscências* do velho Ricardo Gumbleton Daunt, em princípios do século passado "de portas adentro não se falava senão guarani".[137]

Nos lugares onde escasseavam índios administrados, e era o caso, por exemplo, de Campinas, o português dominava sem contraste. Mesmo em Campinas, porém, havia por aquele tempo quem ainda soubesse falar correntemente o tupi. Gumbleton Daunt, fundando-se em tradição oral, informa que um genro de Barreto Leme, Sebastião de Sousa Pais, era "profundo conhecedor dessa língua...". Poderia acrescentar que, tendo nascido bem antes de 1750, posto que morresse no século seguinte, já centenário, segundo ainda reza a tradição, Sousa Pais era ituano de origem e ascendência, como talvez, a maioria dos principais moradores de Campinas. De terra, por conseguinte, onde tinha sido considerável o número de índios administrados durante grande parte do Setecentos.

A utilização em larga escala de tais índios nos misteres caseiros e na lavoura, enquanto não se generalizava a importação de escravos pretos, deve atribuir-se à menor docilidade com que, em algumas zonas rurais, os habitantes cederam ao prestígio, já então sempre expansivo, da língua portuguesa. Ainda em princípio do século passado, Dona Juana Furquim de Campos, filha de português, não falava sem deixar escapar numerosas palavras do antigo idioma da terra. E isso vinha, segundo informa Francisco de Assis Vieira Bueno, da circunstância de seu pai, estabelecido em Mogi-Guaçu, ter tido ali grande "escravatura indígena por ele domesticada".[138]

Note-se que essa influência da língua-geral no vocabulário, na prosódia e até nos usos sintáxicos de nossa população rural não deixava de exercer-se ainda quando os indígenas utilizados fossem estranhos à grande família Tupi-Guarani: o caso dos Bororo e sobretudo o dos Pareci, que no São Paulo do século XVIII tiveram papel em tudo comparável ao dos Carijó na era seiscentista, a era por excelência das bandeiras. É que domesticados e catequizados de ordinário na língua-geral da costa, não se entendiam com os senhores em outro idioma.

Sabemos que a expansão bandeirante deveu seu impulso inicial sobretudo à carência, em São Paulo, de braços para a lavoura ou antes à falta de recursos econômicos que permitissem à maioria dos lavradores socorrer-se da mão-de-obra africana. Falta de recursos que provinha, por sua vez, da falta de comunicações fáceis ou rápidas dos centros produtores mais férteis, se não mais extensos, situados no planalto, com os grandes mercados consumidores de além-mar.

Ao oposto do que sucedeu, por exemplo, no Nordeste, as terras

137 Ricardo Gumbleton Daunt, "Reminiscências do Distrito de Campinas", *Almanaque Literário de S. Paulo para 1879* (São Paulo, 1878), pág. 189.

138 Francisco de Assis Vieira Bueno, *Autobiografia* (Campinas, 1899), pág. 16; José Jacinto Ribeiro, *Cronologia Paulista*, II, 2.ª parte (São Paulo, 1904), pág. 755 e seg.

apropriadas para a lavoura do açúcar ficavam, em São Paulo, a apreciável distância do litoral, nos lugares de serra acima—pois a exígua faixa litorânea, procurada a princípio pelo europeu, já estava em parte gasta e imprestável para o cultivo antes de terminado o século XVI. O transporte de produtos da lavoura através das escarpas ásperas da Paranapiacaba representaria sacrifício quase sempre penoso e raramente compensador.

Para vencer tamanhas contrariedades impunha-se a caça ao índio. As grandes entradas e os descimentos tinham aqui objetivo bem definido: assegurar a mesma espécie de sedentarismo que os barões açucareiros do Norte alcançavam sem precisar mover o pé dos seus engenhos. Por estranho que pareça, a maior mobilidade, o dinamismo, da gente paulista, ocorre, nesse caso, precisamente em função do mesmo ideal de permanência e estabilidade que, em outras terras, pudera realizar-se com pouco esforço desde os primeiros tempos da colonização.

Mas se é verdade que, sem o índio, os portugueses não poderiam viver no planalto, com ele não poderiam sobreviver em estado puro. Em outras palavras, teriam de renunciar a muitos dos seus hábitos hereditários, de suas formas de vida e de convívio, de suas técnicas, de suas aspirações e, o que é bem mais significativo, de sua linguagem. E foi, em realidade, o que ocorreu.

O que ganharam ao cabo, e por obra dos seus descendentes mestiços, foi todo um mundo opulento e vasto, galardão insuspeitado ao tempo do Tratado de Tordesilhas. O império colonial lusitano foi descrito pelo historiador R. H. Tawney como "pouco mais do que uma linha de fortalezas e feitorias de dez mil milhas de comprido".[139] O que seria absolutamente exato se se tratasse apenas do Império português da era quinhentista, era em que, mesmo no Brasil, andavam os colonos arranhando as praias como caranguejos. Mas já no século XVIII a situação mudará de figura, e as fontes de vida do Brasil, do próprio Portugal metropolitano, se transferem para o sertão remoto que as bandeiras desbravaram. E não será talvez por mera coincidência se o primeiro passo definitivo para a travessia e exploração do continente africano foi dado naquele século por um filho de São Paulo e neto de mamalucos, Francisco José de Lacerda e Almeida. Tão memorável tentativa foi a sua, que passados muitos decênios, ainda se conservava na lembrança dos pretos selvagens, conforme o atestou Livingstone em seu diário.

No trabalho monumental que escreveu sobre o caráter do descobrimento e conquista da América pelos europeus, Georg Friederici teve estas palavras acerca da ação das bandeiras: "Os descobridores, exploradores, conquistadores do interior do Brasil não foram os portugueses, mas os brasileiros de puro sangue branco e muito especialmente brasileiros mestiços, mamalucos. E também, unidos a eles, os primitivos indígenas da terra. Todo o vasto sertão do Brasil foi descoberto e revelado à Europa, não por europeus, mas por americanos".[140]

Não penso em tudo com o etnólogo e historiador alemão onde parece diminuir por sistema o significado da obra portuguesa nos descobrimentos e conquistas, contrastando-a com a de outros po-

[139] R. H. Tawney, *Religion and the Rise Of Capitalism* (Londres, 1936), pág. 72.
[140] Georg Friederici, *Der Charakter der Entdeckung und Eroberung Amerikas durch die Europäer*, II (Stuttgart, 1936), pág. 220.

vos. Acredito mesmo que, na capacidade para amoldar-se a todos os meios, em prejuízo, muitas vezes, de suas próprias características raciais e culturais, revelou o português melhores aptidões de colonizador do que os demais povos, porventura mais inflexivelmente aferrados às peculiaridades formadas no Velho Mundo. E não hesitaria mesmo em subscrever pontos de vista como o recentemente sustentado pelo Sr. Júlio de Mesquita Filho, de que o movimento das bandeiras se enquadra, em substância, na obra realizada pelos filhos de Portugal na África, na Ásia, e na América, desde os tempos do Infante D. Henrique e de Sagres.[141] Mas eu o subscreveria com esta reserva importante: a de que os portugueses precisaram anular-se durante longo tempo para afinal vencerem. Como o grão de trigo dos Evangelhos, o qual há de primeiramente morrer para poder crescer e dar muitos frutos.

*3. PÁG. 78.—AVERSÃO ÀS VIRTUDES ECONÔMICAS.*

As qualidades morais que requer naturalmente a vida de negócios distinguem-se das virtudes ideais da classe nobre nisto que respondem, em primeiro lugar, à necessidade de crédito, não à de glória e de fama. São virtudes antes de tudo lucrativas, que à honra cavalheiresca e palaciana procuram sobrepor a simples honorabilidade profissional, e aos vínculos pessoais e diretos, a crescente racionalização da vida.

Sucede que justamente a repulsa firme a todas as modalidades de racionalização e, por conseguinte, de despersonalização, tem sido, até aos nossos dias, um dos traços mais constantes dos povos de estirpe ibérica. Para retirar vantagens seguras em transações com portugueses e castelhanos, sabem muitos comerciantes de outros países que é da maior conveniência estabelecerem com eles vínculos mais imediatos do que as relações formais que constituem norma ordinária nos tratos e contratos. É bem ilustrativa a respeito a anedota referida por André Siegfried e citada em outra parte deste livro, acerca do negociante de Filadélfia que verificou ser necessário, para conquistar um freguês no Brasil ou na Argentina, principiar por fazer dele um amigo.

"*Dos amigos*—nota um observador, referindo-se especialmente à Espanha e aos espanhóis—*tudo se pode exigir e tudo se pode receber, e esse tipo de intercurso penetra as diferentes relações sociais. Quando se quer alguma coisa de alguém, o meio mais certo de consegui-lo é fazer desse alguém um amigo. O método aplica-se inclusive aos casos em que se quer prestação de serviços e então a atitude imperativa é considerada particularmente descabida. O resultado é que as relações entre patrão e empregado costumam ser mais amistosas aqui do que em outra qualquer parte*".

A esse mesmo observador e fino psicólogo que é Alfred Rühl chamou atenção, entre espanhóis, o fato de julgarem perfeitamente normal a aquisição de certo gênero de vantagens pessoais por intermédio de indivíduos com os quais travaram relações de afeto ou camaradagem, e não compreenderem que uma pessoa, por exercer determinada função pública, deixe de prestar a amigos e parentes, favores dependentes de tal função. Das próprias autoridades requerem-se sentimentos demasiado humanos. Como explicar por outra forma, pergunta, a circunstância de as companhias de estra-

---

[141] Júlio de Mesquita Filho, *Ensaios Sul-Americanos* (São Paulo, 1946), pág. 139 e segs.

das de ferro viverem embaraçadas diante das verdadeiras avalanchas de pedidos de passes gratuitos ou com redução de preço, pedidos esses que partem, em regra, de pessoas pertencentes justamente às classes mais abastadas?[142]

Assim, raramente se tem podido chegar, na esfera dos negócios, a uma adequada racionalização; o freguês ou cliente há de assumir de preferência a posição do amigo. Não há dúvida que, desse comportamento social, em que o sistema de relações se edifica essencialmente sobre laços diretos, de pessoa a pessoa, procedam os principais obstáculos que na Espanha, e em todos os países hispânicos —Portugal e Brasil inclusive—se erigem contra a rígida aplicação das normas de justiça e de quaisquer prescrições legais.

De outra parte, o bom ou mau êxito alcançado por certos povos nas suas relações econômicas com espanhóis e portugueses, tem dependido necessariamente de sua maior ou menor capacidade de ajuste a esse tipo de relações. O contraste com a chamada mentalidade capitalista não é fenômeno recente. Existem a respeito sugestivos testemunhos históricos. Conhecemos, por exemplo, graças a Henri Sée, o texto de uma circular dirigida em 1742 pelo intendente de Bretanha aos seus subdelegados, onde se lê que os negociantes locais, "apprehendent de commercer avec les Portugais, attendue leur infidélité; si les Portugais sont si infidèles, ils le sont pour toutes les nations; cépendant les Hollandais commercent au Portugal utilement et les Anglais y font un commerce d'une etendue et d'un avantage étonnantes; c'est donc la faute des Français de ne savoir pas prendre les mesures justes pour établir en Portugal un commerce assuré".[143]

Sobre a "infidelidade" dos comerciantes portugueses revela ainda Sée o caso de certo armador de Saint Malo que, no período de 1720 a 1740, costumava expedir muitos tecidos para Lisboa por conta dos seus fregueses, mas só raramente os remetia por conta própria, pois desconfiava da "exatidão" daqueles comerciantes, os quais, por outro lado, pediam sempre créditos excessivos.[144]

Essa infidelidade e falta de exatidão nos negócios com estranhos denuncia, sem dúvida, nos portugueses da época setecentista, e também de outras épocas, o gosto desordenado e imprevidente da pecúnia. Engana-se quem tente discernir aqui os germes do espírito capitalista. A simples ganância, o amor às riquezas acumuladas à custa de outrem, principalmente de estranhos, pertence, em verdade, a todas as épocas e não caracteriza a mentalidade capitalista se desacompanhada de certas virtudes econômicas que tendam a contribuir decisivamente para a racionalização dos negócios. Virtudes como a honorabilidade e a exatidão, diversas da lealdade devida a superiores, amigos e afins.

Nada indica que nos portugueses ou espanhóis sejam menos pronunciados do que em outros povos o gosto e o prestígio dos bens materiais. Na própria Itália do Renascimento, onde tiveram seu berço, nos tempos modernos, algumas daquelas virtudes burguesas, distinguiam-se, idos da Península Ibérica, os catalães "que de las piedras sacan panes", segundo o ditado, como gananciosos e ava-

---

142 Alfred Rühl, "Die Wirtschaftpsychologie des Spaniers", *Zeitschrift der Gesellschaft für Erdkunde* (Berlim, 1922), pág. 95.

143 Enrique Sée, *Nota sobre el Comercio Franco-Portugués en el Siglo XVIII* (Madri, 1930), pág. 5.

144 E. Sée, *op. cit.*, pág. 4.

ros.[145] E o autor do *Guzmán de Alfarache*, a famosa novela picaresca publicada a partir de 1599, podia lamentar-se de que câmbios e recambios de toda sorte, assim como diversos estratagemas de mercadores, longe de constituírem privilégio dos genoveses, já faziam sua granjearia ordinária por toda parte, "especialmente em Espanha"—nota—,onde se tinham por lícitos numerosos negócios de especulação que a Igreja condenava como usurários. Entre outros, os empréstimos sobre prendas de ouro e prata, com prazo limitado, e particularmente o chamado "câmbio seco".[146]

Para mostrar como não viviam os povos ibéricos, durante esse tempo, tão alheados do incremento geral das instituições financeiras, poderiam acrescentar-se os aperfeiçoamentos que, precisamente nas feiras espanholas de Villalón, Rioseco e Medina del Campo, tanto como em Gênova, tinham alcançado certos gêneros de operações de crédito que depois se disseminariam em outros países. Ou ainda a contribuição dos negociantes portugueses da era do grandes descobrimentos para a elaboração do direito comercial e singularmente para o progresso dos seguros marítimos. Cabe notar que a Portugal se deve mesmo o primeiro corpo de doutrina acerca do seguro: o *Tractatus perutilis et quotidianus de assecurationibus et sponsionibusMercatorum* de Santerna (Pedro de Santarém), que se publicou em 1554 e foi várias vezes reeditado durante o século XVI.

Lembre-se finalmente o papel nada irrelevante, embora tão esquecido, que tiveram na história das finanças do mesmo século, banqueiros e comerciantes espanhóis da bolsa de Antuérpia —principalmente burgaleses, não apenas catalães ou judeus—e que só desapareceu, por assim dizer, com a segunda bancarrota do Estado, em 1575. Dele, sobretudo, de um Curiel de la Torre e de um Fernandez de Espinoza, isto é, dos que vicejaram no penúltimo quartel do século, informa-nos Ehrenberg, o historiador dos Fuggers, que em ausência de escrúpulos no emprego dos cabedais ultrapassavam todos os seus competidores. "Eram usurários autênticos—exclama —e no sentido atual da palavra, não apenas no sentido canônico..." Os próprios feitores dos Fuggers em Antuérpia escandalizavam-se continuamente diante da ilimitada ganância desses homens e um dêles afirma que o rei costumava encontrar mais virtude entre genoveses, tradicionalmente vezeiros em toda sorte de especulações, do que entre os comerciantes espanhóis.[147]

Dos fidalgos portugueses que andavam então pelas partes do

---

[145] Benedetto Croce, *La Spagna nella Vita Italiana durante la Rinascenza* (Bari, 1941), pág. 27.

[146] Mateo Alemán "*Guzmán de Alfarache*", *La Novela Picaresca Española* (Madri, 1943), pág. 168 e seg.

[147] Dr. Richard Ehrenberg, *Das Zeitalter der Fuggers* (Jena, 1896), I, págs. 359 e 360. R. W. Tawney, *op. cit.*, pág. 80, também diz, dos comerciantes espanhóis, que eram "*a class not morbidly prone to conscientious scruples*", embora sua deferência para com a autoridade eclesiástica os levasse a mandar confessores a Paris a fim de consultarem os teólogos da Universidade sobre a compatibilidade de certas especulações com a lei canônica. As práticas usurárias já eram normais nas antigas feiras espanholas, embora tivessem tomado maior incremento ao tempo de Carlos V e de seus sucessores, assumindo feições que "em outros países dificilmente assumiriam", nota um historiador de nossos dias.—Franz Linder, "Das Spanische Marktkunde und Börsenwesen". *Ibero-Amerikanisches Archiv*, III (Berlim, 1929), pág. 18.

Oriente sabemos como, apesar de toda sua prosápia, não desdenhavam os bens da fortuna, mesmo nos casos em que, para alcançá-los, precisassem desfazer-se até certo ponto de preconceitos associados à sua classe e condição. É ainda Diogo do Couto quem nos refere exemplos de nobres e até vice-reis de seu tempo, que não hesitavam em "despir as armas e tratar da fazenda", ou que deixavam de ser capitães e se faziam mercadores, "largando por mão as obrigações de seu cargo e descuidando-se das armadas e tudo mais por fartarem o seu apetite", ou a quem pouco importava "pôr a Índia em uma balança, só por cumprir com sua paixão". "E não sei—diz ainda pela boca de seu soldado—se passou aquela peste deste Reino àquele Estado, porque todos chegam a ele com esta linguagem de quanto tens, tanto vales".[148]

A própria liberalidade, virtude capital da antiga nobreza, caíra em descrédito, ao menos na prática, entre alguns destes fidalgos da decadência, se é certo que só então se puseram a comer fechados e em silêncio, para deixarem de repartir com os pobres, e a ter não por honra e grandeza, antes por infâmia, o precisar agasalhá-los e sustentá-los. Assemelhavam-se nisto ao filho avarento de pai nobre, do conto que vem na *Corte na Aldeia*, o qual, tendo ajuntado em poucos anos imensa quantidade de ouro, guardava-o com tão solícito cuidado "como costumam os que com cobiça e trabalho o adquiriram".[149]

Em realidade não é pela maior temperança no gosto das riquezas que se separam espanhóis ou portugueses de outros povos, entre os quais viria a florescer essa criação tipicamente burguesa que é a chamada mentalidade capitalista. Não o é sequer por sua menor parvificência, pecado que os moralistas medievais apresentavam como uma das modalidades mais funestas da avareza. O que principalmente os distingue é, isto sim, certa incapacidade, que se diria congênita, de fazer prevalecer qualquer forma de ordenação impessoal e mecânica sobre as relações de caráter orgânico e comunal, como o são as que se fundam no parentesco, na vizinhança e na amizade.

### 4. PÁG. 82.—NATUREZA E ARTE.

No célebre sermão da Sexagésima, pronunciado em 1655 na capela real, em Lisboa, lembra Antônio Vieira que o pregar é em tudo comparável ao semear, "porque o semear he hua arte que tem mays de natureza que de arte; caya onde cahir".[150] Pensamento cujas raízes parecem mergulhar no velho naturalismo português. A comparação entre o pregar e o semear, Vieira a teria tomado diretamente às Escrituras, elaborando-a conforme seu argumento. O mesmo já não cabe dizer de sua imagem do céu estrelado, que se ajusta a concepções correntes da época e não apenas em Portugal.

Segundo a observação de H. von Stein, ao ouvir a palavra Natureza, o homem dos séculos XVII e XVIII pensa imediatamente no firmamento; o do século XIX pensa em uma paisagem. Pode ser elucidativo, a esse respeito, um confronto que, segundo parece, ainda não foi tentado, com certa passagem de outro discípulo de

148 Diogo do Couto, *op. cit.*, págs. 105, 192 e 212.
149 Francisco Rodrigues Lobo, *Corte na Aldeia* (1.ª ed., 1619), (Lisboa, 1945), pág. 136 e segs.
150 P. Antônio Vieira, *Sermoens*, 1.ª parte (Lisboa, 1679), fl. 41.

Santo Inácio, Baltazar Gracián, que poderia representar, no caso, uma das fontes de Vieira. Na primeira parte (Crisi II) do *Criticón*, cuja publicação antecede de quatro anos o mencionado sermão da Sexagésima, Andrênio, estranhando a disposição em que se acham as estrelas no céu, pergunta: *"Porque, ya que el soberano Artífice hermoseó tanto esta artesonada bóveda del mundo con tanto florón y estrellas, por que no las dispuso, decia yo, con orden y concierto, de modo que entretejieron vistosos lazos y formaron primorosos labores?*

—*Ya te entiendo, acudió Critilo, quisiera tu que estuvieron dispuestas en forma, ya de un artificioso recamado, ya de un precioso joyel, repartidas con arte y correspondencia.*

—*Si, si, eso mismo. Porque a más de que campearan otro tanto y fuera un espectáculo muy agradable a la vista, brillantísimo artificio, destruia con eso del todo el divino hacedor aquel necio escrúpulo de haberse hecho acaso y declaraba de todo punto su divina Providencia"*.[151]

A última palavra cabe naturalmente a Critilo, para quem a Divina Sabedoria, formando e repartindo as estrelas, atendeu a outra e mais importante correspondência, *"qual lo es de sus movimientos y aquel templarse de influencias".*

---

[151] Baltazar Gracián, "Criticón", *Obras Completas* (Madri, 1944), página 435.

# V

# O HOMEM CORDIAL

*ANTÍGONA E CREONTE.—PEDAGOGIA MODERNA E*
*AS VIRTUDES ANTIFAMILIARES.—PATRIMONIA-*
*LISMO.—O "HOMEM CORDIAL".—AVERSÃO AOS*
*RITUALISMOS: COMO SE MANIFESTA ELA NA*
*VIDA SOCIAL, NA LINGUAGEM, NOS NEGÓCIOS.*
*—A RELIGIÃO E A EXALTAÇÃO DOS VALORES*
*CORDIAIS.*

O ESTADO NÃO É UMA ampliação do círculo familiar e, ainda menos, uma integração de certos agrupamentos, de certas vontades particularistas, de que a família é o melhor exemplo. Não existe, entre o círculo familiar e o Estado, uma gradação, mas antes uma descontinuidade e até uma oposição. A indistinção fundamental entre as duas formas é prejuízo romântico que teve os seus adeptos mais entusiastas durante o século décimo nono. De acordo com esses doutrinadores, o Estado e as suas instituições descenderiam em linha reta, e por simples evolução da Família. A verdade, bem outra, é que pertencem a ordens diferentes em essência. Só pela transgressão da ordem doméstica e familiar é que nasce o Estado e que o simples indivíduo se faz cidadão, contribuinte, eleitor, elegível, recrutável e responsável, ante as leis da Cidade. Há nesse fato um triunfo do geral sobre o particular, do intelectual sobre o material, do abstrato sobre o corpóreo e não uma depuração sucessiva, uma espiritualização de formas mais naturais e rudimentares, uma procissão das hipóstases, para falar como na filosofia alexandrina. A ordem familiar, em sua forma pura, é abolida por uma transcendência.

Ninguém exprimiu com mais intensidade a oposição e mesmo a incompatibilidade fundamental entre os dois princípios do que Sófocles. Creonte encarna a noção abstrata, impessoal da Cidade em luta contra essa realidade concreta e tangível que é a família. Antígona, sepultando Polinice contra as ordenações do Estado, atrai sobre si a cólera do irmão, que não age em nome de sua vontade pessoal, mas da suposta vontade geral dos cidadãos, da pátria:

> *E todo aquele que acima da Pátria*
> *Coloca seu amigo, eu o terei por nulo.*

O conflito entre Antígona e Creonte é de todas as épocas e preserva-se sua veemência ainda em nossos dias. Em todas as culturas, o processo pelo qual a lei geral suplanta a lei particular faz-se acompanhar de crises mais ou menos graves e prolongadas, que podem afetar profundamente a estrutura da sociedade. O estudo dessas crises constitui um dos temas fundamentais da história social. Quem compare, por exemplo, o regime do trabalho das velhas corporações e grêmios de artesãos com a "escravidão dos salários" nas usinas modernas, tem um elemento precioso para o julgamento da inquietação social de nossos dias. Nas velhas corporações o mestre e seus aprendizes e jornaleiros formavam como uma só família, cujos membros se sujeitam a uma hierarquia natural, mas que partilham das mesmas privações e confortos. Foi o moderno sistema industrial que, separando os empregadores e empregados nos processos de manufatura e diferenciando cada vez mais suas funções, suprimiu a atmosfera de intimidade que reinava entre uns e outros e estimulou os antagonismos de classe. O novo regime tornava mais fácil, além disso, ao capitalista, explorar o trabalho de seus empregados, a troco de salários ínfimos.

Para o empregador moderno—assinala um sociólogo norte-americano—o empregado transforma-se em um simples número: a relação humana desapareceu. A produção em larga escala, a organização de grandes massas de trabalho e complicados mecanismos para colossais rendimentos, acentuou, aparentemente, e exacerbou, a separação das classes produtoras, tornando inevitável um sentimento de irresponsabilidade, da parte dos que dirigem, pelas vidas dos trabalhadores manuais. Compare-se o sistema de produção, tal como existia quando o mestre e seu aprendiz ou empregado trabalhavam na mesma sala e utilizavam os mesmos instrumentos, com o que ocorre na organização habitual da corporação moderna. No primeiro, as relações de empregador e empregado eram pessoais e diretas, não havia autoridades intermediárias. Na última, entre o trabalhador manual e o derradeiro proprietário—o acionista—existe toda uma hierarquia de funcionários e autoridades representados pelo superintendente da usina, o diretor-geral, o presidente da corporação, a junta executiva do conselho de diretoria e o próprio conselho de diretoria. Como é fácil que a responsabilidade por acidentes do trabalho, salários inadequados ou condições anti-higiênicas, se perca de um extremo ao outro dessa série.[152]

A crise que acompanhou a transição do trabalho industrial aqui assinalada pode dar uma idéia pálida das dificuldades que

---

152 F. Stuart Chapin, *Cultural Change* (Nova York, 1928), pág. 261.

se opõem à abolição da velha ordem familiar por outra, em que as instituições e as relações sociais, fundadas em princípios abstratos, tendem a substituir-se aos laços de afeto e de sangue. Ainda hoje persistem, aqui e ali, mesmo nas grandes cidades, algumas dessas famílias "retardatárias", concentradas em si mesmas e obedientes ao velho ideal que mandava educarem-se os filhos apenas para o círculo doméstico. Mas essas mesmas tendem a desaparecer ante as exigências imperativas das novas condições de vida. Segundo alguns pedagogos e psicólogos de nossos dias, a educação familiar deve ser apenas uma espécie de propedêutica da vida na sociedade, fora da família. E se bem considerarmos as teorias modernas, veremos que elas tendem, cada vez mais, a separar o indivíduo da comunidade doméstica, a libertá-lo, por assim dizer, das "virtudes" familiares. Dir-se-á que essa separação e essa libertação representam as condições primárias e obrigatórias de qualquer adaptação à "vida prática".

Nisso, a pedagogia científica da atualidade segue rumos precisamente opostos aos que preconizavam os antigos métodos de educação. Um dos seus adeptos chega a observar, por exemplo, que a obediência, um dos princípios básicos da velha educação, só deve ser estimulada na medida em que possa permitir uma adoção razoável de opiniões e regras que a própria criança reconheça como formuladas por adultos que tenham experiência nos terrenos sociais em que ela ingressa. "Em particular—acrescenta—a criança deve ser preparada para desobedecer nos pontos em que sejam falíveis as previsões dos pais". Deve adquirir progressivamente a individualidade, "único fundamento justo das relações familiares". "Os casos freqüentes em que os jovens são dominados pelas mães e pais na escolha das roupas, dos brinquedos, dos interesses e atividades gerais, a ponto de se tornarem incompetentes, tanto social, como individualmente, quando não psicopatas, são demasiado freqüentes para serem ignorados". E aconselha: "não só os pais de idéias estreitas, mas especialmente os que são extremamente atilados e inteligentes, devem precaver-se contra essa atitude falsa, pois esses pais realmente inteligentes são, de ordinário, os que mais se inclinam a exercer domínio sobre a criança. As *boas* mães causam, provavelmente, maiores estragos do que as más, na acepção mais generalizada e popular destes vocábulos".[153]

Com efeito, onde quer que prospere e assente em bases muito sólidas a idéia de família—e principalmente onde predomina a família de tipo patriarcal—tende a ser precária e a lutar contra fortes restrições a formação e evolução da sociedade segundo con-

---

153 Knight Dunlap, *Civilized Life. The Principles and Applications of Social Psychology* (Baltimore, 1935), pág. 189.

ceitos atuais. A crise de adaptação dos indivíduos ao mecanismo social é, assim, especialmente sensível no nosso tempo devido ao decisivo triunfo de certas virtudes *antifamiliares* por excelência, como o são, sem dúvida, aquelas que repousam no espírito de iniciativa pessoal e na concorrência entre os cidadãos.

Entre nós, mesmo durante o Império, já se tinham tornado manifestas as limitações que os vínculos familiares demasiado estreitos, e não raro opressivos, podem impor à vida ulterior dos indivíduos. Não faltavam, sem dúvida, meios de se corrigirem os inconvenientes que muitas vezes acarretam certos padrões de conduta impostos desde cedo pelo círculo doméstico. E não haveria grande exagero em dizer-se que, se os estabelecimentos de ensino superior, sobretudo os cursos jurídicos, fundados desde 1827 em São Paulo e Olinda, contribuíram largamente para a formação de homens públicos capazes, devemo-lo às possibilidades que, com isso, adquiriam numerosos adolescentes arrancados aos seus meios provinciais e rurais, de "viver por si", libertando-se progressivamente dos velhos laços caseiros, quase tanto como aos conhecimentos que ministravam as faculdades.

A personalidade social do estudante, moldada em tradições acentuadamente particularistas, tradições que, como se sabe, costumam ser decisivas e imperativas durante os primeiros quatro ou cinco anos de vida da criança,[154] era forçada a ajustar-se, nesses casos, a novas situações e a novas relações sociais que importavam na necessidade de uma revisão, por vezes radical, dos interesses, atividades, valores, sentimentos, atitudes e crenças adquiridos no convívio da família.

Transplantados para longe dos pais, muito jovens, os "filhos aterrados" de que falava Capistrano de Abreu, só por essa forma conseguiam alcançar um senso de responsabilidade que lhes fôra até então vedado. Nem sempre, é certo, as novas experiências bastavam para apagar neles o vinco doméstico, a mentalidade criada ao contato de um meio patriarcal, tão oposto às exigências de uma sociedade de homens livres e de inclinação cada vez mais igualitária. Por isso mesmo Joaquim Nabuco pôde dizer que "em nossa política e em nossa sociedade (...), são os órfãos, os abandonados, que vencem a luta, sobem e governam".[155]

---

[154] Margaret Mead, Ruth Shoule Cavan, John Dollard e Eleanor Wembridge, "The Adolescent World. Culture and Personality", *The American Journal of Sociology*, julho, 1936, pág. 84 e segs.

[155] "A perda da mãe na infância—diz ainda—é um acontecimento fundamental na vida, dos que transformam o homem, mesmo quando ele não tem consciência do abalo. Desde esse dia ficava decidido que Nabuco pertenceria à forte família dos que se fazem asperamente por si mesmos, dos que anseiam por deixar o estreito conchego da casa e procurar abrigo no vasto deserto do mundo, em oposição aos que contraem na intimidade materna o instinto doméstico predominante. Hércules não se preocupava de

Tem-se visto como a crítica dirigida contra a tendência recente de alguns Estados para a criação de vastos aparelhamentos de seguro e previdência social, funda-se unicamente no fato de deixarem margem extremamente diminuta à ação individual e também no definhamento a que tais institutos condenam toda sorte de competições. Essa argumentação é própria de uma época em que, pela primeira vez na história, se erigiu a concorrência entre os cidadãos, com todas as suas conseqüências, em valor social positivo.

Aos que, com razão de seu ponto de vista, condenam por motivos parecidos os âmbitos familiares excessivamente estreitos e exigentes, isto é, aos que os condenam por circunscreverem demasiado os horizontes da criança dentro da paisagem doméstica, pode ser respondido que, em rigor, só hoje tais ambientes chegam a constituir, muitas vezes, verdadeiras escolas de inadaptados e até de psicopatas. Em outras épocas, tudo contribuía para a maior harmonia e maior coincidência entre as virtudes que se formam e se exigem no recesso do lar e as que asseguram a prosperidade social e a ordem entre os cidadãos. Não está muito distante o tempo em que o Dr. Johnson fazia ante o seu biógrafo, a apologia crua dos castigos corporais para os educandos e recomendava a vara para "o terror geral de todos". Parecia-lhe preferível esse recurso a que se dissesse, por exemplo, ao aluno:—Se fizeres isto ou aquilo, serás mais estimado do que teu irmão ou tua irmã.— Porque, segundo dizia a Boswell, a vara tem um efeito que termina em si, ao passo que se forem incentivadas as emulações e as comparações de superioridade, lançar-se-ão, com isso, as bases de um mal permanente, fazendo com que irmãos e irmãs se detestem uns aos outros.

No Brasil, onde imperou, desde tempos remotos, o tipo primitivo da família patriarcal, o desenvolvimento da urbanização— que não resulta unicamente do crescimento das cidades, mas também do crescimento dos meios de comunicação, atraindo vastas áreas rurais para a esfera de influência das cidades—ia acarretar um desequilíbrio social, cujos efeitos permanecem vivos ainda hoje.

Não era fácil aos detentores das posições públicas de responsabilidade, formados por tal ambiente, compreenderem a distinção fundamental entre os domínios do privado e do público. Assim, eles se caracterizam justamente pelo que separa o funcionário "patrimonial" do puro burocrata conforme a definição de Max Weber. Para o funcionário "patrimonial", a própria

---

deixar os filhos na orfandade, diz-nos Epicteto, porque sabia que não há órfãos no mundo."—Joaquim Nabuco, op. cit., I, pág. 5.

gestão política apresenta-se como assunto de seu interesse particular; as funções, os empregos e os benefícios que deles aufere, relacionam-se a direitos pessoais do funcionário e não a interesses objetivos, como sucede no verdadeiro Estado burocrático, em que prevalecem a especialização das funções e o esforço para se assegurarem garantias jurídicas aos cidadãos.[156] A escolha dos homens que irão exercer funções públicas faz-se de acordo com a confiança pessoal que mereçam os candidatos, e muito menos de acordo com as suas capacidades próprias. Falta a tudo a ordenação impessoal que caracteriza a vida no Estado burocrático. O funcionalismo patrimonial pode, com a progressiva divisão das funções e com a racionalização, adquirir traços burocráticos. Mas em sua essência ele é tanto mais diferente do burocrático, quanto mais caracterizados estejam os dois tipos.

No Brasil, pode dizer-se que só excepcionalmente tivemos um sistema administrativo e um corpo de funcionários puramente dedicados a interesses objetivos e fundados nesses interesses. Ao contrário, é possível acompanhar, ao longo de nossa história, o predomínio constante das vontades particulares que encontram seu ambiente próprio em círculos fechados e pouco acessíveis a uma ordenação impessoal. Dentre esses círculos,. foi sem dúvida o da família aquele que se exprimiu com mais força e desenvoltura em nossa sociedade. E um dos efeitos decisivos da supremacia incontestável, absorvente, do núcleo familiar—a esfera, por excelência dos chamados "contatos primários", dos laços de sangue e de coração—está em que as relações que se criam na vida doméstica sempre forneceram o modelo obrigatório de qualquer composição social entre nós. Isso ocorre mesmo onde as instituições democráticas, fundadas em princípios neutros e abstratos, pretendem assentar a sociedade em normas antiparticularistas.

Já se disse, numa expressão feliz, que a contribuição brasileira para a civilização será de cordialidade—daremos ao mundo o "homem cordial".[157] A lhaneza no trato, a hospitalidade, a generosidade, virtudes tão gabadas por estrangeiros que nos visitam, representam, com efeito, um traço definido do caráter brasileiro, na medida, ao menos, em que permanece ativa e fecunda a in-

---

156 Max Weber, *op. cit.*, II, pág. 795 e segs.

157 A expressão é do escritor Ribeiro Couto, em carta dirigida a Alfonso Reyes e por este inserta em sua publicação *Monterey*. Não pareceria necessário reiterar o que já está implícito no texto, isto é, que a palavra "cordial" há de ser tomada, neste caso, em seu sentido exato e estritamente etimológico, se não tivesse sido contrariamente interpretada em obra recente de autoria do Sr. Cassiano Ricardo onde se fala no *homem cordial* dos aperitivos e das "cordiais saudações", "que são fechos de cartas tanto amáveis como agressivas" e se antepõe à cordialidade assim entendida o "capital sentimento" dos brasileiros, que será a bondade e até mesmo certa

fluência ancestral dos padrões de convívio humano, informados no meio rural e patriarcal. Seria engano supor que essas virtudes possam significar "boas maneiras", civilidade. São antes de tudo expressões legítimas de um fundo emotivo extremamente rico e transbordante. Na civilidade há qualquer coisa de coercitivo— ela pode exprimir-se em mandamentos e em sentenças. Entre os japoneses, onde, como se sabe, a polidez envolve os aspectos mais ordinários do convívio social, chega a ponto de confundir-se, por vezes, com a reverência religiosa. Já houve quem notasse este fato significativo, de que as formas exteriores de veneração à divindade, no cerimonial xintoísta, não diferem essencialmente das maneiras sociais de demonstrar respeito.

Nenhum povo está mais distante dessa noção ritualista da vida do que o brasileiro. Nossa forma ordinária de convívio social é, no fundo, justamente o contrário da polidez. Ela pode iludir na aparência—e isso se explica pelo fato de a atitude polida consistir precisamente em uma espécie de mímica deliberada de manifestações que são espontâneas no "homem cordial": é a forma natural e viva que se converteu em fórmula. Além disso a polidez é, de algum modo, organização de defesa ante a sociedade. Detém-se na parte exterior, epidérmica do indivíduo, podendo mesmo servir, quando necessário, de peça de resistência. Equivale a um disfarce que permitirá a cada qual preservar intatas sua sensibilidade e suas emoções.

Por meio de semelhante padronização das formas exteriores da cordialidade, que não precisam ser legítimas para se manifesta-

"técnica da bondade", "uma bondade mais envolvente, mais política, mais assimiladora".

Feito este esclarecimento e para melhor frisar a diferença, em verdade fundamental, entre as idéias sustentadas na referida obra e as sugestões que propõe o presente trabalho, cabe dizer que, pela expressão "cordialidade", se eliminam aqui, deliberadamente, os juízos éticos e as intenções apologéticas a que parece inclinar-se o Sr. Cassiano Ricardo, quando prefere falar em "bondade" ou em "homem bom". Cumpre ainda acrescentar que essa cordialidade, estranha, por um lado, a todo formalismo e convencionalismo social, não abrange, por outro, apenas e obrigatoriamente, sentimentos positivos e de *concórdia*. A inimizade bem pode ser tão *cordial* como a amizade, nisto que uma e outra nascem do *coração*, procedem, assim, da esfera do íntimo, do familiar, do privado. Pertencem, efetivamente, para recorrer a termo consagrado pela moderna sociologia, ao domínio dos "grupos primários", cuja unidade, segundo observa o próprio elaborador do conceito "não é somente de harmonia e amor". A amizade, desde que abandona o âmbito circunscrito pelos sentimentos privados ou íntimos, passa a ser, quando muito, benevolência, posto que a imprecisão vocabular admita maior extensão do conceito. Assim como a inimizade, sendo pública ou política, não *cordial*, se chamará mais precisamente hostilidade. A distinção entre inimizade e hostilidade, formulou-a de modo claro Carl Schmitt recorrendo ao léxico latino: "*Hostis is est cum quo publice bellum habemus* (...) *in quo ab* inimico *differt, qui est is, quocum habemus privata odia*...' Carl Schmitt, *Der Begriff des Politischen*, Hamburgo, s. d. [1933], pág. 11, nota.

rem, revela-se um decisivo triunfo do espírito sobre a vida. Armado dessa máscara, o indivíduo consegue manter sua supremacia ante o social. E, efetivamente, a polidez implica uma presença contínua e soberana do indivíduo.

No "homem cordial", a vida em sociedade é, de certo modo, uma verdadeira libertação do pavor que ele sente em viver consigo mesmo, em apoiar-se sobre si próprio em todas as circunstâncias da existência. Sua maneira de expansão para com os outros reduz o indivíduo, cada vez mais, à parcela social, periférica, que no brasileiro—como bom americano—tende a ser a que mais importa. Ela é antes um viver nos outros. Foi a esse tipo humano que se dirigiu Nietzsche, quando disse: "Vosso mau amor de vós mesmos vos faz do isolamento um cativeiro".[158]

Nada mais significativo dessa aversão ao ritualismo social, que exige, por vezes, uma personalidade fortemente homogênea e equilibrada em todas as suas partes, do que a dificuldade em que se sentem, geralmente, os brasileiros, de uma reverência prolongada ante um superior. Nosso temperamento admite fórmulas de reverência, e até de bom grado, mas quase somente enquanto não suprimam de todo a possibilidade de convívio mais familiar. A manifestação normal do respeito em outros povos tem aqui sua réplica, em regra geral, no desejo de estabelecer intimidade. E isso é tanto mais específico, quanto se sabe do apego freqüente dos portugueses, tão próximos de nós em tantos aspectos, aos títulos e sinais de reverência.

No domínio da lingüística, para citar um exemplo, esse modo de ser parece refletir-se em nosso pendor acentuado para o emprego dos diminutivos. A terminação "inho", aposta às palavras, serve para nos familiarizar mais com as pessoas ou os objetos e, ao mesmo tempo, para lhes dar relêvo. É a maneira de fazê-los mais acessíveis aos sentidos e também de aproximá-los do coração. Sabemos como é freqüente, entre portugueses, o zombarem de certos abusos desse nosso apego aos diminutivos, abusos tão ridículos para eles quanto o é para nós, muitas vezes, a pieguice lusitana, lacrimosa e amarga.[159] Um estudo atento das nossas for-

---

158 Friedrich Nietzsche, *Werke*, Alfred Kröner Verlag, IV (Leipzig, s. d.), pág. 65.

159 O mesmo apego aos diminutivos foi notado por folcloristas, gramáticos e dialetólogos em terras de língua espanhola, especialmente da América, e até em várias regiões da Espanha (Andaluzia, Salamanca, Aragão...). Com razão observa Amado Alonso que a abundância de testemunhos semelhantes e relativos às zonas mais distintas, prejudica o intento de se interpretar o abuso de diminutivos como particularismo de cada uma. Resta admitir, contudo, que esse abuso seja *um traço do regional*, da linguagem das regiões enquanto oposta à geral. E como a oposição é maior nos campos do que nas cidades, o diminutivo representaria sobretudo um traço da fala rural. "A profusão destas formas—diz Alonso—denuncia um

mas sintáxicas traria, sem dúvida, revelações preciosas a êsse respeito.

À mesma ordem de manifestações pertence certamente a tendência para a omissão do nome de família no tratamento social. Em regra é o nome individual, de batismo, que prevalece. Essa tendência, que entre portugueses resulta de uma tradição com velhas raízes—como se sabe, os nomes de família só entram a predominar na Europa cristã e medieval a partir do século XII —acentuou-se estranhamente entre nós. Seria talvez plausível relacionar tal fato à sugestão de que o uso do simples prenome importa em abolir psicologicamente as barreiras determinadas pelo fato de existirem famílias diferentes e independentes umas das outras. Corresponde à atitude natural aos grupos humanos/ que, aceitando de bom grado uma disciplina da simpatia, da "concórdia", repelem as do raciocínio abstrato ou que não tenham como fundamento, para empregar a terminologia de Tönnies, as comunidades de sangue, de lugar ou de espírito.[160]

O desconhecimento de qualquer forma de convívio que não seja ditada por uma ética de fundo emotivo representa um aspecto da vida brasileira que raros estrangeiros chegam a penetrar com facilidade. E é tão característica, entre nós, essa maneira de ser, que não desaparece sequer nos tipos de atividade que devem alimentar-se normalmente da concorrência. Um negociante de Filadélfia manifestou certa vez a André Siegfried seu espanto ao verificar que, no Brasil como na Argentina, para conquistar um freguês tinha necessidade de fazer dele um amigo.[161]

Nosso velho catolicismo, tão característico, que permite tratar os santos com uma intimidade quase desrespeitosa e que deve pa-/

---

caráter cultural, uma forma socialmente plasmada de comportamento nas relações coloquiais, que é a reiterada manifestação do tom amistoso em quem fala e sua petição de reciprocidade. Os ambientes rurais e dialetais que criaram e cultivam essas maneiras sociais costumam ser avessos aos tipos de relações interpessoais mais disciplinadas das cidades ou das classes cultas, porque os julgam mais convencionais e mais insinceros e inexpressivos do que os seus". Cf. Amado Alonso, "Noción, Emoción, Acción y Fantasia en los Diminutivos", *Volkstum und Kultur der Romanen*, VIII, 1.º (Hamburgo, 1935), págs. 117-18. No Brasil, onde esse traço persiste, mesmo nos meios mais fortemente atingidos pela urbanização progressiva, sua presença pode denotar uma lembrança e um *survival*, entre tantos outros, dos estilos de convivência humana plasmados pelo ambiente rural e patriarcal, cuja marca o cosmopolitismo dos nossos dias ainda não conseguiu apagar. Pode-se dizer que é um traço nítido da atitude "cordial", indiferente ou, de algum modo, oposta às regras chamadas, e não por acaso, de *civilidade* e *urbanidade*. Uma tentativa de estudo da influência exercida sobre nossas formas sintáxicas por motivos psicológicos semelhantes encontra-se em João Ribeiro, *Língua Nacional* (São Paulo, 1933), pág. 11.

160 Ou sejam as categorias: 1) de parentesco; 2) de vizinhança; 3) de amizade.

161 André Siegfried, *Amérique Latine* (Paris, 1934), pág. 148.

recer estranho às almas verdadeiramente religiosas, provém ainda dos mesmos motivos. A popularidade, entre nós, de uma Santa Teresa de Lisieux—Santa Teresinha—resulta muito do caráter intimista que pode adquirir seu culto, culto amável e quase fraterno, que se acomoda mal às cerimônias e suprime as distâncias. É o que também ocorreu com o nosso menino Jesus, companheiro de brinquedo das crianças e que faz pensar menos no Jesus dos evangelhos canônicos do que no de certos apócrifos, principalmente as diversas redações do Evangelho da Infância. Os que assistiram às festas do Senhor Bom Jesus de Pirapora, em São Paulo, conhecem a história do Cristo que desce do altar para sambar com o povo.

Essa forma de culto, que tem antecedentes na Península Ibérica, também aparece na Europa Medieval e justamente com a decadência da religião palaciana, superindividual, em que a vontade comum se manifesta na edificação dos grandiosos monumentos góticos. Transposto esse período—afirma um historiador—surge um sentimento religioso mais humano e singelo. Cada casa quer ter sua capela própria, onde os moradores se ajoelham ante o padroeiro e protetor. Cristo, Nossa Senhora e os santos já não aparecem como entes privilegiados e eximidos de qualquer sentimento humano. Todos, fidalgos e plebeus, querem estar em intimidade com as sagradas criaturas e o próprio Deus é um amigo familiar, doméstico e próximo—o oposto do Deus "palaciano", a quem o cavaleiro, de joelhos, vai prestar sua homenagem, como a um senhor feudal.[162]

O que representa semelhante atitude é uma transposição característica para o domínio do religioso desse horror às distâncias que parece constituir, ao menos até agora, o traço mais específico do espírito brasileiro. Note-se que ainda aqui nós nos comportamos de modo perfeitamente contrário à atitude já assinalada entre japoneses, onde o ritualismo invade o terreno da conduta social para dar-lhe mais rigor. No Brasil é precisamente o rigorismo do rito que se afrouxa e se humaniza.

Essa aversão ao ritualismo conjuga-se mal —como é fácil imaginar—com um sentimento religioso verdadeiramente profundo e consciente. Newman, em um dos seus sermões anglicanos, exprimia a "firme convicção" de que a nação inglesa lucraria se sua religião fosse mais supersticiosa, *more bigoted*, se estivesse mais acessível à influência popular, se falasse mais diretamente às imaginações e aos corações. No Brasil, ao contrário, foi justamente o nosso culto sem obrigações e sem rigor, intimista e familiar, a que se poderia chamar, com alguma impropriedade, "de-

---

[162] Prof. Dr. Alfred Von Martin, "Kultursoziologie des Mittelalters", *Handwörterbuch der Soziologie* (Stuttgart, 1931), pág. 383.

mocrático", um culto que dispensava no fiel todo esforço, toda diligência, toda tirania sobre si mesmo, o que corrompeu, pela base, o nosso sentimento religioso. É significativo que, ao tempo da famosa questão eclesiástica, no Império, uma luta furiosa, que durante largo tempo abalou o país, se tenha travado principalmente porque D. Vital de Oliveira se obstinava em não abandonar seu "excesso de zelo". E o mais singular é que, entre os acusadores do bispo de Olinda, por uma intransigência que lhes parecia imperdoável e criminosa, figurassem não poucos católicos, ou que se imaginavam sinceramente católicos.

A uma religiosidade de superfície, menos atenta ao sentido íntimo das cerimônias do que ao colorido e à pompa exterior, quase carnal em seu apego ao concreto e em sua rancorosa incompreensão de toda verdadeira espiritualidade; transigente, por isso mesmo que pronta a acordos, ninguém pediria, certamente, que se elevasse a produzir qualquer moral social poderosa. Religiosidade que se perdia e se confundia num mundo sem forma e que, por isso mesmo, não tinha forças para lhe impor sua ordem. Assim, nenhuma elaboração política seria possível senão fora dela, fora de um culto que só apelava para os sentimentos e os sentidos e quase nunca para a razão e a vontade. Não admira pois, que nossa República tenha sido feita pelos positivistas, ou agnósticos e nossa Independência fosse obra de maçons. A estes se entregou com tanta publicidade nosso primeiro Imperador, que o fato chegaria a alarmar o próprio Príncipe de Metternich, pelos perigosos exemplos que encerrava sua atitude.

A pouca devoção dos brasileiros e até das brasileiras é coisa que se impõe aos olhos de todos os viajantes estrangeiros, desde os tempos do Padre Fernão Cardim, que dizia das pernambucanas quinhentistas serem "muito senhoras e não muito devotas, nem freqüentarem missas, pregações, confissões, etc.".[163] Auguste de Saint-Hilaire, que visitou a cidade de São Paulo pela semana santa de 1822, conta-nos como lhe doía a pouca atenção dos fiéis durante os serviços religiosos. "Ninguém se compenetra do espírito das solenidades"—observa.—"Os homens mais distintos delas participam apenas por hábito, e o povo comparece como se fosse a um folguedo. No ofício de Endoenças, a maioria dos presentes recebeu a comunhão da mão do bispo. Olhavam à direita e à esquerda, conversavam antes desse momento solene e recomeçavam a conversar logo depois". As ruas, acrescenta pouco adiante, "viviam apinhadas de gente, que corria de igreja a igreja, mas somente para vê-las, sem o menor sinal de fervor".[164]

---

163 Fernão Cardim, *Tratados da Terra e Gente do Brasil* (Rio de Janeiro, 1925), pág. 334.
164 Auguste de Saint-Hilaire, *Voyage au Rio Grande do Sul* (Orléans, 1887), pág. 587.

Em verdade, muito pouco se poderia esperar de uma devoção que, como essa, quer ser continuamente sazonada por condimentos fortes e que, para ferir as almas, há de ferir primeiramente os olhos e os ouvidos. "Em meio do ruído e da mixórdia, da jovialidade e da ostentação que caracterizam todas essas celebrações *gloriosas, pomposas, esplendorosas*", nota o Pastor Kidder, "quem deseje encontrar, já não digo estímulo, mas ao menos lugar para um culto mais espiritual, precisará ser singularmente fervoroso".[165] Outro visitante, de meados do século passado, manifesta profundas dúvidas sobre a possibilidade de se implantarem algum dia, no Brasil, formas mais rigoristas de culto. Conta-se que os próprios protestantes logo degeneram aqui, exclama. E acrescenta: "É que o clima não favorece a severidade das seitas nórdicas. O austero metodismo ou o puritanismo jamais florescerão nos trópicos".[166]

A exaltação dos valores cordiais e das formas concretas e sensíveis da religião, que no catolicismo tridentino parecem representar uma exigência do esforço de reconquista espiritual e da propaganda da fé perante a ofensiva da Reforma, encontraram entre nós um terreno de eleição e acomodaram-se bem a outros aspectos típicos de nosso comportamento social. Em particular a nossa aversão ao ritualismo é explicável, até certo ponto, nesta "terra remissa e algo melancólica", de que falavam os primeiros observadores europeus, por isto que, no fundo, o ritualismo não nos é necessário. Normalmente nossa reação ao meio em que vivemos não é uma reação de defesa. A vida íntima do brasileiro nem é bastante coesa, nem bastante disciplinada, para envolver e dominar toda a sua personalidade, integrando-a, como peça consciente, no conjunto social. Ele é livre, pois, para se abandonar a todo o repertório de idéias, gestos e formas que encontre em seu caminho, assimilando-os freqüentemente sem maiores dificuldades.

[165] Rev. Daniel P. Kidder, *Sketches of Residence and Travels in Brazil*, I (Londres, 1845), pág. 157.

[166] Thomas Ewbank, *Life in Brazil or a Journal of a Visit to the land of the Cocoa and the Palm* (Nova York, 1856), pág. 239.

# VI
# NOVOS TEMPOS

*FINIS OPERANTIS.—O SENTIDO DO BACHARE-
LISMO.—COMO SE PODE EXPLICAR O BOM ÊXITO
DOS POSITIVISTAS.—AS ORIGENS DA DEMOCRA-
CIA NO BRASIL: UM MAL-ENTENDIDO.—ETOS E
EROS. NOSSOS ROMÂNTICOS.—APEGO BIZANTINO
AOS LIVROS.—A MIRAGEM DA ALFABETIZAÇÃO.
—O DESENCANTO DA REALIDADE.*

E<small>SSA</small> APTIDÃO PARA o social está longe de constituir um fator apreciável de ordem coletiva. Por isso mesmo que relutamos em aceitar um princípio superindividual de organização e que o próprio culto religioso se torna entre nós excessivamente humano e terreno, toda a nossa conduta ordinária denuncia, com freqüência, um apego singular aos valores da personalidade configurada pelo recinto doméstico. Cada indivíduo, nesse caso, afirma-se ante os seus semelhantes indiferente à lei geral, onde esta lei contrarie suas afinidades emotivas, e atento apenas ao que o distingue dos demais, do resto do mundo.

Assim, só raramente nos aplicamos de corpo e alma a um objeto exterior a nós mesmos. E quando fugimos à norma é por simples gesto de retirada, descompassado e sem controle, jamais regulados por livre iniciativa. Somos notoriamente avessos às atividades morosas e monótonas, desde a criação estética até às artes servis, em que o sujeito se submeta deliberadamente a um mundo distinto dele: a personalidade individual dificilmente suporta ser comandada por um sistema exigente e disciplinador. É freqüente, entre os brasileiros que se presumem intelectuais, a facilidade com que se alimentam, ao mesmo tempo, de doutrinas dos mais variados matizes e com que sustentam, simultaneamente, as convicções mais díspares. Basta que tais doutrinas e convicções se possam impor à imaginação por uma roupagem vistosa: palavras bonitas ou argumentos sedutores. A contradição que porventura possa existir entre elas parece-lhes tão pouco chocante, que alguns se alarmariam e se revoltariam sinceramente quando não achássemos legítima sua capacidade de aceitá-las com o mesmo entusiasmo. Não há, talvez, nenhum exagero em dizer-se que quase todos os nossos homens de grande talento são um pouco dessa espécie.

No trabalho não buscamos senão a própria satisfação, ele tem o seu fim em nós mesmos e não na obra: um *finis operantis*, não um *finis operis*. As atividades profissionais são, aqui, meros acidentes na vida dos indivíduos, ao oposto do que sucede entre outros povos, onde as próprias palavras que indicam semelhantes atividades podem adquirir acento quase religioso.[167]

Ainda hoje são raros, no Brasil, os médicos, advogados, enge-

---

[167] A noção de *Beruf* ou *calling* foi agudamente analisada por Max Weber em seu estudo bastante conhecido sobre a ética protestante e o espírito do capitalismo. Podem-se acolher com reservas as tendências, de que não se acha imune o grande sociólogo, para acentuar em demasia, na explanação de determinados fenômenos, o significado das influências puramente morais ou intelectuais em detrimento de outros fatores porventura mais decisivos. No caso, o da influência do "espírito protestante" na formação da mentalidade capitalista em prejuízo de movimentos econômicos, cujo efeito se fez sentir em particular nos países nórdicos onde vingaria a predicação protestante, principalmente calvinista. Parecem procedentes, neste sentido, algumas das limitações que à tese central de M. Weber, no ensaio acima citado, opuseram historiadores como Brentano e Tawney. Essas limitações não invalidam, entretanto, a afirmação de que os povos protestantes vieram a ser portadores de uma ética do trabalho que contrasta singularmente com a das nações predominantemente católicas. Entre estas, conforme notou Weber, falta às palavras que indicam atividade profissional o timbre distintamente religioso que lhes corresponde, sem exceção, nas línguas germânicas. Assim é que nas traduções portuguesas da Bíblia se recorre ao conceito eticamente incolor de "obra" onde as versões protestantes empregam *calling* ou *Beruf*. Apenas nos casos onde se pretende designar expressamente a idéia de chamado à salvação eterna, como, por exemplo, na Primeira Epístola aos Coríntios, VII; 20, trazem as versões portuguesas o termo vocação, que é o equivalente semântico de *Beruf* e *calling*, em seu sentido originário. Circunstância que reflete bem, no caso protestante, essa moral puritana admiravelmente exposta por Tawney, para a qual o trabalho não é simplesmente uma imposição da natureza ou um castigo divino, mas antes uma espécie de disciplina ascética, "mais rigorosa do que as de quaisquer ordens mendicantes—disciplina imposta pela vontade de Deus e que devemos seguir, não solitariamente, mas pela fiel e pontual execução dos deveres seculares". "Não se trata apenas de meios econômicos que possam ser abandonados, uma vez satisfeitas as exigências físicas. Trata-se de um fim espiritual, pois somente nele a alma pode estar sã, e que deve ser executado como dever moral, ainda quando tenha cessado de ser uma necessidade material". O verdadeiro cristão há de confinar-se ao círculo dos seus negócios e fugir a toda ociosidade, porque os que são pródigos com o tempo desdenham a própria alma. Há de preferir a ação à contemplação, que é uma espécie de indulgência para consigo mesmo. O rico não tem maiores escusas para deixar de trabalhar do que o pobre, embora deva empregar sua riqueza em alguma ocupação útil à coletividade. A cobiça é perigosa para a alma; mais perigosa, porém, é a preguiça. O luxo, a ostentação, o prazer irrestrito, não têm cabimento na conduta de um cristão. Até mesmo a devoção excessiva aos amigos e parentes há de ser evitada, por ocupar, muitas vezes, o lugar que se deve consagrar ao amor de Deus. "Em suma, a vida cristã deve ser sistemática e organizada: produto de uma vontade férrea e de uma inteligência fria". Cf. Max Weber, *Die Protestantische Ethik und der Geist des Kapitalismus* (Tübingen, 1934), pág. 63 e segs. Cf. também R. H. Tawney, *op. cit.*, págs. 242 e seg.

nheiros, jornalistas, professores, funcionários, que se limitem a ser homens de sua profissão. Revemos constantemente o fato observado por Burmeister nos começos de nossa vida de nação livre: "ninguém aqui procura seguir o curso natural da carreira iniciada, mas cada qual almeja alcançar aos saltos os altos postos e cargos rendosos: e não raro o conseguem". "O alferes de linha —dizia—sobe aos pulos a major e a coronel da milícia e cogita, depois, em voltar para a tropa de linha com essa graduação. O funcionário público esforça-se por obter colocação de engenheiro e o mais talentoso engenheiro militar abandona sua carreira para ocupar o cargo de arrecadador de direitos de alfândega. O oficial de marinha aspira ao uniforme de chefe de esquadra. Ocupar cinco ou seis cargos ao mesmo tempo e não exercer nenhum, é coisa nada rara".

As nossas academias diplomam todos os anos centenas de novos bacharéis, que só excepcionalmente farão uso, na vida prática, dos ensinamentos recebidos durante o curso. A inclinação geral para as profissões liberais, que em capítulo anterior já se tentou interpretar como aliada de nossa formação colonial e agrária, e relacionada com a transição brusca do domínio rural para a vida urbana, não é, aliás, um fenômeno distintamente nosso, como o querem alguns publicistas. Poucas terras, por exemplo, parecem ter sido tão infestadas pela "praga do bacharelismo" quanto o foram os Estados Unidos, durante os anos que se seguiram à guerra da Independência: é notória a importância que tiveram os *graduates* na Nova Inglaterra, apesar de todas as prevenções do puritanismo contra os legistas, que à lei do Senhor pareciam querer sobrepor as simples leis humanas.[168] E aos que nos censuram por sermos uma terra de advogados, onde apenas os cidadãos formados em Direito ascendem em regra às mais altas posições e cargos públicos, poder-se-ia observar que, ainda nesse ponto, não constituímos uma singularidade: advogados de profissão foram em sua maioria, os membros da Convenção de Fila-

---

168 Haverá talvez, exagero na afirmação de Max Weber, de que raros países foram tão ricos em *graduates* quanto a Nova Inglaterra nos primeiros anos de sua existência. Ao menos se, com esse termo, se pretendam abranger os diplomados que se destinassem a outros ministérios além do eclesiástico. Com relação à advocacia e mesmo à magistratura, sabe-se positivamente que na Nova Inglaterra, como em todas as colônias britânicas da América do Norte, foram praticadas por leigos durante os primeiros tempos e quase até meados do século XVIII. Cf. James Truslow Adams, *Provincial Society* (Nova York, 1943), pág. 14. O prestígio político dos advogados só principia a firmar-se, e ainda assim contra fortes resistências partidas dos meios mais conservadores, por volta de 1754 e atinge seu ponto culminante no período que antecede imediatamente a Revolução. Ver, a esse respeito, J. T. Adams, *op. cit.*, págs. 313 e seg. e sobretudo Evarts Houtell Greene, *The Revolutionary Generation* (Nova York, 1943), págs. 80 e segs.

délfia,[169] advogados são ainda em nossos dias, metade dos elementos das legislaturas estaduais e do Congresso dos Estados Unidos; advogados têm sido todos os presidentes da República norte-americana que não foram generais, com as únicas exceções de Harding e de Hoover. Exatamente como entre nós. As críticas a esse fato são lá quase tão freqüentes quanto aqui e já se lembrou o contraste evidente com o que ocorre na Grã-Bretanha, onde não houve um único primeiro-ministro advogado durante todo o século que vai de Perceval a Asquith.[170] ·

Apenas, no Brasil, se fatores de ordem econômica e social—comuns a todos os países americanos—devem ter contribuído largamente para o prestígio das profissões liberais, convém não esquecer que o mesmo prestígio já as cercava tradicionalmente na mãe-pátria. Em quase todas as épocas da história portuguesa uma carta de bacharel valeu quase tanto como uma carta de recomendação nas pretensões a altos cargos públicos. No século XVII, a crer no que afiança a *Arte de Furtar*, mais de cem estudantes conseguiam colar grau na Universidade de Coimbra todos os anos, a fim de obterem empregos públicos, sem nunca terem estado em Coimbra.

De qualquer modo, ainda no vício do bacharelismo ostenta-se também nossa tendência para exaltar acima de tudo a personalidade individual como valor próprio, superior às contingências. A dignidade e importância que confere o título de doutor permitem ao indivíduo atravessar a existência com discreta compostura e, em alguns casos, podem libertá-lo da necessidade de uma caça incessante aos bens materiais, que subjuga e humilha a personalidade. Se nos dias atuais o nosso ambiente social já não permite que essa situação privilegiada se mantenha cabalmente e se o prestígio do bacharel é sobretudo uma reminiscência de condições de vida material que já não se reproduzem de modo pleno, o certo é que a maioria, entre nós, ainda parece pensar nesse particular pouco diversamente dos nossos avós. O que importa salientar aqui é que a origem da sedução exercida pelas carreiras liberais vincula-se estreitamente ao nosso apego quase exclusivo aos valores da personalidade. Daí, também, o fato de essa sedução sobreviver em um ambiente de vida material que já a comporta dificilmente. Não é outro, aliás, o motivo da ânsia pelos meios de vida definitivos, que dão segurança e estabilidade,

---

169 Charles A. Beard, que salienta esse fato em sua obra hoje clássica sobre a interpretação econômica da Constituição dos Estados Unidos, observa, ao mesmo tempo, que nenhum dos membros da convenção representava, nos seus interesses econômicos pessoais, a pequena lavoura ou os ofícios mecânicos.—Charles A. Beard, *op. cit.*, pág. 189.

170 Zechariah Chafee, Jr., "The Law", *Civilization in the United States, An Inquiry by Thirty Americans* (Nova York, 1922), pág. 53.

exigindo, ao mesmo tempo, um mínimo de esforço pessoal, de aplicação e sujeição da personalidade, como sucede tão freqüentemente com certos empregos públicos.

Um amor pronunciado pelas formas fixas e pelas leis genéricas, que circunscrevem a realidade complexa e difícil dentro do âmbito dos nossos desejos, é dos aspectos mais constantes e significativos do caráter brasileiro. Essas construções de inteligência representam um repouso para a imaginação, comparável à exigência de regularidade a que o compasso musical convida o corpo do dançarino. O prestígio da palavra escrita, da frase lapidar, do pensamento inflexível, o horror ao vago, ao hesitante, ao fluido, que obrigam à colaboração, ao esforço e, por conseguinte, a certa dependência e mesmo abdicação da personalidade têm determinado assiduamente nossa formação espiritual. Tudo quanto dispense qualquer trabalho mental aturado e fatigante, as idéias claras, lúcidas, definitivas, que favorecem uma espécie de atonia da inteligência, parecem-nos constituir a verdadeira essência da sabedoria.

É possível compreender o bom sucesso do positivismo entre nós e entre outros povos parentes do nosso, como o Chile e o México, justamente por esse repouso que permitem ao espírito as definições irresistíveis e imperativas do sistema de Comte. Para seus adeptos, a grandeza, a importância desse sistema prende-se exatamente à sua capacidade de resistir à fluidez e à mobilidade da vida. É realmente edificante a certeza que punham aqueles homens no triunfo final das novas idéias. O mundo acabaria *irrevogavelmente* por aceitá-las, só porque eram racionais, só porque a sua perfeição não podia ser posta em dúvida e se impunha obrigatoriamente a todos os homens de boa vontade e de bom senso. Nada haveria de deter e muito menos de anular o ascendente fatal de uma nova espiritualidade reclamada pelo conjunto das necessidades humanas. O mobiliário científico e intelectual que o Mestre legou à Humanidade bastaria para que se atendesse em todos os tempos e em todas as terras a semelhantes necessidades. E nossa história, nossa tradição, eram recriadas de acordo com esses princípios inflexíveis.

É certo que, em suas construções políticas, os positivistas imaginavam candidamente respeitar nosso "estado preexistente", nossa feição própria, nossos antecedentes especiais. E assim, por exemplo, em um documento datado de Homero de 102, isto é, quando contávamos dois meses de vida republicana, propunham que se subdividisse o país em duas sortes de Estados: "os Estados Ocidentais Brasileiros, sistematicamente confederados e que provêm da fusão do elemento europeu com o elemento africano e o elemento americano aborígine" e os "Estados Americanos Brasilei-

ros, empiricamente confederados, constituídos por hordas feti-
chistas esparsas pelo território de toda a República; a federação
deles limitar-se-ia à manutenção das relações amistosas hoje re-
conhecidas como um dever entre nações distintas e simpáticas,
por um lado; e por outro lado em garantir-lhes a proteção do
Governo Federal contra qualquer violência, etc.".[171]

Não existiria, à base dessa confiança no poder milagroso das
idéias, um secreto horror à nossa realidade? No Brasil, os positivistas foram sempre paradoxalmente negadores. Não eram positivos—pode dizer-se—em nenhum dos sentidos que a essa palavra atribui Augusto Comte em seu *Discurso sobre o Espírito
Positivo*. Viveram narcotizados por uma crença obstinada na verdade de seus princípios e pela certeza de que o futuro os julga-
ria, e aos seus contemporâneos, segundo a conduta que adotassem,
individual e coletivamente, com relação a tais princípios. Essas
convicções defendiam-nos do resto do país, no recesso dos gabi-
netes, pois foram, todos eles, grandes leitores. E o resto acabaria
*fatalmente*—o advérbio que figura com mais insistência em seus
escritos—por vir a eles, por aceitar seus ensinamentos, por aca-
tar suas verdades. Em certo instante chegaram a formar a aristocracia do pensamento brasileiro, a nossa *intelligentzia*. Foram
conselheiros prediletos de alguns governantes e tiveram papel
parecido com o daqueles famosos *científicos* de que gostava de
cercar-se o ditador Porfírio Diaz.

Mas seu instinto essencialmente negador vedou-lhes continuamente a possibilidade de inspirarem qualquer sentido constru-
tivo, *positivo*, aos nossos negócios públicos. As virtudes que osten-
tavam—probidade, sinceridade, desinteresse pessoal—não eram
forças com que lutassem contra políticos—mais ativos e menos
escrupulosos. De Benjamim Constant Botelho de Magalhães, honrado por muitos com o título de Fundador de nossa República,
sabe-se que nunca votou, senão no último ano da monarquia. E
isso mesmo, *porque desejou servir a um amigo de família*, o Conselheiro Andrade Pinto, que se apresentava candidato à senato-
ria. Costumava dizer que tinha nojo de nossa política.[172] E um
dos seus íntimos refere-nos, sobre sua atitude às vésperas de inau-
gurar-se o novo regime que, naquele tempo, decerto, nem sequer
lia os jornais, tal a aversão que lhe inspirava nossa coisa pública.
E assim prossegue: "era-lhe indiferente que governasse Pedro
ou Martinho, liberal ou conservador. Todos, na opinião dele, não

---

[171] Miguel Lemos e R. Teixeira Mendes, *Bases de uma Constituição Política Ditatorial Federativa para a República Brasileira* (Rio de Janeiro,
1934).

[172] R. Teixeira Mendes, *Benjamim Constant, Esboço de uma apreciação
sintética da vida e da obra do Fundador da República Brasileira*, I (Rio
de Janeiro, 1913), pág. 88.

prestavam para nada. E eu muitas vezes estranhava essa indiferença e o pouco caso de Benjamim pelas nossas coisas políticas, que em geral são tão favoritas de todo brasileiro de alguma educação; e procurava explicar o fato estranho, dizendo comigo mesmo, que ele era um espírito tão superior, que não se ocupava com essas coisas pequeninas, e nem tempo tinha, porque pouco lhe sobrava para seus estudos sérios de matemáticas a que sempre se dedicou com ardor e paixão".[173]

Mas os positivistas foram apenas os exemplares mais característicos de uma raça humana que prosperou consideravelmente em nosso país, logo que este começou a ter consciência de si. De todas as formas de evasão da realidade, a crença mágica no poder das idéias pareceu-nos a mais dignificante em nossa difícil adolescência política e social. Trouxemos de terras estranhas um sistema complexo e acabado de preceitos, sem saber até que ponto se ajustam às condições da vida brasileira e sem cogitar das mudanças que tais condições lhe imporiam. Na verdade, a ideologia impessoal do liberalismo democrático jamais se naturalizou entre nós. Só assimilamos efetivamente esses princípios até onde coincidiram com a negação pura e simples de uma autoridade incômoda, confirmando nosso instintivo horror às hierarquias e permitindo tratar com familiaridade os governantes. A democracia no Brasil foi sempre um lamentável mal-entendido. Uma aristocracia rural e semifeudal importou-a e tratou de acomodá-la, onde fosse possível, aos seus direitos ou privilégios, os mesmos privilégios que tinham sido, no Velho Mundo, o alvo da luta da burguesia contra os aristocratas. E assim puderam incorporar à situação tradicional, ao menos como fachada ou decoração externa, alguns lemas que pareciam os mais acertados para a época e eram exaltados nos livros e discursos.

É curioso notar-se que os movimentos aparentemente reformadores, no Brasil, partiram quase sempre de cima para baixo: foram de inspiração intelectual, se assim se pode dizer, tanto quanto sentimental. Nossa independência, as conquistas liberais que fizemos durante o decurso de nossa evolução política, vieram quase de surpresa; a grande massa do povo recebeu-as com displicência, ou hostilidade. Não emanavam de uma predisposição espiritual e emotiva particular, de uma concepção da vida bem definida e específica, que tivesse chegado à maturidade plena. Os campeões das novas idéias esqueceram-se, com freqüência, de que as formas de vida nem sempre são expressões do arbítrio pessoal, não se "fazem" ou "desfazem" por decreto. A célebre carta de Aristides Lobo sobre o 15 de Novembro é documento

---

[173] R. Teixeira Mendes, *op. cit.*, I, pág. 87 e seg.

flagrante do imprevisto que representou para nós, a despeito de toda a propaganda, de toda a popularidade entre os moços das academias, a realização da idéia republicana. "Por ora—dizia o célebre paredro do novo regime—por ora a cor do governo é puramente militar e deverá ser assim. O fato foi deles, deles só, porque a colaboração de elemento civil foi quase nula. O povo assistiu àquilo bestializado, atônito, surpreso, sem conhecer o que significava".

A fermentação liberalista que precedeu à proclamação da Independência constituiu obra de minorias exaltadas, sua repercussão foi bem limitada entre o povo, bem mais limitada, sem dúvida, do que o querem fazer crer os compêndios de história pátria. Saint-Hilaire, que por essa época anotava suas impressões de viagem pelo interior brasileiro, observa que, no Rio, as agitações do liberalismo anteriores ao 12 de janeiro foram promovidas por europeus e que as revoluções das províncias partiram de algumas famílias ricas e poderosas. "A massa do povo —diz—ficou indiferente a tudo, parecendo perguntar como o burro da fábula: Não terei a vida toda de carregar a albarda?".[174]

A persistência dos velhos padrões coloniais viu-se pela primeira vez seriamente ameaçada, entre nós, em virtude dos acontecimentos que sucederam à migração forçada da família real portuguesa para o Brasil, em 1808. O crescente cosmopolitismo de alguns centros urbanos não constituiu perigo iminente para a supremacia dos senhores agrários, supremacia apoiada na tradição e na opinião, mas abriu certamente novos horizontes e sugeriu ambições novas que tenderiam, com o tempo, a perturbar os antigos deleites e lazeres da vida rural. Colhidos de súbito pelas exigências impostas com um outro estado de coisas, sobretudo depois da Independência e das crises da Regência, muitos não souberam conformar-se logo com as mudanças. Desde então começou a patentear-se a distância entre o elemento "consciente" e a massa brasileira, distância que se evidenciou depois, em todos os instantes supremos da vida nacional. Nos livros, na imprensa, nos discursos, a realidade começa a ser, infalìvelmente, a dura, a triste realidade. A transição do convívio das coisas elementares da natureza para a existência mais regular e abstrata das cidades, deve ter estimulado, em nossos homens, uma crise subterrânea, voraz. Os melhores, os mais sensíveis, puseram-se a detestar francamente a vida, o "cárcere da vida", para falar na linguagem do tempo. Pode dizer-se de nosso romantismo que, mesmo copiando Byron, Musset, Espronceda, mesmo criando um indianismo de convenção, já antecipado, em quase todas as suas

---

174 A. de Saint-Hilaire, op. cit., pág. 581.

minúcias, por Chateaubriand e Cooper, ou quando transpôs o verbo altissonante de Hugo para as suas estrofes condoreiras, só foi artificioso e insincero em certas particularidades formais.

Como em toda parte, os românticos brasileiros trataram de abandonar o convencionalismo clássico, tudo quanto pretendia fazer de nossa natureza tropical uma pobre e ridícula caricatura das paisagens arcádicas. Fixando sua preferência no pessoal e no instintivo, esse movimento poderia ter um papel mais poderoso—e até certo ponto o teve. Não precisou, para isso, descer aos fundos obscuros da existência, bastou-lhe contentar-se em ser espontâneo. Não nos trouxe, é certo, nada de verdadeiramente novo: o pessimismo, o morrer de amores e até a sentimentalidade lacrimosa que ostenta, constituem traços característicos da tradição lírica que nos veio da metrópole. Há mesmo do que alarmar nesse alastramento de uma sensibilidade feminina, deliqüescente, linfática, num momento em que, mal acordados para a vida de nação independente, todas as nossas energias deveriam concertar-se para opor um anteparo aos estímulos negadores.

Apenas, não nos devem iludir as aparências a ponto de nos fazerem ver, nos movimentos de depressão e de exaltação que oferece essa literatura romântica, muito mais do que uma superfetação na vida brasileira, não obstante a sinceridade fundamental dos seus representantes típicos. Tornando possível a criação de um mundo fora do mundo, o amor às letras não tardou em instituir um derivativo cômodo para o horror à nossa realidade cotidiana. Não reagiu contra ela, de uma reação sã e fecunda, não tratou de corrigi-la ou dominá-la; esqueceu-a, simplesmente, ou detestou-a, provocando desencantos precoces e ilusões de maturidade. Machado de Assis foi a flor dessa planta de estufa.

Todo o nosso pensamento dessa época revela a mesma fragilidade, a mesma inconsistência íntima, a mesma indiferença, no fundo, ao conjunto social; qualquer pretexto estético serve-lhe de conteúdo. Pode-se aplicar a ele o que disse da filosofia Junqueira Freire, em sua autobiografia: "Era uma nova linguagem igualmente luxuriosa para dizer a mesma coisa. Nada de verdadeiro, tudo de belo, mais arte que ciência; mais cúpula que alicerce".

Ainda quando se punham a legiferar ou a cuidar de organização e coisas práticas, os nossos homens de idéias eram, em geral, puros homens de palavras e livros; não saíam de si mesmos, de seus sonhos e imaginações. Tudo assim conspirava para a fabricação de uma realidade artificiosa e livresca, onde nossa vida verdadeira morria asfixiada. Comparsas desatentos do mundo que habitávamos, quisemos recriar outro mundo mais dócil aos nossos desejos ou devaneios. Era o modo de não nos rebaixarmos, de não sacrificarmos nossa personalidade no contato de coisas mesquinhas e desprezíveis. Como Plótino de Alexandria, que tinha vergonha do próprio corpo, acabaríamos, assim, por esquecer os fatos prosaicos que fazem a verdadeira trama da existência diária, para nos dedicarmos a motivos mais nobilitantes: à palavra escrita, à retórica, à gramática, ao Direito formal.

O amor bizantino dos livros pareceu, muitas vezes, penhor de sabedoria e indício de superioridade mental, assim como o anel de grau ou a carta de bacharel. É digno de nota—diga-se de passagem—o valor exagerado que damos a esses símbolos concretos; dir-se-ia que as idéias não nos seriam acessíveis sem uma intervenção assídua do corpóreo e do sensível. Dom Pedro II, que foi, ao seu tempo, um protótipo da nossa intelectualidade oficial, levou a devoção aos livros a ponto de se dizer dele, com alguma injustiça, que a praticou mais assiduamente do que serviu aos negócios do Estado. Um cultor de sua memória oferece-nos, sem malícia, um depoimento pitoresco a esse respeito: "O imperador—ouvimo-lo ao nosso douto Ramiz Galvão—dizia gostar dos livros com satisfação dos cinco sentidos, isto é:

*visual*, pela impressão exterior ou aspecto do livro;

*tátil*, ao manusear-lhe a maciez ou aspereza das páginas;

*auditivo*, pelo brando crepitar ao folheá-lo;

*olfativo*, pelo cheiro pronunciado de seu papel impresso ou fino couro da encadernação;

*gustativo*, isto é, o sabor intelectual do livro, ou mesmo físico, ao umedecer-lhe ligeiramente as pontas das folhas para virá-las".[175]

Esse imperador, que alguém comparou a um pastor protestante oficiando em templo católico,[176] não é, em verdade, uma figura ímpar no Brasil da segunda metade do século XIX. Por muitos dos seus traços pode mesmo comparar-se aos positivistas de que antes se tratou, eles também grandes amigos da página impressa, onde aprendiam a recriar a realidade conforme seu gosto e arbítrio. Nada há de verdadeiramente insólito em semelhante atitude: Pedro II é bem de seu tempo e de seu país. A ponto de ter sido ele, paradoxalmente, um dos pioneiros dessa transformação, segundo a qual a velha nobreza colonial, nobreza de senhores agrários —os nossos homens de solar—tende a ceder seu posto a esta outra, sobretudo citadina, que é a do talento e a das letras.

Porque com o declínio do velho mundo rural e de seus representantes mais conspícuos essas novas elites, a aristocracia do "espírito", estariam naturalmente indicadas para o lugar vago.

---

175 "Contribuições para a Biografia de D. Pedro II", *Revista do Instituto Histórico e Geográfico Brasileiro*, Tomo Especial (Rio de Janeiro, 1925), pág. 119.

176 Gilberto Freyre, "A Propósito de Dom Pedro II", *Perfil de Euclides e Outros Perfis* (Rio de Janeiro, 1944), pág. 132.

Nenhuma congregação achava-se tão aparelhada para o mister de preservar, na medida do possível, o teor essencialmente aristocrático de nossa sociedade tradicional como a das pessoas de imaginação cultivada e de leituras francesas. A simples presença dessas qualidades, que se adquirem, em geral, numa infância e numa adolescência isentas de preocupações materiais imperiosas, bastava, quando mais não fosse, para denunciar uma estirpe de *beati possidentes*.

Mas há outros traços por onde nossa intelectualidade ainda revela sua missão nitidamente conservadora e senhorial. Um deles é a presunção, ainda em nossos dias tão generalizada entre seus expoentes, de que o verdadeiro talento há de ser espontâneo, de nascença, como a verdadeira nobreza, pois os trabalhos e o estudo acurado podem conduzir ao saber, mas assemelham-se, por sua monotonia e reiteração, aos ofícios vis que degradam o homem. Outro é exatamente o voluntário alheamento ao mundo circunstante, o caráter transcendente, inutilitário, de muitas das suas expressões mais típicas. Ainda aqui cumpre considerar também a tendência freqüente, posto que nem sempre manifesta, para se distinguir no saber principalmente um instrumento capaz de elevar seu portador acima do comum dos mortais. O móvel dos conhecimentos não é, no caso, tanto intelectual quanto social, e visa primeiramente ao enaltecimento e à dignificação daqueles que os cultivam. De onde, por vezes, certo tipo de erudição sobretudo formal e exterior, onde os apelidos raros, os epítetos supostamente científicos, as citações em língua estranha se destinam a deslumbrar o leitor como se fossem uma coleção de pedras brilhantes e preciosas.

O prestígio de determinadas teorias que trazem o endosso de nomes estrangeiros e difíceis, e pelo simples fato de o trazerem, parece enlaçar-se estreitamente a semelhante atitude. E também a uma concepção do mundo que procura simplificar todas as coisas para colocá-las mais facilmente ao alcance de raciocínios preguiçosos. Um mundo complicado requereria processos mentais laboriosos e minudentes, excluindo por conseguinte a sedução das palavras ou fórmulas de virtude quase sobrenatural e que tudo resolvem de um gesto, como as varas mágicas.

Não têm conta entre nós os pedagogos da prosperidade que, apegando-se a certas soluções onde, na melhor hipótese, se abrigam verdades parciais, transformam-nas em requisito obrigatório e único de todo progresso. É bem característico, para citar um exemplo, o que ocorre com a miragem da alfabetização do povo. Quanta inútil retórica se tem esperdiçado para provar que todos os nossos males ficariam resolvidos de um momento para outro se estivessem amplamente difundidas as escolas primárias e o conhecimento do ABC. Certos simplificadores chegam a sustentar que, se fizéssemos nesse ponto como os Estados Unidos, "em vinte anos o Brasil estaria alfabetizado e *assim* ascenderia à posição de segunda ou terceira grande potência do mundo"! "Suponhamos por hipótese—diz ainda um deles—que nos vinte e um Estados do Brasil os governos passados tivessem feito para a atualidade uma população culta e um igual aparelhamento escolar, como o que se encontra em cada um dos Estados da América do Norte, graças à previsão dos americanos. Nessa hipótese, estaríamos no Brasil com um progresso espantoso em todos os nossos Estados. Todos eles estariam cortados de estradas de ferro feitas pela iniciativa particular, todos êles estariam cheios de cidades riquíssimas, cobertos de lavouras opulentas, povoados por uma raça forte, vigorosa e sadia".[177]

A muitos desses pregoeiros do progresso seria difícil convencer de que a alfabetização em massa não é condição obrigatória nem sequer para o tipo de cultura técnica e capitalista que admiram e cujo modelo mais completo vamos encontrar na América do Norte. E de que, com seus seis milhões de adultos analfabetos, os Estados Unidos, nesse ponto, comparam-se desfavoravelmente a outros países menos "progressistas". Em uma só comunidade de Middle West, de cerca de trezentas mil almas (e uma comunidade, por sinal, que se vangloria de seu apreço às coisas de cultura, a ponto de se considerar uma segunda Boston) é maior o número de crianças que não freqüentam e não se destinam às escolas, afirmava, não há muitos anos, uma autoridade norte--americana em questões de educação, do que em todo o Reich alemão.[178]

Cabe acrescentar que, mesmo independentemente desse ideal de cultura, a simples alfabetização em massa não constitui talvez um benefício sem-par. Desacompanhada de outros elementos fundamentais da educação, que a completem, é comparável, em certos casos, a uma arma de fogo posta nas mãos de um cego.

Essa e outras panacéias semelhantes, se de um lado parecem indicar em seus predicadores um vício de raciocínio, de outro servem para disfarçar um invencível desencanto em face das nossas condições reais. Variam os discursos de diapasão e de conteúdo, mas têm sempre o mesmo sentido e as mesmas secretas origens. Muitos dos que criticam o Brasil imperial por ter difundido uma espécie de *bovarismo* nacional, grotesco e sensaborão, es-

---

177 Mário Pinto Serva, *O Enigma Brasileiro* (São Paulo, s. d.), págs. 12 e 57.
178 A J. Todd, *Theories of Social Progress* (Nova York, 1934), pág. 522 e segs.

quecem-se de que o mal não diminuiu com o tempo; o que diminuiu, talvez, foi apenas nossa sensibilidade aos seus efeitos.

Quando se fez a propaganda republicana, julgou-se, é certo, introduzir, com o novo regime, um sistema mais acorde com as supostas aspirações da nacionalidade: o país ia viver finalmente por si, sem precisar exibir, só na América, formas políticas caprichosas e antiquadas; na realidade, porém, foi ainda um incitamento negador o que animou os propagandistas: o Brasil devia entrar em novo rumo, porque "se envergonhava" de si mesmo, de sua realidade *biológica*. Aqueles que pugnaram por uma vida nova representavam, talvez, ainda mais do que seus antecessores, a idéia de que o país não pode crescer pelas suas próprias forças naturais: deve formar-se de fora para dentro, deve merecer a aprovação dos *outros*.

E justamente a esse respeito não é exagero dizer que nossa República foi, em mais de um ponto, além do Império. Neste, o princípio do Poder Moderador, chave de toda a organização política e aplicação da idéia de *pouvoir neutre*, em que Benjamin Constant, o europeu, definia a verdadeira posição do chefe de Estado constitucional, corrompeu-se bem cedo, graças à inexperiência do povo, servindo de base para nossa monarquia tutelar, compreensível onde dominava um sistema agrário patriarcal. A divisão política, segundo o modelo inglês, em dois partidos, menos representativos de idéias do que de pessoas e famílias, satisfazia nossa necessidade fundamental de solidariedade e luta. Finalmente o próprio Parlamento tinha uma função precípua a cumprir dentro do quadro da vida nacional, dando a imagem visível dessa solidariedade e dessa luta.

# VII

## NOSSA REVOLUÇÃO

*AS AGITAÇÕES POLÍTICAS NA AMÉRICA LATINA.
—IBERISMO E AMERICANISMO.—DO SENHOR DE
ENGENHO AO FAZENDEIRO.—O APARELHAMEN-
TO DO ESTADO NO BRASIL.—POLÍTICA E SOCIE-
DADE.—O CAUDILHISMO E SEU AVESSO.—UMA RE-
VOLUÇÃO VERTICAL.—AS OLIGARQUIAS: PROLON-
GAMENTOS DO PERSONALISMO NO ESPAÇO E NO
TEMPO.—A DEMOCRACIA E A FORMAÇÃO NACIO-
NAL.—AS NOVAS DITADURAS.—PERSPECTIVAS.*

S E A DATA DA Abolição marca
no Brasil o fim do predomínio agrário, o quadro político instituído no seguinte quer responder à conveniência de uma forma
adequada à nova composição social. Existe um elo secreto estabelecendo entre esses dois acontecimentos e numerosos outros
uma revolução lenta, mas segura e concertada, a única que, rigorosamente, temos experimentado em toda a nossa vida nacional.
Processa-se, é certo, sem o grande alarde de algumas convulsões
de superfície, que os historiadores exageram freqüentemente em
seu zelo, minucioso e fácil, de compendiar as transformações exteriores da existência dos povos. Perto dessa revolução, a maioria de nossas agitações do período republicano, como as suas si-
milares das nações da América Espanhola, parecem simples des-
vios na trajetória da vida política legal do Estado, comparáveis
a essas antigas "revoluções palacianas", tão familiares aos conhecedores da história européia.

Houve quem observasse, e talvez com justiça, que tais movimentos, no fundo, têm o mesmo sentido e a mesma utilidade das
eleições presidenciais na América do Norte; o abalo por eles produzido na sociedade não deve ser mais profundo do que o resultante destas. "Segundo todas as probabilidades—refere um autor
norte-americano—essas revoluções não prejudicam mais aos negócios do que os nossos pleitos presidenciais dos Estados Unidos,
nem custam tão caro".[179]

---

[179] Um observador agudo adverte, por outro lado, contra o emprego, a
seu ver abusivo, da palavra "revolução", quando sucede um general sul-
americano, à frente de sua tropa, pôr abaixo o presidente e nomear-se—
por quanto tempo?—para o seu lugar. Essas movimentos, explica, constituem

A grande revolução brasileira não é um fato que se registasse em um instante preciso; é antes um processo demorado e que vem durando pelo menos há três quartos de século. Seus pontos culminantes associam-se como acidentes diversos de um mesmo sistema orográfico. Se em capítulo anterior se tentou fixar a data de 1888 como o momento talvez mais decisivo de todo o nosso desenvolvimento nacional, é que a partir dessa data tinham cessado de funcionar alguns dos freios tradicionais contra o advento de um novo estado de coisas, que só então se faz inevitável. Apenas nesse sentido é que a Abolição representa, em realidade, o marco mais visível entre duas épocas.

E efetivamente daí por diante estava melhor preparado o terreno para um novo sistema, com seu centro de gravidade não já nos domínios rurais, mas nos centros urbanos. Se o movimento que, através de todo o Império, não cessou de subverter as bases em que assentava nossa sociedade ainda está longe, talvez, de ter atingido o desenlace final, parece indiscutível que já entramos em sua fase aguda. Ainda testemunhamos presentemente, e por certo continuaremos a testemunhar durante largo tempo, as ressonâncias últimas do lento cataclismo, cujo sentido parece ser o do aniquilamento das raízes ibéricas de nossa cultura para a inauguração de um estilo novo, que crismamos talvez ilusoriamente de americano, porque seus traços se acentuam com maior rapidez em nosso hemisfério. No Brasil, e não só no Brasil, iberismo e agrarismo confundem-se, apesar do que têm dito em contrário estudiosos eminentes, entre outros o Sr. Oliveira Viana. No dia em que o mundo rural se achou desagregado e começou a ceder rapidamente à invasão impiedosa do mundo das cidades, entrou também a decair, para um e outro, todo o ciclo das influências ultramarinas específicas de que foram portadores os portugueses.

Se a forma de nossa cultura ainda permanece largamente ibérica e lusitana, deve atribuir-se tal fato sobretudo às insuficiências do "americanismo", que se resume até agora, em grande parte, numa sorte de exacerbamento de manifestações estranhas, de decisões impostas de fora, exteriores à terra. O americano ainda é interiormente inexistente. "Na atividade americana o sangue é quimicamente reduzido pelos nervos", disse um dos poetas mais singulares de nosso tempo.[180]

---

muitas vezes pormenores insistentemente reiterados do processo geral—e em verdade revolucionário—da transformação dos territórios coloniais em sociedades cultas modernas.—W. Mann, *Volk und Kultur Lateinamerikas* (Hamburgo, 1927), pág. 123.

180 D. H. Lawrence, *Studies in Classic American Literature* (Londres, 1924), pág. 88.

É deliberadamente que se frisa aqui o declínio dos centros de produção agrária como o fator decisivo da hipertrofia urbana. As cidades, que outrora tinham sido como complementos do mundo rural, proclamaram finalmente sua vida própria e sua primazia. Em verdade podemos considerar dois movimentos simultâneos e convergentes através de toda a nossa evolução histórica: um tendente a dilatar a ação das comunidades urbanas e outro que restringe a influência dos centros rurais, transformados, ao cabo, em simples fontes abastecedoras, em *colônias* das cidades. Se fatores especiais favorecem o primeiro desses movimentos, não há dúvida que ele só se acentuou definitivamente com a perda de resistência do agrarismo, antes soberano, e, depois, com o definhamento das condições que estimularam a formação entre nós de uma aristocracia rural poderosa e de organizações não urbanas dotadas de economia autônoma.

É interessante notar como o desaparecimento progressivo dessas formas tradicionais coincidiu, de modo geral, com a diminuição da importância da lavoura do açúcar, durante a primeira metade do século passado, e sua substituição pela do café. A existência, por um lado, de tipos de produção colonial tendentes a incentivar a estratificação da sociedade, com a formação de aristocracias e, por outro, de tipos que atuam no sentido de um maior nivelamento, foi observada, no Brasil, por H. Handelmann, precisamente a propósito desses dois produtos.

Do cafeeiro, chegou a dizer esse historiador que é uma "planta democrática" em comparação com a cana e mesmo com o algodoeiro. Seu cultivo—afirma—não exige tamanha extensão de terreno nem tamanho dispêndio de capitais; o parcelamento da propriedade e a redução dos latifúndios operam-se mais facilmente com sua difusão, tudo isso contribuindo para o bem geral.[181]

Redigida em meados do século XIX, essa observação parece refletir condições de uma época em que a lavoura cafeeira ainda não alcançara uma preponderância absorvente em nossa economia agrária. A verdade é que, pelo menos na província do Rio de Janeiro, e em geral no Vale do Paraíba, as fazendas de café seguiram quase sempre à risca os moldes tradicionais da lavoura açucareira, constituindo cada qual uma unidade tanto quanto possível suficiente. A formação e sustentação de semelhantes propriedades exigiam, por força, grandes capitais, que não se encontravam ao alcance de qualquer mão. E o parcelamento nunca se

---

[181] H. Handelmann, *História do Brasil* (Rio de Janeiro, 1931), pág. 361.

fez em escala apreciável, salvo onde o esgotamento dos solos tornava pouco remuneradora sua utilização.[182]

É particularmente no Oeste da província de São Paulo—o Oeste de 1840, não o de 1940—que os cafezais adquirem seu caráter próprio, emancipando-se das formas de exploração agrária estereotipadas desde os tempos coloniais no modelo clássico da lavoura canavieira e do "engenho" de açúcar. A silhueta antiga do senhor de engenho perde aqui alguns dos seus traços característicos, desprendendo-se mais da terra e da tradição—da rotina —rural. A terra de lavoura deixa então de ser o seu pequeno mundo para se tornar unicamente seu meio de vida, sua fonte de renda e de riqueza. A fazenda resiste com menos energia à influência urbana, e muitos lavradores passam a residir permanentemente nas cidades. Decai rapidamente a indústria caseira e diminuem em muitos lugares as plantações de mantimentos, que garantiam outrora certa autonomia à propriedade rural.

Cumpre relacionar esse fenômeno, até certo ponto, com a carência de braços, já que os efeitos da extinção do tráfico negreiro correspondem cronologicamente à maior expansão da lavoura do café. Sabemos que, na província do Rio de Janeiro, por volta de 1884, um escravo era forçado, em regra, a tratar de cerca de 7.000 cafeeiros, ao passo que anteriormente teria ao seu cargo no máximo 4.500 ou 5.000 pés, sobrando-lhe tempo, assim, para se ocupar da conservação dos caminhos e também das plantações de milho, feijão, mandioca, arroz e batata-doce. E como sucede tão freqüentemente nestes casos, o café, absorvendo a maioria dos braços disponíveis, tornou-se não só a fonte de riqueza mais ponderável das regiões produtoras, como também, e cada vez mais, a única verdadeiramente dignificante. Explica-se, por esse motivo, a designação de *quitandeiros*, dada desdenhosamente aos lavradores que se dedicavam a plantar e a vender aqueles mantimentos ainda quando obtivessem grandes lucros do negócio.[183]

Por outro lado, a perspectiva dos inauditos cabedais que proporcionava, já nos seus primeiros tempos, a lavoura cafeeira constituía por si só uma razão decisiva para que os fazendeiros tivessem em mira ampliar continuamente as plantações, desprezando tudo quanto distraísse a mão-de-obra do principal objeto de seus cuidados. Em São Paulo, e já em 1858, o fato suscitara comentários de José Manuel da Fonseca no Senado do Império: "A conversão das fazendas de açúcar em fazendas de café tem concorrido também ali em São Paulo para o encarecimento dos gêneros alimentícios. Na Casa há alguns nobres senadores que

---

182 Caio Prado Júnior, "Distribuição da Propriedade Fundiária no Estado de São Paulo", *Geografia*, I (São Paulo, 1935), pág. 65.
183 C. F. Van Delden Laerne, *Rapport sur la Culture du Café en Amérique, Asie et Afrique* (Haia, 1885), pág. 254 e seg.

têm engenhos de açúcar; apelo para seu testemunho. Quando o lavrador planta cana, pode também plantar e planta feijão, e alguns até plantam milho em distâncias maiores para não ofender a cana; e tudo vem excelentemente pelo preparo da terra para a cana; e a limpa aproveita a tudo: isso acontecia no município de Campinas, cujas terras são mui férteis, quando seu cultivo era a cana, e em outros municípios que abasteciam a capital e outros pontos de gêneros alimentícios. Entretanto todo esse município de Campinas, e outros, estão hoje cobertos de café, o qual não permite ao mesmo tempo a cultura de gêneros alimentícios, salvo no começo, quando novo; mas quando crescido, nada mais se pode plantar, e mesmo a terra fica improdutiva para os gêneros alimentícios, talvez para sempre, salvo depois de um pousio de imensos anos".[184]

Essas circunstâncias e mais o desenvolvimento das comunicações, sobretudo das vias férreas, que procuravam de preferência as zonas produtoras de café, iriam acentuar e facilitar a relação de dependência entre essas áreas rurais e as cidades. Simplificando-se a produção, aumentou, por conseguinte, a necessidade do recurso aos centros urbanos distribuidores dos mantimentos, que outrora se criavam no próprio lugar. O resultado é que o domínio agrário deixa, aos poucos, de ser uma baronia, para se aproximar, em muitos dos seus aspectos, de um centro de exploração industrial. É quando muito nesse sentido que se poderá falar do café como de uma "planta democrática", para usar das expressões de Handelmann. O fazendeiro que se forma ao seu contato, torna-se, no fundo, um tipo citadino, mais do que rural, e um indivíduo para quem a propriedade agrícola constitui, em primeiro plano, meio de vida e só ocasionalmente local de residência ou recreio. As receitas de bem produzir não se herdam pela tradição e pelo convívio, através de gerações sucessivas, com as terras de plantio, mas são aprendidas, por vezes, nas escolas e nos livros.

É compreensível que a Abolição não tivesse afetado desastrosamente as regiões onde a cultura do café já preparara assim o terreno para a aceitação de um regime de trabalho remunerado. Aqui a evolução para o predomínio urbano fez-se rápida e com ela foi aberto o caminho para uma transformação de grandes proporções. Nos Estados do Norte, onde a baixa dos preços do açúcar no mercado mundial já tinha acarretado uma situação que o 13 de Maio veio apenas referendar, nada compensaria a catástrofe agrária. Aos barões do açúcar não restava, com a desagregação dos seus domínios, senão conformarem-se às novas

---

[184] *Anais do Senado*, IV (Rio de Janeiro, 1858—Sessão de 26 de agosto), pág. 253.

condições de vida. Um romancista nordestino, o Sr. José Lins do Rego, fixou em episódios significativos a evolução crítica que ali também, por sua vez, vai arruinando os velhos hábitos patriarcais, mantidos até aqui pela inércia; hábitos que o meio não só já deixou de estimular, como principia a condenar irremediavelmente. O desaparecimento do velho engenho, engolido pela usina moderna, a queda de prestígio do antigo sistema agrário e a ascensão de um novo tipo de senhores de empresas concebidas à maneira de estabelecimentos industriais urbanos, indicam bem claramente em que rumo se faz essa evolução.

Os velhos proprietários rurais tornados impotentes pelo golpe fatal da Abolição e por outros fatores, não tinham como intervir nas novas instituições. A República, que não criou nenhum patriciado, mas apenas uma plutocracia, se assim se pode dizer, ignorou-os por completo. Daí o melancólico silêncio a que ficou reduzida a casta de homens que no tempo do Império dirigia e animava as instituições, assegurando ao conjunto nacional certa harmonia que nunca mais foi restaurada. Essa situação não é mais efeito do regime monárquico do que da estrutura em que este assentava e que desapareceu para sempre. A urbanização contínua, progressiva, avassaladora, fenômeno social de que as instituições republicanas deviam representar a forma exterior complementar, destruiu esse esteio rural, que fazia a força do regime decaído sem lograr substituí-lo, até agora, por nada de novo.

O trágico da situação está justamente em que o quadro formado pela monarquia ainda guarda seu prestígio, tendo perdido sua razão de ser, e trata de manter-se como pode, não sem grande artifício. O Estado brasileiro preserva como relíquias respeitáveis algumas das formas exteriores do sistema tradicional, depois de desaparecida a base que as sustentava: uma periferia sem um centro. A maturidade precoce, o estranho requinte de nosso aparelhamento de Estado, é uma das conseqüências de tal situação.

O Estado, entre nós, não precisa e não deve ser despótico —o despotismo condiz mal com a doçura de nosso gênio—mas necessita de pujança e compostura, de grandeza e solicitude, ao mesmo tempo, se quiser adquirir alguma força e também essa respeitabilidade que os nossos pais ibéricos nos ensinaram a considerar a virtude suprema entre todas. Ele ainda pode conquistar por esse meio uma força verdadeiramente assombrosa em todos os departamentos da vida nacional. Mas é indispensável que as peças de seu mecanismo funcionem com certa harmonia e garbo. O Império brasileiro realizou isso em grande parte. A auréola que ainda hoje o cinge, apesar de tudo, para os nossos contemporâneos, resulta quase exclusivamente do fato de ter encarnado um pouco esse ideal.

A imagem de nosso país que vive como projeto e aspiração na consciência coletiva dos brasileiros não pôde, até hoje, desligar-se muito do espírito do Brasil imperial; a concepção de Estado figurada nesse ideal não somente é válida para a vida interna da nacionalidade como ainda não nos é possível conceber em sentido muito diverso nossa projeção maior na vida internacional. Ostensivamente ou não, a idéia que de preferência formamos para nosso prestígio no estrangeiro é a de um gigante cheio de bonomia superior para com todas as nações do mundo. Aqui, principalmente, o segundo reinado antecipou, tanto quanto lhe foi possível, tal idéia, e sua política entre os países platinos dirigiu-se insistentemente nesse rumo. Queria impor-se apenas pela grandeza da imagem que criara de si, e só recorreu à guerra para se fazer respeitar, não por ambição de conquista. Se lhe sobrava, por vezes, certo espírito combativo, faltava-lhe espírito militar. Oliveira Lima, que fez esta última observação, acrescenta que "as guerras estrangeiras, como métodos políticos, sempre foram encaradas pelo país como importunas e até criminosas, e nesse sentido especialmente a guerra do Paraguai não deixou de sê-lo; os voluntários que a ela acudiram, eram, de fato, muito pouco *por vontade própria*".[185]

Não ambicionamos o prestígio de país conquistador e detestamos notoriamente as soluções violentas. Desejamos ser o povo mais brando e o mais comportado do mundo. Pugnamos constantemente pelos princípios tidos universalmente como os mais moderados e os mais racionais. Fomos das primeiras nações que aboliram a pena de morte em sua legislação, depois de a termos abolido muito antes na prática. Modelamos a norma de nossa conduta entre os povos pela que seguem ou parecem seguir os países mais cultos, e então nos envaidecemos da ótima companhia. Tudo isso são feições bem características do nosso aparelhamento político, que se empenha em desarmar todas as expressões menos harmônicas de nossa sociedade, em negar toda espontaneidade nacional.

O desequilíbrio singular que gera essa anomalia é patente e não tem escapado aos observadores. Um publicista ilustre fixou, há cerca de vinte anos, o paradoxo de tal situação. "A separação da política e da vida social—dizia—atingiu, em nossa pátria, o máximo de distância. À força de alheação da realidade a política chegou ao cúmulo do absurdo, constituindo em meio de nossa nacionalidade nova, onde todos os elementos se propunham a impulsionar e fomentar um surto social robusto e progressivo, uma classe artificial, verdadeira superfetação, ingênua e francamente

---

[185] Oliveira Lima, *Aspectos da História e da Cultura do Brasil* (Lisboa, 1923), pág. 78.

estranha a todos os interesses, onde, quase sempre com a maior boa-fé, o brilho das fórmulas e o calor das imagens não passam de pretextos para as lutas de conquista e a conservação das posições".[186]

Em face de semelhante condição, nossos reformadores só puderam encontrar até aqui duas saídas, ambas igualmente superficiais e enganadoras. A experiência já tem mostrado largamente como a pura e simples substituição dos detentores do poder público é um remédio aleatório, quando não precedida e até certo ponto determinada por transformações complexas e verdadeiramente estruturais na vida da sociedade.

Outro remédio, só aparentemente mais plausível, está em pretender-se compassar os acontecimentos segundo sistemas, leis ou regulamentos de virtude provada, em acreditar que a letra morta pode influir por si só e de modo enérgico sobre o destino de um povo. A rigidez, a impermeabilidade, a perfeita homogeneidade da legislação parecem-nos constituir o único requisito obrigatório da boa ordem social. Não conhecemos outro recurso.

Escapa-nos esta verdade de que não são as leis escritas, fabricadas pelos jurisconsultos, as mais legítimas garantias de felicidade para os povos e de estabilidade para as nações. Costumamos julgar, ao contrário, que os bons regulamentos e a obediência aos preceitos abstratos representam a floração ideal de uma apurada educação política, da alfabetização, da aquisição de hábitos civilizados e de outras condições igualmente excelentes. No que nos distinguimos dos ingleses, por exemplo, que não tendo uma constituição escrita, regendo-se por um sistema de leis confuso e anacrônico, revelam, contudo, uma capacidade de disciplina espontânea sem rival em nenhum outro povo.

É claro que a necessidade de boa ordem entre os cidadãos e a estabilidade do conjunto social tornaram necessária a criação de preceitos obrigatórios e de sanções eficazes. Em tempos talvez mais ditosos do que o nosso, a obediência àqueles preceitos em nada se parece com o cumprimento de um dever imposto. Tudo se faz, por assim dizer, livremente e sem esforço. Para o homem a que chamamos primitivo, a própria segurança cósmica parece depender da regularidade dos acontecimentos; uma perturbação dessa regularidade tem qualquer coisa de ominoso. Mais tarde. essa consideração da estabilidade inspiraria a fabricação de normas, com o auxílio precioso de raciocínios abstratos e ainda aqui foram conveniências importantes que prevaleceram, pois, muitas vezes, é indispensável abstrair da vida para viver e apenas o

---

[186] Alberto Torres, *O Problema Nacional Brasileiro. Introdução a um Programa da Organização Nacional* (Rio de Janeiro, 1914), pág. 88.

absolutismo da razão pode pretender que se destitua a vida de todo elemento puramente racional. Em verdade o racionalismo excedeu os seus limites somente quando, ao erigir em regra suprema os conceitos assim arquitetados, separou-os irremediavelmente da vida e criou com eles um sistema lógico, homogêneo, a-histórico.

Nesse erro se aconselharam os políticos e demagogos que chamam atenção freqüentemente para as plataformas, os programas, as instituições, como únicas realidades verdadeiramente dignas de respeito. Acreditam sinceramente que da sabedoria e sobretudo da coerência das leis depende diretamente a perfeição dos povos e dos governos.

Foi essa crença, inspirada em parte pelos ideais da Revolução Francesa, que presidiu toda a história das nações ibero-americanas desde que se fizeram independentes. Emancipando-se da tutela das metrópoles européias, cuidaram elas em adotar, como base de suas cartas políticas, os princípios que se achavam então na ordem do dia. As palavras mágicas de Liberdade, Igualdade e Fraternidade sofreram a interpretação que pareceu ajustar-se melhor aos nossos velhos padrões patriarcais e coloniais, e as mudanças que inspiraram foram antes de aparato do que de substância. Ainda assim, enganados por essas exterioridades, não hesitamos, muitas vezes, em tentar levar às suas conseqüências radicais alguns daqueles princípios. Não é, pois, de estranhar, se o ponto extremo de impersonalismo democrático fosse encontrar seu terreno de eleição em um país sul-americano.

O Uruguai battlista pretendeu, enquanto existiu, realizar, ao menos em teoria, a conseqüência lógica do ideal democrático moderno, ou seja, o mecanismo do Estado funcionando tanto quanto possível automaticamente e os desmandos dos maus governos não podendo afetar senão de modo superficial esse funcionamento.

Colocado no pólo oposto à despersonalização democrática, o "caudilhismo" muitas vezes se encontra no mesmo círculo de idéias a que pertencem os princípios do liberalismo. Pode ser a forma negativa, da tese liberal, e seu surto é compreensível se nos lembramos de que a história jamais nos deu o exemplo de um movimento social que não contivesse os germes de sua negação— negação essa que se faz, necessariamente, dentro do mesmo âmbito. Assim, Rousseau, o pai do contrato social, pertence à família de Hobbes, o pioneiro do Estado Leviatã; um e outro vêm da mesma ninhada. A negação do liberalismo, inconsciente em um Rosas, um Melgarejo, um Porfírio Diaz, afirma-se hoje como corpo de doutrina no fascismo europeu, que nada mais é do que uma crítica do liberalismo na sua forma parlamentarista, erigida em sistema político positivo. Uma superação da doutrina democrática só será efetivamente possível, entre nós, quando tenha sido vencida a antítese liberalismo-caudilhismo.

Essa vitória nunca se consumará enquanto não se liquidem, por sua vez, os fundamentos personalistas e, por menos que o pareçam, aristocráticos, onde ainda assenta nossa vida social. Se o processo revolucionário a que vamos assistindo, e cujas etapas mais importantes foram sugeridas nestas páginas, tem um significado claro, será este o da dissolução lenta, posto que irrevogável, das sobrevivências arcaicas, que o nosso estatuto de país independente até hoje não conseguiu extirpar. Em palavras mais precisas, somente através de um processo semelhante teremos finalmente revogada a velha ordem colonial e patriarcal, com todas as conseqüências morais, sociais e políticas que ela acarretou e continua a acarretar.

A forma visível dessa revolução não será, talvez, a das convulsões catastróficas, que procuram transformar de um mortal golpe, e segundo preceitos de antemão formulados, os valores longamente estabelecidos. É possível que algumas das suas fases culminantes já tenham sido ultrapassadas, sem que possamos avaliar desde já sua importância transcendente. Estaríamos vivendo assim entre dois mundos: um definitivamente morto e outro que luta por vir à luz.

Escrevendo há sessenta anos, com intuição verdadeiramente divinatória, um naturalista norte-americano pôde anunciar, em forma de aspiração, o que não está longe, talvez, de constituir realidade. Coloridas, por vezes, desse progressismo otimista que foi característica suprema de seu século e de seu país, as palavras de Herbert Smith representam, não obstante, um convite, mais do que um mero devaneio, e merecem, por isso, ser meditadas. "De uma revolução"—dizia—"é talvez o que precisa a América do Sul. Não de uma revolução horizontal, simples remoinho de contendas políticas, que servem para atropelar algumas centenas ou milhares de pessoas menos afortunadas. O mundo está farto de tais movimentos. O ideal seria uma boa e honesta revolução, uma revolução vertical e que trouxesse à tona elementos mais vigorosos, destruindo para sempre os velhos e incapazes".

De que maneira se efetuaria essa revolução? "Espero—respondeu Smith—que, quando vier, venha placidamente e tenha como remate a amalgamação, não o expurgo, das camadas superiores; camadas que, com todas as suas faltas e os seus defeitos, ainda contam com homens de bem. Lembrai-vos de que os brasileiros estão hoje expiando os erros dos seus pais, tanto quanto os próprios erros. A sociedade foi mal formada nesta terra, desde as suas raízes. Se as classes cultas se acham isoladas do resto da nação, não é por culpa sua, é por sua desventura. Não ouso afirmar que, como classe, os operários e tendeiros sejam superiores aos cavaleiros e aos grandes negociantes. A verdade é que são ignorantes, sujos e grosseiros; nada mais evidente para qualquer estrangeiro que os visite. Mas o trabalho dá-lhes boa têmpera, e a pobreza defende-os, de algum modo, contra os maus costumes. Fisicamente, não há dúvida que são melhores do que a classe mais elevada, e mentalmente também o seriam se lhes fossem favoráveis as oportunidades".

É inevitável pensar que os acontecimentos dos últimos decênios, em vários países da América Latina, se orientam francamente nesse sentido. Mais patente nas terras onde prevaleceu maior estratificação social—no México, apesar de hesitações e intermitências, desde 1917; no Chile desde 1925 [187]—parece certo, contudo, que o movimento não é puramente circunstancial ou local, mas se desenvolve, ao contrário, com a coerência de um programa previamente traçado.[188]

Contra sua cabal realização é provável que se erga, e cada vez mais obstinada, a resistência dos adeptos de um passado que a distância já vai tingindo de cores idílicas. Essa resistência poderá, segundo seu grau de intensidade, manifestar-se em certas expansões de fundo sentimental e místico limitada ao campo literário, ou pouco mais. Não é impossível, porém, que se traduza diretamente em formas de expressão social capazes de restringir ou comprometer as esperanças de qualquer transformação profunda.

Uma reação dessa ordem encontraria apoio firme em certa mentalidade criada pelas condições especiais de nosso desenvolvimento histórico, e que o próprio espírito legístico dos nossos políticos do segundo reinado e da primeira República não conseguiu modificar: quando muito manteve-se à margem dos fatos, exacerbando mesmo, pelo contraste, as forças que queria neutralizar. Tal mentalidade, dentro ou fora do sistema liberal, exige que, por trás do edifício do Estado, existam pessoas de carne e osso. As Constituições feitas para não serem cumpridas, as leis exis-

---

[187] No Chile, a atual composição entre conservadores e radicais pode não constituir mais do que uma solução de emergência. É significativo, entretanto, que as reformas de 1925 tenham dado dois resultados concretos: o aniquilamento do poderio exclusivista dos *hacendados* e o da oligarquia administrativa.—George McCutchen McBride, *Chile: Land and Society* (Nova York, 1936), pág. 214-231 e *passim*.

[188] Não é outro, sem dúvida, o significado das vitórias eleitorais ultimamente alcançadas, no Brasil e na Argentina, pelas massas de trabalhadores, embora sua articulação tenha sido aproveitada e em grande parte alimentada por forças retrógradas, representativas do velho caudilhismo platino. Forças que, por sua vez, puderam manifestar-se, sem estorvo maior, graças ao estímulo e às possibilidades que lhes forneceram os modelos totalitários da Europa.

tentes para serem violadas, tudo em proveito de indivíduos e oligarquias são fenômeno corrente em toda a história da América do Sul. É em vão que os políticos imaginam interessar-se mais pelos princípios do que pelos homens: seus próprios atos representam o desmentido flagrante dessa pretensão.

"Nada há mais parecido com um saquarema do que um luzia no poder": o dito célebre de Holanda Cavalcânti reflete a verdade, de todos sabida, acerca da semelhança fundamental dos dois grandes partidos do tempo da monarquia. Efetivamente quase nada os distinguia, salvo os rótulos, que tinham apenas o valor de bandeiras de combate. Não seria de admirar se ocorresse aqui coisa comparável ao que se viu no Prata, onde um Rosas, clamando, embora, contra os *salvajes unitarios*, fazia obra eminentemente antifederal e tratava de sujeitar as províncias ao mando discricionário de Buenos Aires e aos interesses da aduana portenha. Serviu-se do lema "Federação", que alcançara, ao seu tempo, enorme ressonância popular, como outros se serviam do lema "Liberdade", ainda mais prestigioso, ao mesmo passo em que procuravam consolidar em nome dele um poder positivamente ditatorial e despótico. Ninguém exprimiu com tamanha franqueza essa atitude como aquele caudilho venezuelano que proclamava diante de um Congresso: "*Supuesto que toda revolución necesita bandera, ya que la Convención de Valencia no quiso bautizar su Constitución con el nombre de federal, invocamos nosotros la idea; porque si los contrarios, señores, hubieran dicho* federación, *nosotros hubiramos dicho* centralismo".[189]

Na tão malsinada primazia das conveniências particulares sobre os interesses de ordem coletiva revela-se nitidamente o predomínio do elemento emotivo sobre o racional. Por mais que se julgue achar o contrário, a verdadeira solidariedade só se pode sustentar realmente nos círculos restritos e a nossa predileção, confessada ou não, pelas pessoas e interesses concretos não encontra alimento muito substancial nos ideais teóricos ou mesmo nos interesses econômicos em que se há de apoiar um grande partido. Assim, a ausência de verdadeiros partidos não é entre nós, como há quem o suponha singelamente, a causa de nossa inadaptação a um regime legitimamente democrático, mas antes um sintoma dessa inadaptação. A confusão é fácil e freqüente; o relatório Simon acerca da constituição indiana de 1930, via no fato de não se formarem na Índia partidos regulares um dos empecilhos à democratização do país.

A verdade é que, como nossa aparente adesão a todos os formalismos denuncia apenas uma ausência de forma espontânea,

---

189 Lisandro Alvarado, "Los Delitos Políticos en la Historia de Venezuela", *Revista Nacional de Cultura*, 18 (Caracas, V. 1940), pág. 4.

assim também a nossa confiança na excelência das fórmulas teóricas mostra simplesmente que somos um povo pouco especulativo. Podemos organizar campanhas, formar facções, armar motins, se preciso for, em torno de uma idéia nobre. Ninguém ignora, porém, que o aparente triunfo de um princípio jamais significou no Brasil—como no resto da América Latina—mais do que o triunfo de um personalismo sobre outro.

É inegável que em nossa vida política o personalismo pode ser em muitos casos uma força positiva e que ao seu lado os lemas da democracia liberal parecem conceitos puramente ornamentais ou declamatórios, sem raízes fundas na realidade.

Isso explica como, entre nós e, em geral, nos países latino-americanos, onde quer que o personalismo—ou a oligarquia, que é o prolongamento do personalismo no espaço e no tempo—conseguiu abolir as resistências liberais, assegurou-se, por essa forma, uma estabilidade política aparente, mas que de outro modo não seria possível. Para os chilenos, os três decênios do regime inaugurado por Diego Portales, que arrancou o país do perigo da anarquia mediante um poder acentuadamente oligárquico, ainda passam por ser os mais ditosos de sua história. E ainda hoje, a maior estabilidade da pequena República de Costa Rica entre suas bulhentas irmãs da América Central, explica-se largamente pelos mesmos motivos. A existência de tais situações, em verdade excepcionais, chega a fazer esquecer que os regimes discricionários, em mãos de dirigentes "providenciais" e irresponsáveis, representam, no melhor caso, um disfarce grosseiro, não uma alternativa, para a anarquia. A idéia de uma espécie de entidade imaterial e impessoal, pairando sobre os indivíduos e presidindo os seus destinos, é dificilmente inteligível para os povos da América Latina.

É freqüente imaginarmos prezar os princípios democráticos e liberais quando, em realidade, lutamos por um personalismo ou contra outro. O inextricável mecanismo político e eleitoral ocupa-se continuamente em velar-nos esse fato. Mas quando as leis acolhedoras do personalismo são resguardadas por uma tradição respeitável ou não foram postas em dúvida, ele aparece livre de disfarces. É notório que, no tempo da nossa monarquia, os jornais e o povo criticavam com muito mais aspereza a Câmara dos Deputados, eleita pelo povo, do que o Senado, cujos membros eram escolhidos pelo Imperador.

Apesar de tudo, não é justo afiançar-se, sem apelo, nossa incompatibilidade absoluta com os ideais democráticos. Não seria mesmo difícil acentuarem-se zonas de confluência e de simpatia entre esses ideais e certos fenômenos decorrentes das condições de nossa formação nacional. Poderiam citar-se três fatores que teriam particularmente militado em seu favor, a saber:

1. a repulsa dos povos americanos, descendentes dos colonizadores e da população indígena, por toda hierarquia racional, por qualquer composição da sociedade que se tornasse obstáculo grave à autonomia do indivíduo;

2. a impossibilidade de uma resistência eficaz a certas influências novas (por exemplo, do primado da vida urbana, do cosmopolitismo), que, pelo menos até recentemente, foram aliadas naturais das idéias democrático-liberais;

3. a relativa inconsistência dos preconceitos de raça e de cor.

Além disso, as idéias da Revolução Francesa encontram apoio em uma atitude que não é estranha ao temperamento nacional. A noção da bondade natural combina-se singularmente com o nosso já assinalado "cordialismo". A tese de uma humanidade má por natureza e de um combate de todos contra todos há de parecer-nos, ao contrário, extremamente antipática e incômoda. E é aqui que o nosso "homem cordial" encontraria uma possibilidade de articulação entre seus sentimentos e as construções dogmáticas da democracia liberal.

Se todavia não nos detivermos na configuração exterior da vida nacional, mas penetrarmos ainda e sobretudo as formas subjacentes, só nos cumprirá confessar que se limita a essa coincidência o que há de comum entre as atitudes que tentamos aproximar. Com efeito, no liberalismo, a idéia da bondade natural do homem é simples argumento; seria ilusório supor que tal convicção repouse em alguma simpatia particular pelo gênero humano, considerado no conjunto ou em cada um dos seus indivíduos. Trata-se de uma teoria essencialmente neutra, despida de emotividade e que se enquadra facilmente em fórmulas.

E o mais grave é que a própria coincidência notada entre os ideais que ele apregoa e o comportamento social que se tentou definir como tradicionalmente peculiar ao nosso povo é, no fundo, mais aparente do que real. Todo o pensamento liberal-democrático pode resumir-se na frase célebre de Bentham: "A maior felicidade para o maior número". Não é difícil perceber que essa idéia está em contraste direto com qualquer forma de convívio humano baseada nos valores cordiais. Todo afeto entre os homens funda-se forçosamente em preferências. Amar alguém é amá-lo mais do que a outros. Há aqui uma unilateralidade que entra em franca oposição com o ponto de vista jurídico e neutro em que se baseia o liberalismo. A benevolência democrática é comparável nisto à polidez, resulta de um comportamento social que procura orientar-se pelo equilíbrio dos egoísmos. O ideal humanitário que na melhor das hipóteses ela predica é paradoxalmente impessoal; sustenta-se na idéia de que o maior grau de amor está por força no amor ao maior número de homens, subordinando, assim, a qualidade à quantidade.

É claro que um amor humano sujeito à asfixia e à morte fora de seu círculo restrito, não pode servir de cimento a nenhuma organização humana concebida em escala mais ampla. Com a simples cordialidade não se criam os bons princípios. É necessário algum elemento normativo sólido, inato na alma do povo, ou mesmo implantado pela tirania, para que possa haver cristalização social. A tese de que os expedientes tirânicos nada realizam de duradouro é apenas uma das muitas ilusões da mitologia liberal, que a história está longe de confirmar. É certo que a presença de tais ilusões, não constitui em si argumento contra o liberalismo e que existem outros remédios, além da tirania, para a consolidação e estabilização de um conjunto social e nacional.

Importa, de qualquer modo, relegar aos seus justos limites o domínio de certos princípios e fórmulas políticas. Aqueles pioneiros de nossa Independência e da República que em 1817 não desejavam em nada modificar a situação dos negros escravos, embora não reconhecessem o direito dessa situação, foram de uma sinceridade que nunca mais se repetiu no decurso de nossa vida de nação. Depois deles, os políticos mais prudentes preferiam não mencionar o ponto vulnerável de uma organização que aspiravam perfeita e coerente consigo mesma, ainda quando somente no papel. Não duvidaram um único momento de que a sã política é filha da moral e da razão. E assim preferiram esquecer a realidade, feia e desconcertante, para se refugiarem no mundo ideal de onde lhes acenavam os doutrinadores do tempo. Criaram asas para não ver o espetáculo detestável que o país lhes oferecia.

É freqüente, aliás, o fato de aqueles que em política tratam de fazer obra puramente realista ou apenas oportunista, pretenderem agir, ao mesmo tempo, segundo critérios morais: alguns ficariam sinceramente escandalizados se lhes dissessem que uma ação moralmente recomendável pode ser praticamente ineficaz ou nociva. Não faltam exemplos de ditadores que realizam atos de autoridade perfeitamente arbitrários e julgam, sem embargo, fazer obra democrática.

Essa atitude não é muito diversa da que, por outras razões, adotaram os "caudilhos esclarecidos" da Europa moderna. Não é impossível, pois, que o fascismo de tipo italiano, a despeito de sua apologia da violência, chegue a alcançar sucesso entre nós. Hoje os partidários do fascismo já descobrem seu grande mérito em ter tornado possível a instauração de uma reforma espiritual abrangendo uma verdadeira tábua de valores morais. Não há dúvida que, de certo ponto de vista, o esforço que realizou significa uma tentativa enérgica para mudar o rumo da sociedade, salvando-a de supostos fermentos de dissolução. O sistema que instituiu para sustentar a estrutura imposta com violência pretende compor-se dos elementos vitais de doutrinas que repele em muitos dos seus aspectos; nisso mesmo está um dos títulos de orgulho prediletos dos criadores do regime. Esse sistema lhes dá, aparentemente, a dignidade de um triunfo positivo sobre o liberalismo e também sobre as pretensões revolucionárias da Esquerda.

Quem não sente, porém, que sua reforma é, em essência, apenas uma sutil contra-reforma? Quem duvida que entre seus motivos diretos subsiste o intuito, algumas vezes confessado, aliás, de dar sentido e fundamento às reivindicações materiais que, em verdade, lhe servem de base? Não é preciso extraordinária argúcia para se perceber que nesse subterfúgio repousa muito de sua energia. E efetivamente é ainda uma negação disciplinada o que se exprime antes de tudo em sua filosofia de emergência.

Não seria difícil prever o que poderia ser o quadro de um Brasil fascista. Desde já podemos sentir que não existe quase mais nada de agressivo no incipiente mussolinismo indígena. Na doutrinação dos nossos "integralistas", com pouca corrupção a mesma que aparece nos manuais italianos, faz falta aquela truculência desabrida e exasperada, quase apocalíptica, que tanto colorido emprestou aos seus modelos da Itália e da Alemanha. A energia sobranceira destes transformou-se, aqui, em pobres lamentações de intelectuais neurastênicos. Deu-se com eles coisa semelhante ao que resultou do comunismo, que atrai entre nós precisamente aqueles que parecem menos aptos a realizar os princípios da Terceira Internacional. Tudo quanto o marxismo lhes oferece de atraente, essa tensão incoercível para um futuro ideal e necessário, a rebelião contra a moral burguesa, a exploração capitalista e o imperialismo, combina-se antes com a "mentalidade anarquista" de nosso comunismo, do que com a disciplina rígida que Moscou reclama dos seus partidários.[190] No caso do fascismo, a variedade brasileira ainda trouxe a agravante de poder passar por uma teoria meramente conservadora, empenhada no fortalecimento das instituições sociais, morais e religiosas de prestígio indiscutível, e tendendo, assim, a tornar-se praticamente inofensiva aos poderosos, quando não apenas o seu instrumento. Com efeito, tudo faz esperar que o "integralismo" será, cada vez mais, uma doutrina acomodatícia, avessa aos gestos de oposição que não deixam ampla margem às transigências, e partidária sistemática da Ordem, quer dizer do Poder Constituído.

---

190 Redigidas e pela primeira vez publicadas em 1934, estas palavras já não parecem corresponder à realidade presente. Restaria saber se o zelo, principalmente sentimental, com que inúmeros dos nossos comunistas seguem hoje um chefe "que nunca erra" não seria a causa de tal mudança, muito mais do que a adesão consciente e refletida aos princípios marxistas.

No plano teórico ele fica satisfeito com ser perfeitamente insignificante, por menos que o confesse. O que deseja no íntimo—e algumas vezes com desconcertante ostentação—é a chancela, o *nihil obstat* da autoridade civil. Segue nesse ponto a grande tradição brasileira, que nunca deixou funcionar os verdadeiros partidos de oposição, representativos de interesses ou de ideologias.

Se no terreno político e social os princípios do liberalismo têm sido uma inútil e onerosa superfetação, não será pela experiência de outras elaborações engenhosas que nos encontraremos um dia com a nossa realidade. Poderemos ensaiar a organização de nossa desordem segundo esquemas sábios e de virtude provada, mas há de restar um mundo de essências mais íntimas que, esse, permanecerá sempre intato, irredutível e desdenhoso das invenções humanas. Querer ignorar esse mundo será renunciar ao nosso próprio ritmo espontâneo, à lei do fluxo e do refluxo, por um compasso mecânico e uma harmonia falsa. Já temos visto que o Estado, criatura espiritual, opõe-se à ordem natural e a transcende. Mas também é verdade que essa oposição deve resolver-se em um contraponto para que o quadro social seja coerente consigo. Há uma única economia possível e superior aos nossos cálculos para compor um todo perfeito de partes tão antagônicas. O espírito não é força normativa, salvo onde pode servir à vida social e onde lhe corresponde. As formas superiores da sociedade devem ser como um contorno congênito a ela e dela inseparável: emergem continuamente das suas necessidades específicas e jamais das escolhas caprichosas. Há, porém, um demônio pérfido e pretensioso, que se ocupa em obscurecer aos nossos olhos estas verdades singelas. Inspirados por ele, os homens se vêem diversos do que são e criam novas preferências e repugnâncias. É raro que sejam das boas.

# CARTA A CASSIANO RICARDO*

Meu caro Cassiano Ricardo.

Não tentarei analisar em pormenores suas interessantes considerações sobre *o homem cordial* publicadas no n.º 2 de *Colégio*. Creio que nunca chegaríamos a entendimento perfeito acerca de alguns aspectos tratados e vejo que será inútil esmiuçar todos os pontos de sua réplica. Confesso sem vergonha, e também sem vanglória, que não me sinto muito à vontade em esgrimas literárias: sou capaz de largá-las ao meio do caminho por impontualidade, por preguiça ou por inépcia.

Além disso acredito que nossa divergência se reduz em parte a uma questão de palavra. Devo dizer que não me agarro com unhas e dentes à expressão *cordial,* que mereceu suas objeções. Se dela me apropriei foi na falta de melhor. É certo, entretanto, que não me convenceram seus argumentos em contrário, quando opõe *bondade* a *cordialidade*. Não vejo como fugir, com efeito, ao sentido ético associado à palavra *bondade*. Você mesmo não o conseguirá, apesar de toda a sua admirável destreza. Ou conseguirá, se assim se pode dizer, redefinindo e imprecisando o conceito, de um modo que ouso julgar ilegítimo. Assim, onde v. procura esclarecer melhor suas afirmações, seu artigo diz o seguinte: "Nem falei em bondade como excluindo inimizade, mas como antítese de ódio". Ora, bondade, de fato, não exclui inimizade, mas tem como

---

* Publicada na revista *Colégio*, n.º 3, São Paulo, setembro de 1948.

antítese a maldade e não o ódio. E este, por sua vez, pode contrapor-se ao amor, não à bondade. Mas justamente neste ponto será preciso ultrapassarem-se as fronteiras da ética.

E v. me perdoará se também não confio muito nessa "*técnica* da bondade", nessa "bondade *empregada* com sabedoria e até mesmo com um certo *maquiavelismo...*" * a que v. se refere em suas considerações, depois de mencioná-la em seu livro. Não me parece indispensável separar, como você, o maquiavelismo "frio e agudo" de outro, porventura "cheio de calor humano". Bondade maquiavélica é maquiavelismo — ou é fraqueza —, não é bondade.

Agora peço licença para voltar um pouco ao *homem cordial*. Quando na primeira edição de meu livro recorri à expressão, já empregada, antes de mim, pelo nosso amigo Ribeiro Couto, estava implícito nas minhas palavras tudo quanto a respeito seria dito na nota da segunda edição que deu motivo ao seu artigo. Aliás você mesmo lembra, agora, como na primeira edição se dava o *homem cordial* como o contrário de polido. Quer dizer que não se atribuía à palavra o sentido que adquire em fechos de cartas amáveis ou agressivas. Mas na mesma primeira edição eu também já tratava de apresentar as manifestações de polidez como "espécie de mímica deliberada de manifestações que são espontâneas no homem cordial". Isso significa que, antes de saber o que exprime exatamente uma palavra usada em determinado contexto, conviria, em qualquer caso, atender à sua exata conotação. Quando escrevi a palavra *cordial,* entendia-a no seu verdadeiro sentido. Você a interpreta na sua acepção fingida.

Não precisarei recorrer ao dicionário para lembrar que essa palavra — *cordial* —, em seu verdadeiro sentido, e não apenas no sentido etimológico, como v. quer presumir, se relaciona a coração e exprime justamente o que eu pretendi dizer. Como

---

* Os grifos são meus.

além disso se acreditou, mal ou bem, que o coração é sede dos sentimentos, e não apenas dos bons sentimentos, minha nova explicação, ao lembrar que a inimizade "bem pode ser tão cordial como a amizade, nisto que uma e outra nascem do coração", seria, se v. quiser, uma ampliação, não seria uma retratação.

E se fôssemos entrar nas sutis discriminações que v. reclama, então precisaríamos renunciar ao verdadeiro significado da palavra *excelente,* por exemplo, ou da palavra *ilustre,* já que comparecem com tão abusiva freqüência nas fórmulas, amáveis ou agressivas, onde já se apagou tal significado, como *excelentíssimo etc.* ou *ilustríssimo etc.*

Não, meu caro Cassiano Ricardo, o significado que dei à palavra *cordial* não o fui buscar, Deus me livre disso, na *noite dos tempos.* Nem tentei torcer seu valor semântico ou histórico para acomodá-lo às minhas antigas e novas idéias, que ao menos neste ponto — e já é muito — se ajustam perfeitamente entre si. Os seus dois sentidos a que aludi coexistiram sempre, ao que eu saiba. E não apenas no Brasil. Mesmo como fecho de cartas eles não deixam de surgir em outras terras e outras línguas (*cordialement, herzlich, heartily...*), sem prejuízo notório para seu significado real.

Cabe-me dizer-lhe ainda que também não creio muito na tal *bondade* fundamental dos brasileiros. Não pretendo que sejamos melhores, ou piores, do que outros povos. Mas qualquer discussão sobre este tópico envolveria divagações em volta de critérios forçosamente subjetivos, sem resultado plausível.

Por fim quero frisar, ainda uma vez, que a própria *cordialidade* não me parece virtude definitiva e cabal que tenha de prevalecer independentemente das circunstâncias mutáveis de nossa existência. Acredito que, ao menos na segunda edição de meu livro, tenha deixado este ponto bastante claro. Associo-a antes a condições particulares de nossa vida rural e colonial, que vamos rapidamente superando. Com a progressiva urbanização, que não consiste apenas no desenvolvimento das metrópoles, mas ainda e sobretudo na incorporação de áreas cada vez mais extensas à esfera da influência metropolitana, o homem cordial se acha fadado provavelmente a desaparecer, onde ainda não desapareceu de todo. E às vezes receio sinceramente que já tenha gasto muita cera com esse pobre defunto.

Cordialmente.

*Sérgio BUARQUE DE HOLANDA*

# índice de assuntos

Industrial, Era
—e a separação entre empregador e empregados, 102.
Inglaterra, 14, 15, 110, 133.
Injustiça social
—e privilégios, 7.
Integralismo, 141.
"Intelligentsia" brasileira e Comte, 117.

Japoneses
—e a polidez, 107.
Jesuítas
—suas origens ibéricas, 9.
—e língua-geral, 35.
—e a obediência, 11.
—na América Espanhola e na América Portuguesa, 64.
Johnson e os castigos corporais, 105.
Justiça
—e o Pátrio-Poder, 49.

Lácio
—ruas e casas, 62.
Lapidários
—do Rio de Janeiro no século XVIII, 29.
Latifúndio agrário, 16, 26 e seg.
Lavoura, 18.
—brasileira contrastada com a norte-americana, 29.
—no Brasil e as concepções rotineiras, 19, 38.
—predatória no Brasil, 37.
Lavradores
—livres e obrigados, 48.
Legislação espanhola
—na América e a navegação fluvial, 71.
Lei Eusébio de Queirós, xviii, 43.
Lei Ferraz, 46.
Liberalismo, 42.
—dos clérigos brasileiros, 84.
—no Brasil, 119.
Lima, 70, 86.
Língua portuguesa
—e a assimilação racial no Brasil, 35.
Lingüística
—emprego do diminutivo no Brasil, 109.

Linha telegráfica
—inauguração da primeira no Rio de Janeiro, 42.
Literatura
—influência negra, 31.
—medieval portuguesa, 81.
—portuguesa e a visão do mundo, 82.
—romântica, 121.
Livre-arbítrio, 9.
Livros de Linhagem, 8.

Malária
—e arado, 39.
Mandioca
—no Brasil português, 16.
Máquinas, 52.
Mar das Antilhas, 70.
Martim Francisco
—e os ofícios mecânicos dos moradores de Itu, 28.
Marxismo, 141.
"Mascates", 33.
Mauritsstad, 33.
Médicos brasileiros, 115.
Mercantilismo
—português no Brasil, 73.
Mérito pessoal, 9.
Mestiçagem, 36.
México, 70, 117.
Miscigenação
—em Portugal antes de 1500, 22.
—entre negros e portugueses segundo Garcia de Resende, 22 e seguinte.
—estímulo da parte do governo português, 26.
Missionários protestantes
—da Cia. das Índias Ocidentais, 35.
Missões jesuíticas, 17.
Molinismo, 9.
Monges
—contraventores das determinações régias, 68.
Monocultura, 17.
Mouriscos, 83.
Mulatos
—impedidos de exercer cargos municipais em Minas Gerais, 24.

# índice onomástico

Este livro foi impresso nas oficinas da
GRÁFICA EDITORA BISORDI LTDA.
Rua Santa Clara, 54 — São Paulo, SP
para a
LIVRARIA JOSÉ OLYMPIO EDITORA S.A.
em junho de 1987

ANO DA III BIENAL INTERNACIONAL DO LIVRO
(Rio de Janeiro, 10 a 20 de setembro)

*

250.º aniversário de morte de
Stradivarius [Antonio Stradivari] (c.1643 — 18.12.1737)
Sesquicentenário da morte de
Alexandre Pushkin (6.6.1799 — 14.2.1837)
Centenário de nascimento de
Heitor Villa-Lobos (5.3.1887 — 17.11.1959)
José Américo de Almeida (10.1.1887 — 10.3.1980)
Gilberto Amado (7.5.1887 — 27.8.1969)
90.º aniversário de nascimento de
Barbosa Lima Sobrinho (22.1.1897)
Cinqüentenário de criação do
Instituto Nacional do Livro — INL (21.12.1937)
e do Serviço (hoje Secretaria) do Patrimônio Histórico
e Artístico Nacional (SPHAN), do Ministério da Cultura (13.1.1937)
Centenário da estréia literária de
Conan Doyle (22.5.1859 — 1.7.1930)
com A Study in Scarlet, quando foi criado Sherlock Holmes

*

22.º aniversário de fundação da Xerox do Brasil (15.6.1965)
56.º aniversário de fundação desta Casa de livros (29.11.1931)

CÓD. JO: 01050

*Qualquer livro desta Editora não encontrado nas livrarias pode ser pedido,
pelo reembolso postal, à LIVRARIA JOSÉ OLYMPIO EDITORA S.A.,*

Rua Marquês de Olinda, 12
22251   Rio de Janeiro
Tel.: (021) 551-0642
Telex: 21327

Avenida Paulista, 807                Rua Carijós, 244
01311   São Paulo          30120   Belo Horizonte
Tel.: (011) 284-2124                 Tel.: (031) 224-2693
Telex: 22074                         Telex: 2199